La promesse du Highlander

MARGUERITE KAYE

La promesse du Highlander

Les Historiques

éditions HARLEQUIN

Collection : LES HISTORIQUES

Titre original : THE HIGHLANDER'S RETURN

Traduction française de JACQUES CEZANNE

Photos de couverture

Sceau : © ROYALTY FREE/FOTOLIA
Homme : © GETTY IMAGES/VETTA/ROYALTY FREE
Epée & armure : © GRAPHICOBSESSION/MIKE KEMP/RUBBERBALL/ROYALTY FREE

83-85, boulevard Vincent-Auriol, 75646 PARIS CEDEX 13.
Service Lectrices — Tél. : 01 45 82 47 47
www.harlequin.fr

ISBN 978-2-2802-4526-5 — ISSN 1159-5981

Prologue

Les Highlands, Ecosse, été 1742

Le soleil commençait à peine à descendre sur l'horizon quand ils mirent la voile pour rentrer à Errin Mhor. Ils venaient de passer une journée idyllique sur le plus grand des îlots constituant l'archipel que les gens du cru appelaient le Collier. De longues traînées roses et mordorées striaient le ciel des Highlands, s'assombrissant à mesure que le soleil plongeait derrière l'océan.

An Rionnag, leur frêle esquif, dansait sur les vagues aux crêtes argentées, filant droit vers la côte, sa voile unique gonflée de la petite brise qui s'était levée en même temps que tournait la marée.

Alasdhair se tenait à la proue, une main posée nonchalamment sur la barre du gouvernail, l'autre sur le bord du bateau. Ils avaient fait si souvent ce voyage qu'il aurait sans doute pu naviguer les yeux bandés. Pieds et jambes nus, il arborait une grâce naturelle, seulement vêtu de son *plaid* et d'une chemise au col ouvert.

Assise à la poupe en face de lui, Ailsa souriait, heureuse. C'était le jour de son seizième anniversaire, ce qui signifiait, comme Alasdhair le lui avait rappelé le matin même, que, selon la tradition des Highlands, elle était désormais adulte et donc libre de faire tout ce qu'elle désirait.

Ailsa n'avait jamais voulu qu'une seule chose : s'enfuir, échapper à l'atmosphère oppressante du château, se libérer enfin de la main de fer de son autocrate de père et pouvoir oublier l'indifférence glaciale de sa mère. Elle savait cependant que les choses n'étaient pas aussi simples. En tant que fille d'un *laird*, sa vie ne lui appartenait pas vraiment et elle ne pouvait en faire ce qu'elle voulait. Son clan et son devoir prenaient le pas sur tout, et particulièrement sur ses désirs personnels.

Par un jour comme celui-ci, néanmoins, où aurait-elle pu trouver un meilleur endroit que cet îlot — leur îlot — pour échapper à son destin, ne fût-ce que quelques heures ?

Les embruns salés et la morsure du soleil tendaient sa peau juvénile. Ses nattes s'étaient défaites, comme d'habitude, et sa chevelure flottait désormais sur ses épaules en une cascade de boucles blondes indomptables qui lui tombaient presque jusqu'à la taille.

Elle se sentait agréablement fatiguée, tout envahie de cette sorte de plénitude léthargique que l'on ressent au soir d'une journée passée à rire et à ne rien faire que s'amuser sans se soucier de rien ni de personne.

Ça avait été une journée parfaite.

Comme toujours, ils s'étaient accordés sur tout avec Alasdhair. Malgré les cinq années qui les séparaient, ils avaient toujours été aussi proches que possible. Et plus encore depuis que le frère aîné d'Ailsa, Calumn, l'ami d'enfance d'Alasdhair, avait quitté Errin Mhor pour rejoindre l'armée des Vestes Rouges, les régiments protestants qui avaient combattu pour installer Guillaume d'Orange sur le trône.

Maintenant qu'ils étaient seuls au château, ils passaient encore plus de temps ensemble. Quel couple ils faisaient, elle, l'héritière du clan négligée par sa mère et lui, le pupille rebelle du *laird* ! Un sort commun les unissait, car ni l'un ni l'autre ne s'étaient jamais sentis aimés, ni bienvenus.

Ailsa connaissait Alasdhair depuis sa plus tendre enfance, ce garçon assis en face d'elle, et qui fermait les yeux, le visage tourné vers le soleil pour en savourer les derniers rayons. Ses cheveux hirsutes, plus sombres que l'aile d'un corbeau, lui tombaient presque sur les épaules — des épaules qui tiraient dangereusement sur les coutures de sa chemise usée.

Elle avait remarqué un peu plus tôt, alors qu'ils pêchaient depuis les rochers, à quel point il semblait s'être étoffé ces derniers temps. Lui qui n'avait naguère que la peau sur les os paraissait désormais tout en muscles magnifiquement sculptés. Et son corps n'avait plus rien d'anguleux, au contraire. Un duvet noir et soyeux ombrait son torse, tout comme ses bras et ses jambes qui n'évoquaient plus du tout l'échassier d'autrefois. Alasdhair n'était décidément plus un adolescent, mais un homme. Et, elle le réalisait soudain comme si elle venait de poser les yeux sur lui pour la première fois, il était un homme très séduisant.

Elle sentit son cœur faire un drôle de petit soubresaut dans sa poitrine, et son ventre se contracter un peu.

C'était étrange.

Quand donc tous ces changements étaient-ils intervenus ? Et pourquoi n'avait-elle rien remarqué jusqu'à maintenant ?

Alasdhair ouvrit les yeux en même temps qu'il se passait la main dans les cheveux pour dégager son front et adressa à Ailsa un sourire nonchalant. Sa bouche avait une propension naturelle à se fendre d'un sourire. Elle était faite pour cela, même si la vie n'avait pas fourni à Alasdhair beaucoup d'occasions de rire.

Il observa le visage rayonnant d'Ailsa qui lui rendait son sourire. Elle avait quelque chose de particulier, une sorte d'exubérance naturelle qui lui donnait toujours le sentiment que les choses n'étaient finalement pas aussi graves qu'elles en avaient l'air. Malgré l'indifférence de sa mère et la tyrannie de son père, elle semblait douée d'un amour de la vie tout à fait communicatif.

— Viens t'asseoir près de moi pour regarder le soleil se coucher, lança-t-il en lui tendant la main et en se glissant d'un côté du banc étroit pour lui faire de la place.

Il la regarda s'approcher de lui gracieusement. Sa robe et son jupon étaient vieux, et d'un gris passé qui avait été autrefois aussi bleu que ses superbes yeux. Son *arisaidh* — l'immense *plaid* de tartan que portaient les femmes des Highlands en guise de manteau — gisait à ses pieds et elle ne portait ni veste ni gilet, simplement sa chemise à l'encolure dénouée. Les grandes manches de celle-ci bouffaient sur ses bras auxquels le soleil avait donné une teinte de biscuit à peine cuit. Il avait aussi blanchi par mèches entières ses cheveux qui cascadaient en un nuage clair sur son dos, leur fin réseau formant comme une auréole devant son front.

Alasdhair prit soudain conscience de la beauté sidérante de sa compagne. Comment ne s'en était-il pas rendu compte plus tôt ?

La voir assise en face de lui et sentir les pans de sa jupe frôler ses jambes étaient comme une révélation soudaine. Il sentait sa cuisse, chaude et ferme, à travers le tissu. Il regardait son avant-bras frôler le sien, mince et élégant, son poignet délicat, si fin qu'il pouvait en faire le tour entre le pouce et l'index. Elle sentait la mer, le sable, et l'air incroyablement pur de l'Ecosse.

Ailsa, la gamine pleine d'entrain à qui il avait appris à pêcher, à monter à cheval, à naviguer et même, sur sa demande insistante, à manier une dague… C'était avec elle qu'il venait de passer la journée, mais la fille qui se trouvait sur le bateau avec lui à présent était bien différente, et elle sentait si bon qu'il ne pouvait manquer de le remarquer.

Cette personne fascinante assise à côté de lui, cette fille dont le bras reposait sur le sien, dont les cheveux lui chatouillaient le visage, dont le vent dessinait les formes pleines quand il passait sur le tissu de sa chemise, cette femme en un mot, était bien différente de celle qui avait embarqué avec lui le matin même. C'était une créature sensuelle, à la silhouette affolante, et dont la présence l'envoûtait.

Le désir monta, aussi intense que fulgurant. Gêné, Alasdhair changea de position sur son siège. Sous le prétexte de carguer la voile, il regarda Ailsa une nouvelle fois en se demandant s'il avait été aveugle jusque-là. Ce cou interminable. Ce petit creux charmant à la base de celui-ci. Le renflement délicat de sa poitrine. Cette courbe qui se creusait sur sa taille au-dessus de ses hanches. Le galbe tendre de ses mollets.

Comment pouvait-il ne pas avoir remarqué cette transformation ?

Lorsque Alasdhair donna un coup de barre pour faire prendre le vent à *An Rionnag,* le gouvernail se cabra violemment comme la voile s'emplissait de vent et, instinctivement, Ailsa se précipita pour l'aider à le contrôler.

Sa main rencontra celle d'Alasdhair sur le bois usé et quelque chose se passa alors, comme si une étincelle avait jailli à ce contact. Leurs regards se croisèrent, et ce fut comme s'ils se regardaient pour la première fois de leur vie. Comme s'ils venaient de naître.

Le souffle d'Alasdhair lui resta dans la gorge et son ventre se crispa brusquement.

— Ailsa…

Ailsa eut l'impression qu'elle avait attendu ce moment toute sa vie. Et que tout l'univers, les étoiles, le soleil et la lune avaient attendu eux aussi cet instant, cet homme, ce lieu. Comme s'ils allaient abandonner enfin leurs oripeaux de chrysalides et sortir de leur cocon, transformés et prêts à accomplir leur véritable destin.

C'était l'instant. L'instant parfait.

— Alasdhair…

Son nom lui-même sonnait différemment.

Alasdhair retint son souffle. Il osait à peine la toucher, mais avait bien du mal à ne pas le faire. Tendrement, il repoussa les boucles diaphanes du front d'Ailsa, embrassa ses sourcils clairs. Quand elle ferma les yeux en tournant la tête vers lui, il posa un baiser sur le bout de son nez rougi par le soleil et parsemé de taches de rousseur discrètes. Elle soupira. Il lui passa le bras autour de la taille tandis qu'elle se blottissait contre lui. Ses pieds nus frôlèrent ceux d'Alasdhair. C'était la chose la plus érotique qu'il ait vécue de toute sa vie.

Sa bouche trouva celle d'Ailsa et, au moment même où il lui donnait ce premier baiser, ce moment où ses lèvres inexpérimentées se pressèrent sur celles d'Ailsa, que nulles autres n'avaient jamais ne fût-ce qu'effleurées, il sut. Et aux craquements de l'air autour d'eux, au calme des flots, à l'absence soudaine de mouvement du bateau, il sut qu'elle savait elle aussi — comment aurait-elle pu ne pas savoir ?

Leur baiser avait changé la face de l'univers. Pour toujours.

Le baiser d'Alasdhair était doux. Trop doux pour le satisfaire, mais déjà bien plus audacieux que dans ses rêves les plus fous. Il craignait que les torrents de passion que cette caresse presque innocente éveillait en lui n'effrayent Ailsa. Il avait une claire conscience de la différence d'âge et d'expérience — cinq ans ! — qui les séparait, et trouvait proprement sidérant que les caresses naïves d'une pucelle lui fassent bouillir le sang de la sorte.

C'était lui, toujours, qui l'avait protégée lorsqu'elle prenait des risques insensés, secourue quand elle se faisait mal, ce qui arrivait souvent, car elle était téméraire à l'excès. Lui encore qui l'avait rassérénée, avait chassé la poussière de ses vêtements et de son visage, séché ses larmes et promis de ne rien dire à personne. En toutes circonstances, il l'avait tenue à l'abri du danger.

Il le fit encore à cet instant, en se forçant à mettre fin à leur étreinte, à la repousser malgré les protestations véhémentes de son corps et celle, à peine murmurée d'Ailsa, proférée d'une voix qu'il ne lui avait jamais entendue auparavant. Une voix qui faisait vibrer ses sens comme le chant d'une sirène. Jamais un tel maelstrom d'émotions n'avait secoué son être, mais il conservait pourtant un peu — très peu — d'empire sur lui-même. Il ne profiterait pas de la situation. Malgré la détestable opinion que la mère d'Ailsa avait de lui, Alasdhair Ross était un homme d'honneur.

Ailsa toucha ses lèvres du bout des doigts en cherchant l'air. *Ainsi, c'était cela, un baiser ?* Elle se sentait un peu étourdie, comme si elle avait bu trop de vin ou passé trop de temps en plein soleil. Cela ressemblait à la crête écumante des vagues, ou à une tempête inopinée en été. Bref, c'était incroyablement excitant. *Un baiser.*

— Ailsa, je ne voulais pas… je n'aurais pas dû… tu sais que jamais je ne profiterais de…

— Ne sois pas bête, bien sûr que je le sais ! répondit-elle en souriant et en lui prenant la main avec une audace juvénile pour la presser contre sa joue.

Il avait de belles mains, malgré les cals qu'y laissaient les innombrables corvées dont son père abreuvait Alasdhair pour tenter de mater son esprit rebelle et lui apprendre exactement où se trouvait sa place dans le grand ordre de l'univers.

Son père devrait attendre encore longtemps, songea-t-elle.

— Es-tu certaine que je ne t'ai pas fait peur ? s'enquit Alasdhair.

Elle secoua la tête.

— Je ne sais pas ce qui m'a pris. J'ai eu l'impression de te voir vraiment pour la première fois de ma vie.

— C'est exactement ce que j'ai ressenti moi aussi.

Ils éclatèrent de rire tous les deux, puis s'embrassèrent de nouveau et, cette fois-ci, leur baiser était plus assuré. Il avait la douceur envoûtante d'une promesse non encore totalement éclose. Attirant comme toutes les choses nouvelles, et d'autant plus excitantes qu'elles sont illicites.

Le soubresaut du bateau au sommet d'une vague, et le bruit du fond raclant les premiers rochers qui bordaient la côte les ramenèrent enfin à la réalité. Ils éclatèrent de rire à l'unisson quand ils se rendirent compte qu'ils avaient laissé *An Rionnag* voguer sans s'en soucier. Avec la dextérité que confèrent l'habitude et une longue pratique, ils abordèrent la petite jetée privée du château à laquelle le bateau du *laird* était amarré, avec les armoiries seigneuriales gravées sur sa proue et ses bancs capables de recevoir seize rameurs.

Sautant sur la berge, Alasdhair regarda la nef avec un dédain teinté d'excitation. *Craignez Dieu,* disait la devise des Munro, mais il doutait que le *laird* ait jamais craint quiconque. En tout cas, il ne baissait la tête devant personne. Son monde et tous ceux qui l'habitaient n'appartenaient qu'à lui seul. C'était un *laird* dans tous les sens du terme et même sa femme et ses enfants devaient obéir à ses ordres.

Quand il leva les yeux vers le château, Alasdhair aperçut une longue silhouette à la fenêtre qui donnait sur le jardin.

— C'est ma mère, avertit Ailsa d'un ton craintif en suivant le regard de son bien-aimé. Je ne lui ai pas dit où j'allais.

— Crois-tu qu'elle aura prévu quelque chose ?

— Pour mon anniversaire ? répondit Ailsa avec un

sourire plein d'ironie amère. Je doute qu'elle se soit souvenue que c'était aujourd'hui.

— Veux-tu que je t'accompagne ?

— Tu ne ferais qu'aggraver son humeur si elle est dans un mauvais jour.

La clarté diurne commençait à fuir avec le soleil qui finissait de se coucher.

— Je ferais bien d'aller la voir et de régler le problème, s'il y en a un.

— Ailsa ?

— Oui ?

— Ç'a été une journée très particulière, aujourd'hui.

— C'est vrai, répondit-elle avec un sourire. La plus belle chose qui me soit jamais arrivée, Alasdhair.

— Pour moi aussi.

Il avait envie de l'embrasser de nouveau et trouvait affreux qu'il faille que les choses s'arrêtent là, sous le regard dérangeant de lady Munro. Le crépuscule ne devait laisser voir que des ombres, mais il soupçonnait qu'elle était capable de voir dans le noir, comme un chat sauvage diabolique.

— Un jour, affirma-t-il, en se contentant de serrer la main d'Ailsa dans la sienne, nous serons ensemble pour toujours, et chaque journée sera aussi particulière que celle-ci.

— Un jour, et pour toujours, approuva-t-elle.

C'était une promesse. Un vœu solennel qu'ils se juraient de tenir tous les deux.

Chapitre 1

Printemps 1748

Les tambours faisaient entendre leur lugubre message depuis déjà toute une semaine. Venus des confins du pays, les Highlanders étaient rassemblés en ce triste jour pour enterrer lord Munro, *laird* d'Errin Mhor.

Dans la grande salle du château, le cercueil reposait sur son catafalque, tout drapé d'une grande pièce de tissu noir sur laquelle chatoyait la devise des Munro : *Craignez Dieu*. La même devise qui avait couvert la bière du père du défunt lord, et du père de celui-ci avant eux.

Ailsa Munro se pencha prudemment à la petite fenêtre de la tour dont elle avait fait son salon afin de mieux observer la foule endeuillée venue faire ses adieux à son père.

Malgré sa taille, elle devait se tenir sur la pointe des pieds pour y voir quelque chose tant la fenêtre était haute. Si les proches du défunt s'étaient avisés de lever la tête, ils auraient eu le plaisir d'apercevoir la fille du *laird*. Avec ses cheveux noués en un chignon précaire sur le sommet de sa tête et ses beaux yeux bleus luisant de curiosité, elle avait plus l'air d'une princesse tout droit sortie d'un conte de fées et attendant que son Prince vienne la sauver des griffes du Dragon plutôt que d'une fille éplorée s'apprêtant à se joindre au cortège funèbre.

Les hommes présents, toutefois, étaient trop occupés à causer avec leurs pairs et à spéculer sur les changements que le trépas du *laird* risquait de susciter pour lever la tête.

Les ennemis jurés se mêlaient aux alliés immémoriaux dans la clarté pâle du soleil printanier. Ils étaient du même monde, souvent de la même lignée, mais bien peu parmi eux avaient été amis du défunt. Il fallait en effet avoir la peau bien dure et l'âme chevillée au corps pour ne pas un jour ou l'autre s'être brouillé avec un homme aussi dur et buté que lord Munro.

Au rez-de-chaussée, là où Ailsa aurait dû se trouver à cette heure, les hommes de haut rang attendaient, prêts à assumer l'honneur de porter les couleurs du père de la jeune femme, ses étendards, sa grande épée, sa dague et son bouclier rond.

Les chefs de clan et les *lairds* des alentours, la crème de l'aristocratie des Highlands, étaient tous venus présenter leurs respects à la dépouille de leur pair. Même ceux qui avaient soutenu le Prétendant durant le récent conflit qu'on appelait à présent la Rébellion étaient venus renouer les liens d'antan avec Calumn, le frère d'Ailsa, en dépit du fait que leur père avait toujours été un ardent défenseur de la couronne.

Les funérailles d'un *laird* auraient dû être accompagnées de grandes démonstrations de tristesse et de pleurs, mais pour Ailsa, comme pour la majorité des présents, ce jour marquait bien plus la fin d'une époque et l'occasion de célébrer le début d'une ère nouvelle toute tournée vers l'avenir plutôt que le trépas d'un vieil homme.

En ces temps où tout changeait très vite, après la défaite des Jacobites et la fuite vers la France de Charles-Edouard Stuart, que tous les Ecossais appelaient affectueusement Bonnie Prince Charlie, à présent que le gouvernement semblait décidé à faire de la loi l'instrument de l'abolition des clans des Highlands toujours prêts à se révolter, lord Munro était devenu une sorte d'anachronisme, un féodal symbolisant un passé révolu et pourtant décidé à maintenir coûte que coûte une tradition périmée.

Il avait joui de la loyauté de ses gens, sinon de leur respect, mais jamais il n'avait su gagner leur affection.

Ailsa ferma la fenêtre en soupirant. Sa propre relation avec son père avait beaucoup ressemblé aux hivers écossais, songeait-elle en prenant l'escalier pour rejoindre sa chambre : froide et maussade, et ponctuée de tempêtes occasionnelles, lorsque son caractère impétueux avait trouvé en l'obstination de son père l'occasion de confrontations explosives. Heureusement, comme lord Munro s'était toujours montré passablement indifférent à l'égard de sa fille, leurs affrontements avaient été mémorables, mais somme toute peu fréquents.

Des images de leur dispute la plus violente lui revenaient à l'esprit comme autant de fantômes effrayants. Six années avaient passé depuis, assez pour que beaucoup d'eau ait coulé sous les ponts.

De l'eau noire et glacée…

Ailsa frissonna et essaya de chasser de son esprit ces affreux souvenirs. Il y avait bien assez de spectres pour hanter le présent sans qu'il soit besoin d'en faire remonter de nouveaux du passé.

Elle planta quelques épingles supplémentaires dans ses cheveux d'or, par précaution, quand bien même elle savait pertinemment qu'elle n'avait aucune chance de les empêcher de s'échapper de son chignon.

— C'était mon père quand même, se dit-elle à voix haute. Ce serait une bonne chose si le jour de ses funérailles pouvait me laisser au moins un bon souvenir.

Cela semblait impossible, toutefois, malgré la bonne volonté qu'elle déployait à cet effet. Lord Munro avait mis longtemps à mourir, s'accrochant à la vie comme un forcené bien après que son épouse, son médecin et ses enfants eurent abandonné tout espoir. Lord Munro avait décidé de ne pas quitter son enveloppe charnelle avant d'être parfaitement prêt.

— On ne peut pas vraiment nous blâmer de ressentir plus de soulagement que de tristesse, affirma Ailsa toujours à voix haute et pour elle-même, selon une habitude qu'elle avait acquise au fil des ans depuis son enfance, s'inventant des amis imaginaires pour se tenir compagnie.

En tant que fille du *laird*, on ne lui avait jamais permis de se mélanger aux enfants des villageois.

— Il aura au moins un enterrement en grande pompe, car ce sont sûrement les funérailles les plus attendues et les mieux préparées dans tous les Highlands depuis des années.

Elle accrocha une jolie broche d'or délicatement gravée d'un ancien motif celtique plutôt complexe sur sa robe, puis s'examina dans le grand miroir d'un œil critique.

Quasiment sans exception, tous ceux qui connaissaient lady Munro — une femme à la beauté confirmée — ne pouvaient s'empêcher de commenter l'étonnante ressemblance entre la mère et la fille, mais Ailsa trouvait cette comparaison lassante. Franchement, elle n'avait pas du tout envie de s'entendre dire qu'elle ressemblait à sa mère, mais rien n'y faisait.

Depuis quelques années, ses cheveux avaient perdu leur blondeur juvénile et pris en lieu et place de celle-ci la même teinte d'or bruni qui ornait le chef de sa mère et de ses frères. Tout comme elle, cependant, ils faisaient preuve d'une indépendance remarquable et ne restaient généralement coiffés que très peu de temps. Quant à ses yeux, oui, ils étaient effectivement de la même incroyable couleur que ceux de sa mère, quoique, à rebours de ce qu'un galant avait prétendu un jour, pas vraiment violets comme la pourpre antique, mais tirant plutôt sur le bleu.

Son visage était d'un ovale plaisant et tout le monde s'accordait à la trouver jolie, quoique personnellement, elle trouvât sa bouche trop grande. Tout cela faisait-il d'elle une beauté ? Elle n'en savait rien. Ce qu'elle savait en revanche, c'était qu'il n'y avait aucun moyen de se soustraire à l'évidence : elle était bien la fille de sa mère.

Ailsa fit la grimace. A son avis, sa mère avait plus de raisons que n'importe qui d'être soulagée par la mort de lord Munro, car leur couple n'avait jamais été une réussite. Comment aurait-il pu l'être d'ailleurs, quand le *laird* exigeait qu'on lui obéisse aveuglément et que sa femme oublie la terre entière pour se consacrer exclusivement à lui ? En tout cas, si le trépas de son époux la délivrait d'un grand poids, elle ne semblait s'en réjouir que dans son for intérieur.

— Quoi qu'elle ressente, elle le garde pour elle, marmonna Ailsa en s'adressant à son reflet dans le miroir. On jurerait que c'est de la glace et non du sang qui coule dans les veines de ma mère.

Elle ajusta une dernière fois l'encolure de sa robe.

Comme tous ses vêtements, c'était une pièce de prix. Sa mère avait tenu à la voir porter de belles robes dès après son seizième anniversaire.

— Il va falloir que je te prenne en main, Ailsa, avait-elle déclaré d'une voix ferme. Tu n'es plus une enfant désormais. Il est temps que tu commences à t'habiller et à te comporter comme il sied à ton rang de fille de *laird* des Highlands.

Lady Munro avait insisté pour qu'elle porte des corsets, des bas, de la dentelle, et tous les autres ornements qui marquaient sa fortune et son rang. Ce n'était pas qu'Ailsa avait quelque chose contre les beaux atours, non, mais elle s'y sentait engoncée. Parfois, elle rêvait de sentir le sable sous ses pieds nus, le soleil sur sa nuque, et de pouvoir jeter lacets et corsets aux orties sans s'attirer les récriminations dont on l'abreuvait systématiquement chaque fois qu'elle cédait à ses petits accès de folie pourtant si anodins.

Sa toilette du jour consistait en une robe de soie tissée dans les couleurs du clan Munro portée par-dessus un jupon d'un bleu très sombre. Comme l'exigeait la mode, son corsage était lacé très serré, pour mettre en valeur l'ampleur de sa poitrine et le contraste de celle-ci avec la finesse de sa taille.

La plupart des hommes l'auraient dite voluptueuse mais, de ce point de vue, Ailsa aurait bien préféré ressembler à sa mère et offrir elle aussi aux regards une silhouette plus mince et moins opulente. Elle entretenait avec son corps des relations contrastées et détestait par exemple la façon qu'il avait d'attirer le regard des hommes. Mais son *arisaidh,* qu'elle portait aujourd'hui avec une ceinture et une broche pour le fermer, avait bien du mal à le cacher.

Son indifférence à l'égard des compliments dithyrambiques qu'elle s'attirait où qu'elle aille et son refus de laisser qui que ce soit essayer de lui faire la cour semblaient, étonnamment, inciter ses admirateurs à tenter leur chance avec d'autant plus d'insistance. Tout ceci la laissait parfaitement de marbre. Elle ne devait qu'à la perspective de sa jolie dot et à sa position de ne jamais manquer de prétendants, mais, malgré leur nombre impressionnant, aucun d'entre eux n'avait réussi à toucher son cœur.

Pas comme…

Instantanément, Ailsa s'interdit ce genre de pensée. A quoi pensait-elle ? Elle n'avait nul besoin d'une seconde leçon. De toute façon, l'amour n'entrait nullement en ligne de compte. Son existence n'avait qu'un seul but, une seule justification : trouver un bon mari. Son père avait été très clair là-dessus, six ans plus tôt.

La cloche de la tour du château se mit à sonner lentement tirant Ailsa de sa rêverie. Dans l'air immobile du petit matin, son drone sourd résonnait par-dessus les terres fertiles des Munro, renvoyé en un écho lugubre par le flanc des montagnes qui bordaient Errin Mhor.

La cloche était censée chasser les esprits mauvais dont tout le monde savait qu'ils rôdaient pendant une veille, prêts à profiter de la vulnérabilité momentanée des endeuillés. Elle marquait aussi le début des rites funéraires.

C'était l'heure. Ailsa tira son *arisaidh* sur sa tête pour couvrir ses cheveux, puis quitta la chambre et s'engagea rapidement dans l'escalier.

***

Dans la grande salle, son frère Calumn, en grand apparat dans son costume des Highlands, était occupé à répartir les membres de la famille pour les funérailles de son père.

Le bruit sourd des cornemuses que gonflaient les souffleurs fut comme un signal pour la petite foule, qui commença à s'assembler en ordre. Le nouveau *laird* d'Errin Mhor embrassa longuement sa femme Madeleine — qui attendait leur premier enfant — avant de s'éloigner. Selon la tradition, Madeleine devait rester en arrière pour consoler lady Munro. Non point que celle-ci fût disposée à accepter le réconfort de quiconque, mais c'était la tradition.

Toujours selon la coutume, Ailsa devait elle aussi demeurer auprès de sa mère tandis que les autres membres de la famille se formaient en procession.

Mais, sur ce point, Ailsa avait été parfaitement claire : elle rendrait hommage à la dépouille de son géniteur en même temps et de la même façon que les hommes, et non point en restant bien sagement au château en compagnie de lady Munro et des quelques femmes triées sur le volet par cette dernière.

Le sonneur de cornemuse du défunt *laird* commença à jouer les premières notes funèbres du *pibroch*, cette musique si particulière aux Highlands.

Ailsa prit des mains de Calumn le coussinet noir sur lequel reposaient les gantelets et le couvre-chef de son père et sortit la première. Le champion du trépassé, Hamish Sinclair, attendait au-dehors, juché sur un cheval drapé d'une couverture de velours noir, prêt à guider le cortège. L'étalon de lord Munro, lui aussi caparaçonné de noir, frappait nerveusement la terre du pied. L'absence de selle sur sa croupe symbolisait parfaitement la disparition définitive du *laird*.

On glissa quatre longues traverses de bois sous le cercueil. Selon la tradition, les huit premiers hommes désignés pour porter celui-ci devaient être choisis parmi les parents les plus proches du défunt. Calumn et son demi-frère Rory Macleod s'avancèrent les premiers, ce qui n'avait pas manqué de susciter une certaine controverse au motif que Rory n'était pas apparenté au *laird* défunt par le sang, étant issu du premier lit de lady Munro.

Lord Munro avait insisté pour que son épouse abandonne son premier-né avant leur mariage, et la mère et son fils avaient de ce fait été séparés depuis lors, mais Rory devait à l'insistance de Calumn d'assister aux funérailles malgré tout, et aux premières loges.

Quand on souleva le cercueil de son catafalque, les cornemuses lancèrent leur plainte lugubre. Les porteurs se mirent à descendre lentement les marches du grand perron, les yeux rivés droit devant eux, parfaitement concentrés sur la tâche qui leur incombait, car c'était une entreprise fort risquée de porter un lourd cercueil sur quatre traverses somme toute assez fines.

Ailsa se tenait au premier rang des proches du défunt. La longue file des parents et amis s'avançait derrière elle, par ordre hiérarchique, les *lairds* tout d'abord, suivis de leurs femmes, puis les domestiques de son père, ses fermiers, ses serfs, ses pousseurs de bétail, ses pêcheurs.

Ailsa les connaissait tous ou presque, par ouï-dire à tout le moins, sinon personnellement. A quelques rares exceptions près, les hommes portaient tous les deux *plaids* traditionnels, le *filleadh beg* et le *filleadh mòr*, en dépit de la loi qui interdisait le costume des Highlands aux gens du commun et n'en autorisait le port qu'aux aristocrates. La plupart des femmes arboraient leur plus belle robe noire du dimanche. Tous avaient le visage sombre. Les deux chevaux ouvraient la marche.

Le cortège descendit lentement l'imposante allée du château, franchissant les lourdes grilles de fer forgé portant le blason des Munro puis, poursuivant sa marche, atteignit le village d'Errin Mhor, où eut lieu le premier changement de porteurs. Il était de coutume que la chose eût lieu tandis que le cortège continuait sa progression, aussi le second groupe se tenait-il en place, aligné en deux files de quatre hommes qui prirent tour à tour le relais par paires, en ployant sous l'effort.

Comme la chute d'une traverse était considérée comme annonciatrice de la mort de celui qui la tenait, chacun exécutait les gestes requis avec d'extrêmes précautions pour assurer une transition parfaite. Les villageois, les gamins du village et même les chiens se tenaient cois, tête baissée, en signe de respect à l'égard de la procession qui passait devant eux.

Les frères Munro conservèrent leur place à l'avant du cortège. Avec leurs cheveux d'or et leur grande taille, ils formaient un trio impressionnant. Tous ceux devant qui ils passaient les regardaient avec une admiration mêlée de crainte.

Il était aussi de tradition que des rafraîchissements, sous la forme de *uisge beathe*, l'eau-de-vie plus connue généralement sous le nom de whisky, fussent servis en généreuses rasades pour humecter le palais des membres du cortège, car veiller un mort était une affaire qui donnait terriblement soif.

Aucun des frères Munro ne prit part aux libations, mais nombreux furent ceux qui s'en chargèrent à leur place. A tel point que lorsque, deux heures plus tard, ils atteignirent enfin, au beau milieu de nulle part, sur les confins du domaine, le cimetière solitaire dans lequel les *lairds* trouvaient leur dernière demeure, sous l'effet du *uisge beathe* combiné à l'inclinaison terrible du chemin, à l'étroitesse de ce dernier et à l'excitation de voir un événement longtemps attendu se réaliser enfin, une sorte d'extrême lassitude gagna le cortège. La longue file bien ordonnée s'étendait désormais en un cordon clairsemé et inégal. Beaucoup avaient la face rougeaude, le front couvert de sueur, et tous arboraient un air soulagé en lieu et place de l'expression grave et solennelle qu'ils avaient deux heures plus tôt à peine.

Ailsa détourna ses pas en arrivant aux portes du cimetière, car l'éloge funèbre et l'enterrement proprement dit étaient si strictement réservés aux hommes qu'elle-même n'avait pas le courage de braver l'interdit.

Les autres femmes se joignirent à elle. Epuisées, couvertes de poussière, mais heureuses que le but de leur longue marche ait été atteint sans incident, elles s'installèrent en petits groupes autour du cimetière, ignorant pour l'essentiel la cérémonie qui s'y déroulait et discutant, pour s'occuper, des derniers commérages et des dernières rumeurs, dans la langue gaélique de leurs ancêtres, si musicale, qu'elles continuaient à préférer à l'anglais dont les nouvelles lois voulaient leur imposer l'usage.

Ailsa passa d'un groupe à l'autre, acceptant sans broncher les platitudes polies et les condoléances convenues que lui adressèrent celles des dames dont elle savait que sa mère aurait exigé qu'elle les écoute en premier, avant d'aller se joindre à la masse compacte constituée des femmes et des filles de certains fermiers d'Errin Mhor.

Au milieu de celles-ci se tenait Shona MacBrayne, la rebouteuse avec laquelle elle passait souvent ses journées à cueillir des herbes, à concocter des potions, à veiller au chevet des malades ou à donner la main pour un accouchement.

— Je ne t'insulterai pas en disant que je suis désolée, Ailsa, murmura Shona si bas que les autres ne pouvaient l'entendre. Ton père a vécu fort longtemps, et même plus que ça. Je prie seulement pour que la route qu'il va prendre aujourd'hui le mène vers les cieux plutôt que l'enfer.

— Quelque direction qu'il prenne, tu peux être certaine qu'il l'aura choisie lui-même, répondit Ailsa avec irrévérence.

Comme tout le monde autour d'elle, elle commençait à ressentir cette sorte d'ivresse légère mêlée de soulagement que l'on éprouve si souvent après un enterrement.

Shona gloussa.

— En tout cas, à présent qu'il n'est plus là, ton frère va enfin pouvoir prendre en main les terres des Munro. Elles sont dans un triste état, et bien en peine de se remettre du peu d'attention qu'il leur a prêtée pendant toutes ces années.

— Pauvre Calumn, il ronge son frein depuis qu'il est rentré l'an passé, acquiesça Ailsa avec un sourire. Il se retient de toutes ses forces de ne pas changer les choses ici.

— Assurément, et nous pouvons être sûrs que les changements qu'il envisage ne manqueront pas d'irriter profondément ta mère. Il aura beau faire cela aussi délicatement qu'il voudra, il va y avoir du tapage, affirma Shona, perspicace. Il vaudra mieux pour toi que tu restes à l'écart de tout ça. De toute façon, il est temps que tu aies un foyer à toi. Ton père a mis longtemps à mourir et je ne serais pas surprise que McNair soit très impatient de te mettre enfin la bague au doigt.

Ailsa joua avec le fermoir de sa broche.

— Pourquoi le serait-il ? Mon père a réglé les choses entre nous depuis longtemps et les contrats sont signés. Pourquoi se presser ?

Shona fronça les sourcils.

— Ce mariage est une bonne chose pour le clan, Ailsa. Donald McNair est riche, et votre union nous assurera un allié de poids. Ne me dis pas que tu songes à le repousser !

— Bien sûr que non. Je suis parfaitement consciente de l'intérêt d'une telle alliance. Mon père ne l'aurait pas choisi sans cela.

— Mais toi, ma petite, que penses-tu de tout ça ?

— Quelle importance ? répondit Ailsa, balayant la question.

En voyant l'air choqué de Shona, Ailsa prit instantanément conscience qu'elle venait de commettre un impair. C'était une chose d'entretenir ce genre de pensées, mais c'en était une autre de les partager avec le personnel de son père — ou plutôt de son frère à présent. Elle toucha le bras de la vieille femme.

— Je l'aime bien, affirma-t-elle. Autant qu'il m'aime, lui, en tout cas.

Puis elle se pencha pour étreindre Shona doucement.

— Nous nous entendons bien tous les deux. Ne te ronge pas les sangs à mon sujet, Shona. Je peux prendre soin de moi.

— Ah, c'est bien vrai, approuva la rebouteuse tristement. Votre mère…

Elles furent interrompues sur ces entrefaites par la femme du forgeron qui voulait demander à Shona son avis sur la meilleure façon de traiter les douleurs articulaires de son époux.

Ailsa s'éloigna, fixant d'un regard absent le groupe d'hommes au loin. Shona avait raison : il était grand temps qu'elle se marie. Elle avait accepté les fiançailles, finalement, et Donald, l'homme que son père avait choisi pour elle, était assez beau somme toute, sous ses dehors austères. Pourquoi pas ? se souvenait-elle d'avoir pensé à l'époque. Quel autre destin s'offrait à elle, de toute façon, hormis de finir vieille fille et de rester à jamais dépendante de son frère ? En se mariant, elle aurait au moins un foyer à elle.

Une fois les contrats signés, cependant, elle s'était sentie curieusement peu disposée à passer aux actes. Elle avait temporisé autant qu'elle pouvait, arguant de l'état de santé de son père pour repousser le mariage.

La mort de celui-ci signifiait qu'elle avait épuisé toutes les excuses possibles et devait désormais affronter le destin qui s'offrait à elle avec une insistance décourageante. Elle avait beau s'être persuadée que le trépas de son père lui serait une délivrance, elle se sentait au contraire encore plus enfermée et piégée que lorsqu'il vivait encore.

Elle avait aussi espéré que le décès de son géniteur

contribuerait à réchauffer les relations qu'elle entretenait avec sa mère, mais au lieu de cela, lady Munro semblait s'être réfugiée encore plus derrière la barrière invisible qui la séparait de sa fille.

Ailsa avait cru jusque-là qu'elle était suffisamment habituée à la froideur de sa mère pour qu'une telle attitude ne l'atteigne pas, mais elle découvrait aujourd'hui à son grand dam qu'il n'en était rien.

Ce dont elle avait besoin, c'était d'un changement, certes, mais différent, quoiqu'elle n'ait aucune idée de ce dont il pouvait bien s'agir.

Le mariage avec Donald McNair ne lui semblait pas être la solution, alors même qu'elle savait fort bien que tel était son destin. On n'échappait pas à son devoir, c'était là une leçon qu'elle avait apprise à ses dépens. La jeune fille insouciante qu'elle avait jadis été n'existait plus depuis longtemps et son avenir qui, six ans plus tôt, avait semblé si radieux, semblait désormais terriblement terne et même quelque peu effrayant.

Elle s'approcha de la porte du cimetière. Calumn était toujours occupé à s'adresser aux hommes, qui avaient les yeux fixés sur lui. Quand elle se retourna pour rejoindre Shona, une haute silhouette toute vêtue de noir apparut soudain dans son champ de vision.

Elle en fut surprise, car l'inconnu semblait avoir surgi de nulle part. Le chemin qui menait au cimetière était vide l'instant d'avant, elle l'aurait juré.

Elle s'écarta pour lui céder la place, mais il sembla à peine s'apercevoir de sa présence tant il paraissait impatient de se joindre à la cérémonie qui s'achevait. Elle remarqua fugacement un visage impressionnant de beauté et des cheveux d'un noir de jais avant qu'il ne franchisse la porte pour aller se placer derrière les hommes en deuil, son chapeau à la main.

Follement intriguée, Ailsa se pencha par-dessus le petit muret de pierre sèche rongé par la pluie et la glace qui marquait la limite du cimetière.

L'allure de l'inconnu lui semblait vaguement familière. Son port de tête, sa façon de se tenir, de serrer son chapeau et ses gants entre ses mains croisées dans son dos… Sa taille aussi — il était grand, plus grand que Calumn lui-même —, ses cheveux, noirs come l'aile d'un corbeau qui tombaient sur ses épaules excessivement larges…

Ailsa sentit son cœur s'affoler tout à coup. Non, ce n'était pas possible. C'était une vague ressemblance, rien de plus.

L'inconnu portait des bottes de cheval visiblement bien cirées malgré la poussière du voyage, et un haut-de-chausse noir qui moulait ses longues jambes. Sa veste noire à longues basques et manchettes épaisses accentuait encore l'impression de force qui se dégageait de sa silhouette. Des ruches de dentelle blanche dépassant de ses manches contrastaient avec la peau hâlée de ses mains.

Si on le comparait aux autres hommes de l'assistance, il se dégageait de lui une impression d'élégance et de sophistication qui l'aurait aisément fait passer pour un étranger. Et pourtant, il avait l'air parfaitement à sa place. La façon dont il avait franchi le raidillon qui le séparait du lieu de l'enterrement était impressionnante, elle aussi. Si sa tenue donnait à penser qu'il s'agissait d'un riche gentleman venu de la grande ville, son corps, lui, était clairement celui d'un Highlander.

Ce ne pouvait pas être lui et pourtant, une partie d'elle-même était absolument persuadée qu'il ne pouvait s'agir de personne d'autre.

Mais Alasdhair Ross était banni !

Six ans plus tôt, il avait disparu et depuis, plus un seul mot. Ce ne pouvait pas être lui, cela n'avait pas de sens. Pourquoi serait-il revenu, après tout ce temps ? Et puis, malgré la ressemblance frappante, cet homme était bien trop sûr de lui, et bien trop élégant pour qu'il puisse s'agir d'Alasdhair. Si c'était lui malgré tout, alors il n'avait pas simplement changé, mais subi une transformation complète.

Ce ne pouvait être lui, se répéta-t-elle. Impossible.

Elle s'en était finalement presque persuadée lorsqu'il se tourna légèrement sur le côté, de sorte qu'elle pouvait désormais le voir de profil.

Son cœur, pétrifié dans la glace depuis le jour du départ d'Alasdhair, fut secoué par une violente nausée.

Elle ne l'avait aperçu que l'espace d'une seconde avant qu'il ne se retourne, mais cela lui avait suffi. Il était rasé de près et son menton carré, sa bouche droite et austère ne laissaient pas de place au doute. Ses lèvres étaient bien les mêmes que celles dont un éternel demi-sourire plissait les commissures. De fines rides entouraient ses yeux sombres. Son visage superbe semblait à présent plus dur et plus ferme que celui du jeune homme dont elle gardait le souvenir et qui n'avait pas, lui, cette autorité que seule confère la maturité. Pour autant, c'était bien le même.

Ailsa avait beau ne jamais s'être évanouie au cours de sa vie, elle craignit de défaillir en cet instant. Déjà, sa vision se troublait, le sang battait douloureusement à ses tempes et elle avait la bouche sèche. Pour ne pas s'effondrer, elle agrippa la crête moussue du muret, ferma les yeux et se força à respirer profondément.

— Dis-moi que mes yeux usés me trompent.

Ailsa leva la tête, surprise.

— C'est bien lui, n'est-ce pas ? lança Shona en désignant l'inconnu du menton. Alasdhair Ross, un fantôme surgi du passé et qui vient en rejoindre tant d'autres dans ce cimetière.

Elle gloussa, puis poursuivit :

— Il a été banni pour avoir défié l'autorité du *laird*, mais ton père n'a jamais clairement dit pour quelle raison.

— Non, en effet, répondit Ailsa, laconique. Il n'était pas du genre à justifier ses actes.

— Tu l'aimais bien, autrefois, n'est-ce pas ? s'enquit Shona, fine mouche. Si je me souviens bien, tu le suivais partout où il allait.

— C'était il y a longtemps. J'étais très jeune, tempéra Ailsa en tentant désespérément de retenir les larmes qu'elle sentait monter à ses yeux.

Il y eut un silence, puis :

— Je l'aimais beaucoup, c'est vrai.

— Je ne peux pas t'en blâmer, répondit Shona. Il a toujours été très beau malgré son air sauvage, mais le voilà devenu diablement séduisant. Et il a fait fortune, à en juger par les vêtements qu'il porte. Qui aurait pensé que le fils de l'intendant Ross réussirait si bien ? Crois-tu qu'il soit rentré au pays pour nous narguer ?

— Comment le saurais-je ? Et en quoi cela me concerne-t-il ? répondit Ailsa sèchement.

Que faisait-il ici ?

— Quoi qu'il fasse ici aujourd'hui, cela risque de remuer quelques cendres.

Le rire sourd de la rebouteuse ressemblait plus au caquètement de la sorcière que les gamins du village l'accusaient d'être parfois.

— Regarde-le un peu, tout de noir vêtu, se pencher sur la dépouille de ton père. On dirait Belzébuth en personne. Je suis surprise que nous n'entendions pas le *laird* se retourner dans sa tombe.

— Chut ! murmura Ailsa avec empressement. On va finir par nous entendre.

Justement, quelques-uns des hommes s'étaient tournés dans leur direction pour s'enquérir de ce qui troublait leur cérémonie et, ce faisant, s'étaient avisés de la présence de l'étranger posté derrière eux.

Ailsa les regarda s'écarter, comme s'ils craignaient d'être contaminés, et reconnut le même étonnement sidéré qu'elle éprouvait elle-même sur le visage de son frère Calumn. Elle sentait comme une main énorme étreindre son cœur. Un maelstrom d'émotions contraires — colère, douleur, regret, amertume — bouillait en elle, si fort qu'elle dut s'agripper au muret de pierre pour se soutenir tandis qu'elle regardait l'homme qu'elle avait si follement et si stupidement aimé se pencher sur la tombe de son père.

En quittant Errin Mhor six ans plus tôt, Alasdhair Ross avait juré de ne jamais retourner dans les Highlands. Depuis son enfance, en fait, depuis la première fois qu'il avait vu le grand globe terrestre qui trônait dans la bibliothèque de lord Munro, il avait rêvé de quitter cette terre trop exiguë pour lui et si ridiculement petite par comparaison avec le Nouveau Monde.

A tel point que son désir de traverser l'océan et d'aller faire fortune de l'autre côté n'avait fait que grandir au fil des ans. Il s'en était fait comme une armure, une carapace douillette qui l'avait protégé durant ses longues nuits d'hiver solitaires, après que sa mère l'eut abandonné et que son père eut quitté son enveloppe charnelle peu après. Et aussi contre la dérision et les sarcasmes que ses ambitions suscitaient chez lord Munro, qui l'avait accueilli chez lui et était devenu son tuteur.

— Ne sois pas stupide, mon garçon, tes idées n'ont pas de sens, entendait-il encore le *laird* lui lancer avec mépris. Ta place est ici, et ton devoir est de me servir. Si tu as de la chance et que tu obéis, je ferai peut-être de toi mon intendant. C'est tout ce à quoi un homme de ta condition devrait aspirer, et c'est déjà beaucoup.

Mais à mesure qu'Alasdhair grandissait, son désir de se faire une place au soleil en Amérique était devenu l'unique lumière au bout du long tunnel de sa servitude, et son unique espoir d'être un jour autre chose que le pupille de lord Munro, le serf de lord Munro, la propriété de lord Munro.

L'Amérique avait été le seul et unique objet de ses rêves. Ensuite, avec un peu de chance, du bon sens et beaucoup de travail acharné, il avait obtenu des résultats spectaculaires.

Ayant trouvé du travail sur la plantation d'un Ecossais, il avait réussi, à force d'obstination et de détermination, à s'élever au rang de directeur et bras droit de ce dernier avant de monter sa propre affaire.

Sa vie n'avait pas été facile, certes, mais le jeu en

valait la chandelle. Il était à présent un homme riche — très riche — un propriétaire terrien respecté, un marchand reconnu pour son honnêteté et sa droiture, qualités assez rares dans le commerce du tabac. Mais son intégrité lui importait encore plus que sa richesse. Il n'obéissait à personne hormis sa propre conscience et ne comptait jamais que sur lui-même.

Sa vie avait pris la tournure dont il rêvait depuis toujours. En réussissant seul, sans courber l'échine devant son *laird*, il avait offert un démenti cinglant à tous ceux qui moquaient ses ambitions. Il vivait en homme libre sur ses propres terres désormais, et personne ne se souciait de qui était son père ni même d'où il venait.

Sauf que, ces derniers temps, Alasdhair avait découvert que cela lui importait, à lui, profondément. A présent qu'il avait tout ce à quoi il aspirait, il trouvait que cela n'était pas assez.

Le passé, auquel, trop occupé ou trop las, il n'avait jamais trouvé le temps de penser, commençait doucement à se rappeler à son bon souvenir et à le hanter.

L'histoire de sa mère s'enfuyant soudainement avec un autre homme semblait de moins en moins crédible à mesure qu'il y réfléchissait. Pourquoi n'avait-elle jamais laissé la moindre explication ni même essayé d'entrer en contact avec lui ?

Quant à la mort de son père, il se refusait à croire qu'elle ait été autre chose qu'un simple accident, mais il ne pouvait s'empêcher de se demander si Alec Ross n'avait pas eu de bonnes raisons de faire de lui un orphelin et de l'abandonner à la vindicte éternelle de lady Munro.

Malgré cela, et la détermination de son tuteur à l'obliger à se plier à sa volonté, il regrettait les termes détestables en lesquels ce dernier et lui-même s'étaient quittés. Bien que sa vie fût désormais en Virginie, il voulait avoir le droit de retrouver le pays de son cœur, même s'il n'entendait pas l'exercer très souvent, voire plus du tout, à l'avenir.

Et puis, il y avait Ailsa.

Pourquoi ?

La question le harcelait sans répit. Plus il essayait de la chasser, plus elle revenait à la charge.

Pourquoi ?

Finalement, il avait compris qu'il n'aurait de repos tant qu'il n'aurait pas découvert la réponse à cette question. Et pour obtenir une réponse, il devait rentrer en Ecosse. Tourner la page, solder tous ses comptes, une bonne fois pour toutes, voilà ce qu'il voulait faire avant de retourner en Virginie. Ensuite, et ensuite seulement, il pourrait écrire un nouveau chapitre de sa vie.

Les circonstances l'avaient aidé à réaliser la première partie de son projet. L'occasion de former un nouveau partenariat avec un marchand de Glasgow s'était en effet offerte à lui au moment précis où l'un de ses bateaux s'apprêtait à prendre la mer en direction, justement, de cette ville.

Il était arrivé à Glasgow deux semaines plus tôt. Prenant aussitôt la route du Nord, il avait entendu, en entrant dans Argyll, le glas lugubre annonçant la mort de quelqu'un et, en apprenant qu'il s'agissait de lord Munro lui-même, qui venait de trépasser après une longue et douloureuse agonie, il avait été surpris par la violence des sentiments qui l'avaient assailli. Il y avait le regret d'être arrivé trop tard, bien sûr, et le chagrin, sans doute, mais aussi et surtout la colère, car le vieil homme avait dû se douter que la fin était proche et n'avait pourtant rien fait pour essayer de s'excuser ou même lever le bannissement d'Alasdhair.

Il arrivait juste à temps pour rendre un dernier hommage au *laird* défunt, n'ayant atteint Errin Mhor que le matin même.

Autour de lui, il n'y avait que des visages familiers qui cherchaient soigneusement à éviter son regard. En face de lui, Calumn, le nouveau *laird*. Il n'avait pas beaucoup changé. Il était plus large d'épaules, peut-être, le visage un peu buriné, mais pour l'essentiel, son ami d'enfance ressemblait exactement au jeune homme qu'il avait vu partir pour rejoindre l'armée du roi Henry. Cela faisait déjà plus de dix ans.

Les souvenirs passaient dans sa tête tandis qu'il écoutait Calumn faire l'éloge funèbre de son père. Des souvenirs très doux, terriblement douloureux, et d'autres, les plus sombres, surgissant des confins de sa mémoire comme des chiens furieux, ou plutôt comme des fantômes rassemblés autour d'un cadavre.

Ici, on disait qu'ouvrir la terre pour y enfouir un corps à peine froid libérait les esprits qui habitaient les dépouilles anciennes. Aujourd'hui, Alasdhair était bien près de le croire.

En s'ébrouant pour chasser ces pensées mélancoliques, il s'aperçut que Calumn venait d'achever sa dernière prière. Debout devant la tombe, le nouveau lord Munro recevait à présent les condoléances solennelles des autres hommes. Tous avançaient lentement vers lui à la suite l'un de l'autre et lui serraient la main, certains s'arrêtant un instant pour murmurer une prière devant le trou béant dans lequel reposait le défunt.

Alasdhair les suivit des yeux tandis qu'ils quittaient le cimetière en hochant la tête et en conversant entre eux, lui jetant des regards furtifs avec, sur le visage, des expressions qui allaient de la stupeur à l'hostilité la plus profonde en passant par toutes les nuances de la gêne et de la perplexité. Certains lui tournèrent carrément le dos.

La colère couvait en lui. Quelle différence cela leur faisait-il, à ces fermiers, à ces pêcheurs ? Que savaient-ils des circonstances de son départ ? Sûrement pas la vérité, il l'aurait parié. Cela le rendait fou furieux, de voir que le corps inanimé qui gisait dans la glaise humide puisse encore exercer une telle influence. Il ne méritait pas un tel traitement, et il le leur montrerait.

Pour l'heure, il fallait différer ce moment, vu les circonstances, mais il n'était pas question qu'il se laisse intimider. Les mains serrées derrière son dos, il resta immobile, très droit sur ses jambes, pendant qu'un à un les autres quittaient lentement le cimetière.

Dès qu'ils eurent passé la porte, cependant, et retrouvé leurs femmes, un vacarme de murmures agités s'éleva dans l'air matinal.

Fixant sur eux des yeux pleins de mépris, Alasdhair, le réprouvé, le mal-aimé d'antan vit s'approcher lentement vers lui son vieil ami.

— Alasdhair ! C'est bien toi !

— Calumn !

Les deux hommes tombèrent dans les bras l'un de l'autre et s'étreignirent.

— C'est bon de te voir, mon ami, lança chaleureusement le nouveau *laird*. J'ai souvent pensé à toi pendant toutes ces années.

— Moi aussi, répondit Alasdhair en hochant la tête.

J'aurais préféré te revoir dans des circonstances moins pénibles.

— Allons, tu es ici, c'est le principal. Nous avons beaucoup de temps à rattraper, tous les deux, mais il faut d'abord que je retourne au château pour retrouver mes hôtes. Nous parlerons demain pour de bon.

— Cela me ferait plaisir, affirma Alasdhair.

— Parfait. Viendras-tu à la veillée mortuaire ? demanda Calumn, que le refus de son ami ne surprit pas outre mesure. A demain, donc.

Là-dessus, le nouveau lord Munro s'éloigna en direction de la porte du cimetière où l'attendait son cheval.

Dissimulée par la foule, Ailsa observait la silhouette solitaire restée dans le cimetière.

Alasdhair. Ce nom, auquel elle s'était interdit de penser pour ne pas souffrir, semblait à présent résonner en elle.

Alasdhair. C'était un nom amer, âcre de regrets et de trahison, et pourtant il avait été le plus doux, le plus suave. Son Alasdhair, ni plus ni moins, autrefois… Fugacement.

Autour d'elle, les villageois en deuil riaient et conversaient avec toute la gaieté qui suit souvent les adieux déchirants aux trépassés. La vie réaffirmait ses droits et sa préséance sur la mort, mais Ailsa les remarquait à peine.

Ils allaient bientôt rentrer à Errin Mhor pour prendre part à la veillée funèbre. Les viandes grillées, le vin qui coulerait à flots, les verres de whisky innombrables que l'on lèverait à la santé du défunt et les hommages à celui-ci qui se poursuivraient très tard dans la nuit et culmineraient avec la crémation sur le bûcher qu'allumerait sa veuve de ses draps et de ses vêtements... Ailsa y prendrait part elle aussi, mais plus tard.

Pas maintenant.

Sans savoir trop comment, elle trouva le courage de franchir la grille et de s'approcher de la silhouette immobile. Mieux valait en finir tout de suite, pendant qu'ils étaient seuls. Il le fallait. La douleur s'apaiserait après cela, comme elle le fait après qu'on a crevé un abcès.

— Alasdhair ?

Il eut l'impression qu'on lui plantait une aiguille d'acier en plein cœur.

Ailsa...

Sa voix avait changé. C'était celle d'une femme plus mûre, sans doute, plus grave et rauque, mais il l'aurait reconnue entre mille. Comme il avait cru qu'elle serait au château avec sa mère, il ne s'était pas préparé à la revoir tout de suite. Il fit un effort pour contrôler le tourbillon d'émotions qui venaient de déferler en lui avant de lui faire face.

— Ailsa...

Le nom semblait rouillé à force d'avoir été retenu.

Ils se regardèrent fixement pendant un moment. Six ans. Six longues années. On les aurait crus pétrifiés dans l'ambre, leurs yeux seuls s'animant pour évaluer les changements apportés par le temps sur le visage de l'autre.

Chapitre 2

Alasdhair laissa son regard courir sur le corps d'Ailsa, puis sur son visage. Elle semblait plus grande que dans son souvenir. En tout cas, son corps avait changé pour devenir incroyablement sensuel. Les courbes discrètes de l'enfance avaient disparu. Sa beauté était mieux définie, débarrassée de l'imprécision et de la verdeur des années tendres. Ses cheveux, que les épingles n'arrivaient pas à retenir, avaient foncé, passant du blond à l'or. Seules les petites boucles qui entouraient son front demeuraient inchangées. Et ses yeux, avec leur étrange teinte d'un violet tirant sur le bleu, comme lorsqu'une tempête s'amoncelle dans le ciel… Ils étaient exactement comme autrefois.

Ailsa.

Elle n'avait pas l'air de sourire souvent désormais. L'exubérance, qui était autrefois le trait le plus marquant de son caractère, semblait l'avoir quittée.

— Je t'ai à peine reconnue. Tu as tellement changé, remarqua Alasdhair.

— Pas autant que toi.

— C'est vrai. Je ne suis plus un serf. Personne ne peut plus user ni abuser de moi à sa guise, comme lorsque j'appartenais aux Munro.

Ailsa tressaillit sous l'insulte.

— Jamais je n’ai pensé à toi en ces termes.

— En effet, c’est ce que j’ai cru moi aussi, jusqu’à ce que tu me prouves que j’avais tort.

— Que veux-tu dire ?

— Crois-tu vraiment que j’aie oublié ? Ou pardonné ?

Ailsa hésita, troublée par le ton accusateur d’Alasdhair. Il avait le visage terriblement dur. Tout en lui était sombre, intense. Si elle n’avait pas été à bout de nerfs, elle aurait sans doute eu peur de lui.

— Oublié quoi ? demanda-t-elle. Que tu as trahi ta promesse ? Un jour, et pour toujours, ce sont tes propres mots.

— Et je les ai prononcés d’un cœur sincère, contrairement à toi.

— Comment oses-tu ? Moi aussi j’étais sincère, absolument et sans réserve aucune. Tu sais très bien que je ne les aurais pas répétés si j’avais eu le moindre doute.

Sa voix tremblait tandis qu’elle s’efforçait de retenir ses larmes.

— Je sais surtout que tu t’es jouée de moi, répondit Alasdhair d’un ton glacial. Pas étonnant : avec une mère comme la tienne, tu as été à bonne école.

— Je ne ressemble en rien à ma mère !

— C’est ce que je croyais également, mais tu m’as prouvé le contraire là-dessus aussi.

Son regard était sombre et intense, son visage dur.

Ailsa fut incapable de contenir plus longtemps ses larmes. D’un geste plein d’impatience, elle les essuya du revers de sa main gantée.

— Je ne sais pas pourquoi tu es comme ça. Si quelqu’un a le droit d’être en colère ici, c’est moi.

— Toi ?

Elle rejeta la tête en arrière, arrachant une poignée d'épingles à ses cheveux dans le mouvement.

— Tu es parti sans un adieu, sans même essayer de te justifier !

Alasdhair jaugea le visage d'Ailsa. Elle semblait sincère. Un brouillard épais commença soudain à s'étendre sur ses certitudes.

— Voilà qui est plaisant, venant de toi, répliqua-t-il. C'est toi qui m'as trahi, cette nuit-là.

— Je ne comprends pas…

Ailsa eut soudain du mal à soutenir le regard d'Alasdhair. C'était comme si la brume épaisse des Highlands s'était soudain abattue sur le cimetière. Elle avait les genoux qui tremblaient, et un bourdonnement sourd lui vrillait les oreilles.

— Je suis confuse… Je ne me sens pas… il faut que je m'asseye.

Elle tituba jusqu'à une pierre tombale rongée par le temps et s'effondra sur celle-ci sans se soucier une seule seconde des dégâts que risquaient de causer à sa robe la mousse et les lichens épais qui recouvraient par endroits la dalle ancienne.

— Ailsa !

Alasdhair s'agenouilla aussitôt auprès d'elle. Elle était aussi pâle qu'un linge, visiblement choquée, les yeux absents, presque vitreux. Elle ne jouait pas la comédie, tout de même ?

Il prit ses mains dans les siennes et remarqua, malgré l'épaisseur des gants qui les enserraient, qu'elles étaient glacées.

L'instant d'après, elle les dégagea d'un mouvement brusque.

— Ne me touche pas, par pitié.

Mortifié, Alasdhair se releva d'un bond, suivi par des yeux aux cils incroyablement longs. Des cils aux pointes d'argent. Des yeux brillants de larmes. Si émouvants qu'il dut s'exhorter à penser qu'il n'était nullement le coupable, mais plutôt la victime en cette affaire.

— Je suis désolée, renifla Ailsa en s'essuyant de nouveau les yeux avec ses gants.

Alasdhair prit son mouchoir dans la poche de sa veste et le lui tendit. Un lourd silence gêné enveloppa le cimetière pendant un long moment.

Au fond de celui-ci, le bedeau qui achevait de combler la tombe de lord Munro leur lançait des regards curieux de temps en temps, intrigué par l'étonnante scène qui se déroulait sous ses yeux. Le claquement sourd et régulier des pelletées de terre humide heurtant le couvercle du cercueil évoquait le battement des tambours de guerre dans la tête d'Alasdhair.

Pendant une fraction de seconde, leurs regards se croisèrent. Ils peinaient à se reconnaître. Encore un fantôme, si réel qu'on pourrait le toucher, songea Alasdhair, le ventre noué par les souvenirs aigres-doux qui l'assaillaient avec une clarté aveuglante et le renvoyaient impitoyablement à ce fameux jour si lointain.

L'anniversaire d'Ailsa. *An Rionnag.* Leur baiser. La joie simple de leur étreinte. Leur bonheur.

Il ferma les yeux, mais la scène refusait de se dissiper. Jamais elle ne disparaîtrait de sa mémoire tant qu'il ne l'aurait pas exorcisée, même si ce faisant il s'arrachait les entrailles. C'était pour cela qu'il avait fait le voyage jusqu'ici, après tout. Et il accomplirait l'exorcisme, quoi qu'il lui en coûte.

— Il faut que je sache la vérité, mais je ne veux pas parler ici, affirma-t-il. Il y a déjà bien assez de fantômes en ces lieux.

— Nous pourrions marcher jusqu'à…

Instinctivement, il sut ce qu'elle allait dire.

— Jusqu'à notre arbre. Comme c'est bien trouvé, remarqua-t-il d'un ton plein de sarcasme qui peinait cependant à masquer la douleur atroce qui lui vrillait le cœur.

Le vieux chêne, dont tout le monde dans la région pensait qu'il avait plus de deux cents ans, avait été l'un de leurs lieux favoris autrefois. Ses branches offraient leur ombre généreuse aux beaux jours et leur couvert quand il pleuvait, son tronc était assez large pour qu'on puisse s'y appuyer confortablement et profiter ensemble de la vue superbe qu'on avait depuis là sur la baie.

Ils rejoignirent le grand arbre en silence, suivant une vieille habitude qui leur revenait spontanément, côte à côte, Ailsa sur la droite, Alasdhair sur la gauche, mais en prenant soin toutefois de conserver entre eux une distance qui n'avait jamais existé dans leur jeune temps.

Une fois sous le chêne, Alasdhair ôta ses gants et son chapeau, jetant les précieux ornements sur le sol comme il l'eût fait d'un trognon de pomme. En face d'eux, le petit archipel égrenait ses îlets sur les flots sombres. Le Collier constituait une barrière naturelle sur laquelle venaient se fracasser les terribles tempêtes hivernales, ménageant ainsi derrière lui une vaste étendue d'eau plus calme et plus chaude dans laquelle on pouvait pêcher tout au long de l'année et où l'on voyait parfois, à la belle saison, s'aventurer des marsouins. Aucun des îlots qui formaient l'archipel n'était habité, mais des phoques bruns venaient y donner le jour à leurs petits chaque année au printemps. Les pêcheurs d'Errin Mhor y trouvaient parfois refuge pour attendre la marée et les enfants en avaient fait leur terrain de jeu.

— Es-tu jamais retournée sur les îles ? s'enquit Alasdhair.

— Non, répondit Ailsa en secouant la tête avec véhémence. Je n'aurais pas pu.

Alasdhair poussa un profond soupir.

— Pourquoi n'es-tu pas venue me rejoindre, la dernière nuit, pour me dire adieu ?

— Moi ? Mais c'est toi qui n'es pas venu !

— Mais alors…

Il se tut soudain, l'air terriblement perplexe.

— Je ne comprends pas.

— Pas plus que moi, répondit Ailsa. Il semble que nous ne connaissions pas toute l'histoire, ni l'un ni l'autre.

Elle avait l'air si désemparé qu'il fit instinctivement mine de lui prendre la main, n'arrêtant son geste qu'à l'ultime seconde.

— Tes excuses ne m'intéressent pas, Ailsa, riposta Alasdhair d'une voix pleine d'amertume. Plus maintenant, après toutes ces années. Je veux juste connaître la vérité.

— Je ne mens pas, rétorqua-t-elle, indignée. J'ai vraiment cru que tu étais parti sans un mot.

— Comment as-tu pu penser une seconde que je pourrais te traiter de la sorte ?

— Je ne sais pas. Je ne l'ai pas pensé, je… j'étais… j'ai cru que…

Elle se tut brusquement, pour reprendre le souffle qui lui manquait.

— Si tu pouvais me dire ce qui s'est passé… ou plutôt

ce que tu crois qu'il s'est passé, peut-être pourrais-je te dire ce que j'ai pensé et…

— Et avec nos deux moitiés d'histoire, nous pourrions en constituer une entière, c'est cela ?

Il n'était pas prêt. Tout cela avait beau dater de plusieurs années, certaines blessures étaient encore si douloureusement à vif qu'il s'interdisait d'y songer trop souvent. Mais n'était-il pas venu précisément pour souffler une fois pour toutes l'épaisse couche de poussière qui recouvrait ces événements de son voile opaque.

— Très bien. Je vais te dire ma vérité, mais tu dois me promettre de me dire la tienne à ton tour. Je ne veux pas de mensonges, Ailsa.

— C'est promis.

Il la regarda pendant un long moment, fixant ses grands yeux bleus qui ne lui avaient jamais menti jusque-là et son visage décidé, comme si elle se préparait à affronter l'épreuve de sa vie.

Elle lui sembla ressentir la même chose que lui. Il ne put alors s'empêcher de la croire.

— Très bien.

Alasdhair ferma les yeux, pour s'éviter de voir la vue magnifique et le visage superbe de la jeune femme, qui l'auraient inévitablement distrait tant ils étaient beaux tous les deux, et se reporta par l'esprit dans un temps qui n'existait plus, une époque où il n'était pas encore Alasdhair Ross, le riche marchand de tabac qui réussissait tout ce qu'il entreprenait, mais Alasdhair Ross le réprouvé.

En reculant encore, il atteignit enfin ce moment où tout avait commencé et fini en même temps, le jour du seizième anniversaire d'Ailsa, six ans plus tôt, et le passé prit la place du présent.

Eté 1742

Le monde avait changé irrévocablement avec ce simple baiser. L'avenir brillait devant eux, plein de promesses et d'espoir. Un nouveau monde s'offrait à eux, qu'ils habiteraient ensemble, pour toujours.

Comment ? Eh bien, il faudrait attendre encore pour le savoir. Pour l'heure, le désir d'Alasdhair d'investir cet avenir radieux qu'il entrevoyait avec Ailsa était si impérieux qu'aussitôt après avoir quitté sa bien-aimée, il se mit en quête de lord Munro. Il fallait qu'il lui déclare l'amour qu'il éprouvait pour sa fille, et le plus tôt serait le mieux.

Il ne s'était même pas autorisé à envisager un échec. Aussi, quand celui-ci advint, fut-il terriblement surpris. Ce qui n'aurait pas dû être le cas, car il connaissait exactement la position du *laird* à ce sujet, mais l'amour pouvait venir à bout de tous les obstacles. C'était du moins ce qu'il avait cru dans sa naïveté adolescente. Cela lui avait donné confiance. Bien à tort, comme il n'allait pas tarder à l'apprendre à ses dépens.

— Comment oses-tu ? Va au diable ! cria lord Munro en frappant les dalles de la grande salle avec sa canne.

La pointe métallique de celle-ci fit un tel bruit que le grand chien qui dormait au pied du *laird* se leva et fit entendre un grognement menaçant. Alasdhair serra les dents.

— N'as-tu donc aucun sens d'où est ta place en ce

monde, mon garçon ? Ne sais-tu pas tout ce dont tu m'es redevable ? Je t'ai recueilli quand ta foutue mère t'a abandonné et quand ta couleuvre de père est morte dans la foulée. J'ai quasiment été un père pour toi, et c'est comme ça que tu me remercies ?

Lord Munro se mit péniblement sur ses jambes. Il avait été grand et fort, autrefois, mais la goutte et l'âge avaient exercé leurs ravages sur son corps, quoiqu'ils n'aient pu être tenus pour responsables de son caractère, qui avait toujours été exécrable.

Appuyé sur ses cannes, il fusillait du regard le garçon qui lui faisait face.

— A l'évidence, vivre dans ce château t'a donné des idées de grandeur, mon jeune ami.

Des idées de grandeur ! Entre lui et son épouse, ils avaient tout fait pour qu'il n'en soit rien. Comme le chien, Alasdhair avait le poil hérissé, mais il se força à desserrer les poings et à regarder le vieil homme droit dans les yeux.

— Si vous voulez dire que je suis ambitieux, mon *laird*, alors vous avez raison. Vous savez très bien que je n'ai aucune intention de demeurer ici pour devenir votre intendant. J'ai toujours rêvé de découvrir le Nouveau Monde et je le ferai un jour, mais je veux d'abord vous demander la permission de faire la cour à Ailsa. Nous partageons des sentiments très doux l'un envers l'autre. Je veux l'épouser et l'emmener avec moi en Amérique.

Lord Munro renifla, puis répondit, d'un air méprisant.

— Insolent parvenu ! Crois-tu vraiment que je vais laisser quelqu'un comme toi courtiser ma fille ? Tu es un serf, et mon serf par-dessus le marché. Il est grand temps qu'on te le rappelle. Tu as autant de chances d'épouser

Ailsa un jour que de réaliser ton rêve de trouver gloire et fortune de l'autre côté de la mer. Ta place est ici et ton avenir est tout tracé. Tu seras mon intendant, et je suis sûr que tu seras excellent à ce poste.

Lord Munro jaugea Alasdhair du regard, puis :

— Je t'aime bien, mon gars, tu le sais. Tu as du caractère, mais tu dois avoir perdu la raison si tu crois raisonnable de t'obstiner dans cette voie ridicule. A présent, file avant que je ne perde patience.

Les poings d'Alasdhair se serrèrent furieusement. Il avait essayé de se comporter honorablement, avait demandé la permission presque à genoux de surcroît. Il méritait mieux que d'être éconduit aussi cavalièrement.

— Et Ailsa, qu'en faites-vous ?

— Plaît-il ? lâcha Munro sèchement. Je suis son père. Je suis libre de faire ce que je veux d'elle, tout comme de toi-même, Alasdhair Ross.

— Elle m'aime.

— Je ne doute pas un instant qu'elle se soit entichée de toi, renifla le *laird*. C'est de son âge. Mais j'ai des plans pour elle, figure-toi, et je n'ai pas l'intention de te laisser gâter la marchandise.

— Et si Ailsa a elle-même d'autres plans ?

— C'est une Munro et elle sait parfaitement où est son devoir. Elle le fera passer avant un godelureau comme toi, crois-moi.

— Je ne vous crois pas.

Le peu d'empire que lord Munro avait sur lui-même céda à ce moment précis.

— Ne t'avise pas de mettre tes sales pattes sur ma fille, tu m'entends ? gronda-t-il. Ailsa est la dernière personne sur laquelle tu devrais avoir de telles visées.

Ne t'approche pas d'elle, compris ? Je ne veux pas que Donald McNair m'accuse de laisser un autre que lui labourer le sillon que je lui ai promis.

— McNair ?

— Le *laird* d'Ardkinglass, lui-même. C'est un bon parti pour ma fille, assena lord Munro avec un sourire satisfait.

— Qu'il aille au diable, bon parti ou pas. Ailsa et moi nous aimons et personne, pas même vous, ne peut rien contre ça. Je suis désolé de devoir vous désobéir, mais vous ne me laissez pas le choix. Je ferai la cour à votre fille, et vous ne pourrez pas m'en empêcher.

La canne de lord Munro résonna sur les dalles de pierre.

— Ai-je bien entendu ? Après tout ce que je t'ai dit, tu tiens encore à me désobéir ? Tu crois que je ne pourrai pas t'empêcher de voir ma fille ? Tu te trompes, mon petit gars, et drôlement, car j'en ai le pouvoir, pour sûr.

Alasdhair le défia du regard.

— Essayez toujours, vous n'y parviendrez pas.

Lord Munro le regarda, sidéré, puis rejeta la tête en arrière en éclatant de rire. C'était un son terriblement déplaisant et Alasdhair aurait dû se méfier, mais il était trop occupé à lutter pour faire triompher son amour pour y prendre garde.

— Tu veux me défier, c'est ça ? A ta place, j'y réfléchirais à deux fois, Alasdhair Ross. C'est ta dernière chance.

— Je ne changerai pas d'avis, répliqua l'adolescent d'un ton sans appel.

La bouche du *laird* d'Errin Mhor ne formait plus qu'un mince trait au milieu de son visage.

— Soit ! Je me rends compte à présent que je t'ai bien trop laissé la bride sur le cou. Je ne tolérerai plus que tu me défies, mon garçon, quelle que soit ta place ici. Tu ne t'approcheras plus de ma fille, ni aujourd'hui, ni jamais, Alasdhair Ross. Et tu ne fouleras plus jamais du pied les terres des Munro, jusqu'à la fin de tes jours.

Lord Munro se leva péniblement en s'appuyant sur ses cannes, puis, se dressant de toute sa hauteur :

— Tu es banni, tu m'entends ? cria-t-il en pointant un doigt vengeur vers Alasdhair. A partir de cet instant, tu es mort pour moi et pour tous ceux de mon clan. Hamish Sinclair t'escortera hors de mes domaines. Je veux que tu sois parti avant minuit. Si d'ici là j'apprends que tu as essayé de voir ma fille, je te ferai battre comme plâtre. Maintenant, va au diable, ou plutôt, va en Amérique, et restes-y. D'après ce que j'ai entendu dire de ce pays de sauvages, tu ne verras même pas la différence.

Là-dessus, lord Munro cracha sur les dalles glacées.

— Tu me déçois, ajouta-t-il. Je croyais que tu possédais ce qu'il fallait pour être un homme, Alasdhair Ross. Je t'ai recueilli, je t'ai installé chez moi, j'ai supporté tes attitudes rebelles quand bien même elles mettaient ma patience à rude épreuve, mais je vois à présent que tu es un rêveur, un naïf et un imbécile. Ta stupidité et ton obstination seules ont attiré sur toi le châtiment que je viens de prononcer, et rien ni personne d'autre. Maintenant, disparais, hors de ma vue !

Alasdhair traversa le couloir qui débouchait sur la grande salle, le visage déformé par la colère, en jurant contre sa folie. Il aurait dû réfléchir. Si seulement il avait songé aux conséquences de ses actes, ou simplement pris son temps au lieu de monter sur ses grands chevaux de la sorte ! Il venait de tout compromettre, et définitivement, en agissant comme un imbécile impulsif.

Il fallait qu'il voie Ailsa. Qu'il lui explique. Il ne pouvait pas l'emmener avec lui, pas encore, mais si elle voulait bien l'attendre… Elle allait l'attendre, bien sûr.

Il allait partir pour l'Amérique et y faire fortune, et quand il reviendrait, lord Munro ravalerait ses paroles et ils se marieraient. Cela lui prendrait une année, ou deux, mais qu'était-ce que d'attendre deux ans quand il y avait tant de choses en jeu ? Elle comprendrait, sûrement.

Ignorant les menaces du *laird*, il se mit en quête d'Ailsa.

— Où vas-tu comme ça ? demanda une voix glaciale, le figeant sur place.

— Lady Munro !

— Alasdhair Ross, répondit-elle en le regardant avec son dédain coutumier. J'espère sincèrement que tu n'as pas l'intention d'infliger plus avant ta présence à ma fille.

— De quoi parlez-vous ?

Une lueur scintilla dans l'œil de la mère d'Ailsa, comme le reflet d'une flamme sur la surface d'un étang gelé.

— Ta cour insistante et gauche l'a passablement effrayée.

— Vous mentez ! Elle a dit que…

Lady Munro répondit avec un sourire glacial :

— Ma fille a le cœur trop tendre, Alasdhair Ross. Cela lui jouera des tours si je n'y mets pas bon ordre. Elle craint de te blesser en t'éconduisant.

— Ce n'est pas vrai.

— Ailsa n'a que seize ans. Elle est bien trop jeune

pour savoir ce qu'elle veut, et bien trop innocente pour être l'objet de ta concupiscence.

— Je n'ai pas pris de libertés avec votre fille, gronda Alasdhair. Mes intentions étaient parfaitement honorables. Vous pourrez vérifier auprès du *laird* si vous ne me croyez pas.

— Qu'est-ce que mon époux a à voir dans cette affaire ? demanda sèchement lady Munro.

— Je viens à l'instant de lui demander la permission de faire la cour à votre fille.

— Et qu'a-t-il répondu ?

— Exactement ce que vous auriez voulu qu'il réponde, admit Alasdhair d'un ton plein d'amertume. Il a dit que mes ambitions outrepassaient ma condition. Mais avant que vous ne commenciez à pavoiser, sachez que je l'ai informé que son refus ne ferait aucune différence pour moi. Je n'abandonnerai pas mon projet d'épouser Ailsa, même si je suis forcé à l'exil.

— Le *laird* t'a banni ?

— Oui. Et ne faites pas semblant de ne pas vous en réjouir. Vous m'avez toujours haï.

Lady Munro plissa les lèvres en une moue méprisante.

— Ainsi, tu vas quitter Errin Mhor pour de bon ? Que comptes-tu faire ?

— Ce que j'ai toujours voulu faire. Je vais partir en Amérique pour faire fortune. Ensuite, je reviendrai chercher Ailsa. Elle m'attendra, je le sais.

Les yeux de lady Munro s'étrécirent jusqu'à n'être plus que deux fentes très fines.

— Je ne le crois pas, Alasdhair. Lord Munro et moi avons d'autres plans pour ma fille.

— Je sais tout de vos plans, le *laird* me les a révélés.

Mais Ailsa m'aime et elle ne vous laissera pas la donner en mariage à Donald McNair, aussi bon parti qu'il puisse être pour votre clan. Elle m'attendra, et je vous prouverai que vous avez eu tort. Je serai un aussi beau parti que lui.

— Non, répliqua lady Munro d'une voix qui coupait comme le verre. Non, la place de ma fille est ici, et elle le sait.

— Je n'en crois rien. De toute façon, je n'ai pas le temps d'écouter vos fadaises. Laissez-moi passer, je dois voir Ailsa avant de partir. Je dois lui expliquer que…

— La croirais-tu si elle te le disait elle-même ? le coupa lady Munro sans ménagement.

— Comment ?

— Tu ne peux pas lui parler ici, continua la mère d'Ailsa, l'air soudain songeur. Tu as été banni et ne devrais donc même pas être ici. Si Sa Seigneurie l'apprend… nous en pâtirons tous, y compris ma fille. Ce n'est pas ce que tu veux, n'est-ce pas ?

— Je n'y avais pas pensé.

— Hmm, grommela lady Munro en le regardant fixement pendant un bon moment avant qu'un maigre sourire vienne finalement éclaircir un peu son visage. Cela va contre tout bon sens, mais je parlerai à Ailsa. Si elle te dit elle-même ce qu'elle ressent, lui feras-tu l'honneur de la croire et de la laisser en paix ?

— Oui, mais…

Lady Munro leva la main d'un geste péremptoire.

— Tu as largement surestimé les sentiments qu'elle éprouve à ton égard, Alasdhair Ross, mais tu n'es pas obligé de me croire. Je vais arranger une entrevue en un certain lieu et à une certaine heure, ce soir, loin du château, mais je te préviens, mon influence a des limites. Si elle ne peut trouver la force de se rendre à ce rendez-vous, cela équivaudra à te dire par les actes bien plus qu'elle ne pourrait le faire par les mots, et j'exigerai que tu tiennes ta promesse.

Alasdhair ouvrit les yeux.

— Je t'ai attendue, comme un imbécile, mais bien sûr tu n'es pas venue. J'ai réalisé alors que tes parents avaient raison tous les deux. C'était naïf de ma part de croire que tu m'aimais, et quand bien même tu m'aurais aimé, pourquoi aurais-tu pris le risque de t'acoquiner avec un jeune homme sans avenir assuré et qui voulait t'arracher à ta famille et à ton foyer pour t'emmener de l'autre côté de la terre ? Je suis parti cette nuit-là, et j'ai tenu la promesse faite à ta mère. Jamais je n'ai essayé de reprendre contact avec toi.

Le visage d'Ailsa était affreusement pâle et strié de larmes.

— Ne me dis pas que tu es désolée pour moi, gronda Alasdhair d'une voix dure. Tu as six ans de retard.

Elle secoua la tête.

— Ce n'est pas pour ça que je pleure.

La douleur qu'elle avait ressentie à l'époque s'abattait sur elle comme une vague monstrueuse se fracassant sur les rochers de la côte. Elle ôta ses gants, puis la broche qui retenait son *arisaidh* en place, en débloqua le fermoir avant d'essayer de le fermer de nouveau, mais ses mains tremblaient trop fort. L'épingle lui piqua le doigt et la broche tomba sur le sol.

— Laisse…

Alasdhair ramassa le bijou puis se pencha vers elle, retenant le *plaid* d'une main avant de planter l'épingle dans le tissu épais de l'autre. La manche de sa veste effleura le menton d'Ailsa. Elle sentait la chaleur de ses doigts malgré l'épaisseur du tartan. Il avait les ongles soignés, les mains impeccablement propres. Et hâlées. Des mains fortes, puissantes. Les mains d'Alasdhair.

Elle le revoyait encore, ce fameux jour, sur la barre du gouvernail. Et la façon dont il avait pressé l'une d'elles contre sa joue. Sa main sentait le sel et la sueur. A présent, elle exhalait des effluves de savon, de tissu précieux, de linge propre, et d'autre chose encore, d'indéfinissable, mais qui n'appartenait qu'à lui.

— Voilà.

Quand il baissa les yeux sur elle, elle sentit une fois encore cette étrange chose entre eux, comme une connivence, une complicité, comme s'ils reconnaissaient l'un en l'autre leur semblable. Et cette envie folle qu'elle avait d'être près de lui. Elle ne pouvait plus respirer.

Il s'humecta les lèvres du bout de la langue, comme s'il allait parler, s'approchant d'elle l'espace d'une fraction de seconde, mais recula presque immédiatement, de sorte qu'un espace béant s'ouvrait de nouveau entre eux.

— Tu saignes…

— Ce n'est rien, répondit-elle en mettant instinctivement son doigt dans sa bouche pour aspirer le sang qui perlait au bout de celui-ci.

Alasdhair la regarda, fasciné, avant de se forcer à détourner les yeux.

— Pourquoi pleures-tu, alors, si ce n'est pas par pitié pour moi ? demanda-t-il d'un ton bourru.

— Tu comprendras quand tu auras entendu ma version

de l'histoire. Oh ! Alasdhair, tu ne comprendras que trop ce qui s'est passé, comme moi à présent.

Elle retint une nouvelle larme et prit une longue inspiration avant de poursuivre :

— Tu te souviens que ma mère nous a vus par la fenêtre de son salon, le jour où nous rentrions de l'île ? Quand je l'ai rejointe, elle était furieuse, et m'a dit qu'elle avait observé notre façon de nous comporter ensemble et qu'elle mourait d'inquiétude à ce sujet.

— Pour quoi donc s'inquiétait-elle ?

— Pour mon honneur, répondit Ailsa en croisant les doigts nerveusement et en jouant fébrilement avec ses gants, tirant sur les doigts de cuir souple si fort qu'ils s'en trouvaient déformés irrémédiablement. Il te fait les yeux doux, m'a-t-elle dit. Tu aurais dû entendre sur quel ton ! On aurait dit qu'elle parlait d'un séducteur, ou plutôt d'un fauve affamé. Je lui ai dit que jamais tu ne songerais à me faire du mal.

— Et qu'a-t-elle répondu ?

— Elle m'a ri au nez ! En disant que j'apprendrais bien assez tôt que les hommes étaient tous les mêmes. Elle m'a dit que je devais garder mes distances, pour mon propre bien. Je suis désolée, mais tu as dit que tu voulais la vérité.

— Aucune importance. Je n'ai jamais nourri d'illusions sur l'opinion qu'elle avait de moi.

— Je suis tout de même désolée. Je comprenais l'attitude de mon père, car tu n'as jamais été très obéissant et il s'attendait toujours à ce que l'on se soumette à sa volonté, surtout toi, mais ma mère… J'ignore encore aujourd'hui ce qui peut bien avoir fait qu'elle te haïsse à ce point.

— Mon existence, répondit Alasdhair avec une désinvolture qu'il était fort loin d'éprouver lui-même.

Une partie de lui ne voulait pas entendre un mot de plus, mais l'autre exigeait de connaître enfin la vérité sans fard, aussi peu ragoûtante qu'elle puisse être.

— Nous nous éloignons du sujet, reprit-il pour l'encourager à poursuivre.

— Quand ma mère m'a annoncé que tu étais banni, je n'ai pas pu le croire. Je ne savais pas que tu étais allé voir mon père pour lui demander de t'autoriser à me faire la cour. Comment l'aurais-je pu, d'ailleurs, puisque tu ne m'avais rien dit ? Elle m'a expliqué que vous aviez eu des mots parce que tu étais décidé à partir d'ici, qu'il t'avait banni parce que tu le défiais et que tu lui avais renvoyé son offre de faire de toi son intendant au visage. Moi-même, je ne connaissais nullement les véritables motifs de ton bannissement et n'avais aucune raison de les suspecter.

— Mais enfin, Ailsa, tu savais ce que j'éprouvais pour toi. Comment as-tu pu penser que je pourrais partir d'ici sans même t'en parler ?

Elle renifla tristement en baissant les yeux à terre.

— Tu ne m'as jamais vraiment dit ce que tu ressentais, pas de manière explicite, du moins.

Alasdhair bondit sur ses pieds.

— Parce que je pensais que nous n'avions pas besoin des mots pour exprimer ce que nous éprouvions l'un pour l'autre. Pour l'amour du ciel, Ailsa, je croyais que tu avais compris ça. Je pensais que tu me connaissais. Je croyais que tu saurais sans l'ombre d'un doute que jamais je ne te ferais de mal, sans parler de te déshonorer. Je pensais que tu avais confiance en moi.

Elle ne pouvait le regarder dans les yeux. Bien que les paroles de sa mère aient été la cause de leur séparation, elle s'en sentait coupable elle-même. Ce que disait Alasdhair était vrai : elle n'avait pas eu suffisamment foi en lui, et s'était par conséquent laissé convaincre trop aisément.

— Elle s'est moquée de moi quand je lui ai dit que je t'aimais, et tu sais comme elle est, Alasdhair. Elle m'a fait me sentir stupide. Ce n'est pas en toi que je n'ai pas cru, mais en moi-même.

Elle avait dit cela en murmurant. C'était trop tard, elle le savait. Elle ne pouvait plus rien faire, et pourtant, elle aurait tant voulu qu'il en fût autrement.

— Je suis désolée, Alasdhair, plus que je ne saurais dire. Je t'en supplie, ne me regarde pas comme ça. Je ne peux pas le supporter.

Il savait pour en avoir lui-même fait l'expérience à quel point lady Munro était passée maître dans l'art du dénigrement d'autrui, comment elle déformait les choses et tournait tout en son contraire.

En butte aux assauts de ses deux parents à la fois, la pauvre Ailsa n'avait eu aucune chance. Si seulement elle avait cru en lui, en eux…

Au fond de lui, cependant, il savait que, lui non plus, il n'avait pas cru suffisamment en elle. Il n'avait pas pensé mériter un tel bonheur, ni avoir le droit d'espérer qu'il lui échoie.

— Tu n'as pas besoin d'être plus désolée que moi. Je ne te blâme pas de ne pas être venue. J'imagine sans peine ce que tu as pu penser.

— Mais je suis venue !

— Comment ?

— Ma mère m'a dit qu'elle avait arrangé une rencontre pour que nous puissions nous dire adieu. Bien qu'à contrecœur, elle pensait qu'il valait mieux que je t'entende me le dire de vive voix. Ce n'était pas beaucoup, mais mieux que rien de toute façon. J'avais l'occasion de te revoir une dernière fois. A minuit, j'étais là, comme prévu. J'ai attendu pendant des heures, mais tu n'es jamais venu. J'ai pensé que tu n'avais pas le cœur de me dire les choses en face, que tu ne m'aimais pas, mais que tu avais néanmoins assez d'affection pour moi pour ne pas m'infliger cette douleur. J'ai cru que ma mère avait raison. J'avais tort, tellement tort !

Elle se tassa sur elle-même, le corps secoué par les sanglots.

Alasdhair lui passa sans réfléchir la main dans les cheveux.

— Je ne comprends pas. Je suis resté ici sous cet arbre, notre arbre, pendant des heures et des heures. Où étais-tu pendant ce temps ?

Ailsa enfouit son visage dans ses mains.

— *An Rionnag*, murmura-t-elle.

Alasdhair jura épouvantablement en gaélique, prononçant à sa propre surprise des mots qu'il croyait avoir oubliés depuis longtemps, puis se pencha sur Ailsa pour la remettre sur ses pieds, l'enserrant de ses bras, incapable de résister plus longtemps à l'habitude qu'il avait autrefois de la protéger.

— Seigneur ! Tes parents ont vraiment tout fait pour nous séparer ! Ton père a cru qu'il avait résolu le problème en me bannissant, mais ta mère savait qu'il n'en était rien, aussi s'est-elle arrangée pour nous faire croire à tous les deux que l'autre l'avait trahi. Et son stratagème a fonctionné à merveille. A tous les deux, ils sont parvenus à détruire toutes les chances que nous avions de trouver jamais le bonheur.

Il lui caressa les cheveux, comme il l'avait toujours fait auparavant quand il voulait la calmer, mais malgré ce geste familier, il avait toujours l'impression d'être un étranger.

Elle sentait sa présence avec une force inouïe, non point celle de l'adolescent d'autrefois, mais celle de l'homme qu'il était devenu. Un inconnu, pour l'essentiel. Elle trouvait ça déconcertant, de ne pas le connaître alors qu'elle l'avait connu jadis. Et elle ne savait absolument pas comment se comporter avec lui.

Elle se dégagea de son étreinte et s'essuya les yeux en essayant vaguement de sourire.

— Je te demande pardon. Ce n'est pas mon habitude de pleurer ainsi.

Alasdhair secoua la tête et lui rendit son sourire tandis que ses yeux s'emplissaient de larmes.

— Dieu sait que nous avons tous les deux de très bonnes raisons pour ça.

Une saute de vent lui ébouriffa soudain les cheveux et, quand il secoua la tête pour les remettre en place, elle remarqua une ligne blanche au-dessus de son sourcil gauche. Une ligne que son teint hâlé faisait ressortir nettement. Elle tendit la main pour en suivre le contour.

— La rame… tu te souviens ?

— Bien sûr. Tu as bien failli me noyer.

Ils nageaient, un après-midi, et Alasdhair tentait de remonter à bord du bateau. Ailsa, qui bataillait pour remiser une rame dans son logement, avait glissé soudain et le bord de l'aviron avait frappé le garçon au visage, lui entaillant le dessus de l'arcade.

— J'essayais de te porter secours, répliqua-t-elle. J'ai cru que jamais nous ne pourrions arrêter le sang de couler. Tu as de la chance de n'avoir gardé qu'une cicatrice aussi minuscule.

— Je ne me suis pas senti très chanceux à l'époque. J'ai eu mal à la tête pendant des jours.

Leur proximité le déconcertait. Les souvenirs qu'il gardait de la fille qu'il avait jadis aimée se rétractaient comme une ombre à midi, écrasée de lumière par la présence de la femme qui se tenait à ses côtés. Les différences qu'il trouvait en elle désormais prenaient le pas sur les similitudes avec l'Ailsa d'autrefois, et largement. Les années n'étaient pas passées sur elle sans la transformer.

Il sentait les courbes de son corps s'imprimer doucement dans le sien et les regrets et le désir l'assaillaient à la fois, le submergeant de sentiments contraires.

Il y avait là une combinaison qui surpassait tout le reste. Il l'attira vers lui et elle ne résista pas. Il passa son bras autour d'elle, lui relevant le visage du bout des doigts. Elle tremblait. Elle avait envie de lui, elle aussi. Sans penser un instant à résister à sa pulsion, Alasdhair se pencha sur elle et leurs lèvres s'unirent.

Ailsa hésitait. Elle se sentait comme parfois sur son bateau dans la tempête, ou à cheval, exhortant sa monture à franchir un obstacle très haut, à la fois très excitée et très effrayée. Sa peau frémissait comme si elle éprouvait des besoins particuliers, tout d'un coup, des envies qu'elle n'avait encore jamais exprimées.

Sauf une fois.

Alasdhair était si solide, si fort, contre elle. Et la chaleur qui se dégageait de lui s'insinuait en elle comme une gorgée de whisky.

Elle soupira en sentant la brûlure de ses lèvres se répandre dans son corps comme des langues de lumière sur un rocher éclaboussé de soleil. Les mains d'Alasdhair au creux de ses reins la pressaient contre lui, plus fort.

Ce baiser était une caresse incroyablement intime. Son cœur cognait follement dans sa poitrine. Elle se sentit submergée par une envie à la fois intense et effrayante de retrouver quelque chose de perdu. Sa bouche se fit plus tendre sous la caresse. Il passait le bout de la langue sur sa lèvre inférieure à présent.

C'était son premier baiser. Avec un doux soupir, elle se lova contre lui, répondit à ce geste par un autre tout semblable. Et quand les pointes de leurs langues se touchèrent, il y eut comme une étincelle entre eux, et Alasdhair mit brutalement fin à leur étreinte.

Il recula à la hâte, les joues en feu, soudain. A quoi diable pensait-il ?

— Pardonne-moi. Je n'aurais pas dû. Je ne sais pas ce qui m'a pris.

Le rouge gagna le visage d'Ailsa. Elle leva vers lui un regard surpris.

A quoi pensait-il ? se sermonna Alasdhair.

Il était venu pour dénouer les fils du passé, non pour s'empêtrer plus encore, et surtout pas avec la propriété d'un autre homme. C'était une réalité que la vue d'Ailsa lui avait fait oublier.

— Où est McNair, au fait ? demanda-t-il sèchement, furieux de l'absence de ce dernier.

S'il avait été là pour s'occuper de sa femme, cela ne serait pas arrivé.

— Je ne l'ai pas vu devant la tombe.

Surprise tout autant par la colère qu'elle devinait dans la voix d'Alasdhair que par l'incongruité de sa question, Ailsa lutta pour rassembler ses esprits.

— Il a été souffrant. Une fièvre du sang l'a pris et il a dû rester alité.

Une fièvre du sang ! Peut-être était-ce exactement ce dont il souffrait lui-même, songea Alasdhair en secouant la tête comme si ce faisant il avait pu chasser la brume qui brouillait son jugement.

La réaction d'Ailsa à son baiser, pour surprenante qu'elle fût, n'avait pas grande importance, même si elle le laissait perplexe. S'il n'avait pas été mieux informé, il aurait pu penser qu'elle n'avait pas plus d'expérience en matière de baiser que la dernière fois que leurs lèvres s'étaient effleurées.

— Je n'aurais pas dû t'embrasser. Ce n'est pas une excuse, je sais, mais j'ai complètement oublié que tu étais mariée, l'espace d'un instant.

Ailsa rougit de plus belle.

— Mais je ne le suis pas, Alasdhair. En dépit de ce que t'a dit mon père, je n'étais pas fiancée à Donald McNair il y a six ans. Et s'il avait fait à ma place des promesses à cet effet, je l'ignorais totalement. J'admets que je suis promise à Donald aujourd'hui, mais c'est quelque chose de très récent.

— Tu n'es pas mariée !

Il n'avait même pas imaginé qu'elle puisse être encore célibataire.

— Mariée, fiancée, depuis longtemps ou pas, c'est

tout comme, commenta-t-il plus pour lui-même que pour Ailsa. Tu es promise, et je n'aurais pas dû prendre ces libertés.

— Ni moi te les accorder, acquiesça-t-elle d'un ton plein de tristesse.

Jamais elle n'avait éprouvé la moindre difficulté à refuser ce genre de privautés à d'autres hommes. Donald lui-même n'avait jamais eu droit à des caresses aussi intimes.

Pourtant, embrasser Alasdhair lui semblait la chose la plus naturelle du monde. Et la plus délicieuse. Elle avait oublié à quel point ce pouvait être agréable, un baiser. Cela ressemblait à une promesse.

Sauf que celle-ci, tout comme la dernière qu'il lui avait faite, ne serait jamais tenue.

— Et toi, Alasdhair ?

— Moi ?

— Es-tu marié ?

— Bien sûr que non, répondit-il sèchement. Me crois-tu du genre à embrasser une autre femme que mon épouse si je l'étais ? De toute façon, je n'ai pas besoin d'une femme. Ni de personne.

Ailsa resta un instant silencieuse, stupéfaite. Alasdhair n'était pas marié. Il ne voulait pas convoler, et c'était probablement sa faute s'il était à ce point prévenu contre le mariage. Elle ne pouvait l'en blâmer.

Les dernières paroles d'Alasdhair résonnaient dans sa tête. Il ne s'était jamais marié ! Soudain, elle fut prise d'une violente migraine. Elle ne voulait plus penser. A rien. Elle voulait seulement se lover au fond de son lit et tirer les couvertures sur elle. Bien au chaud. A l'abri. Elle se sentait très lasse, d'un seul coup.

Quand il remarqua sa pâleur, Alasdhair sentit son cœur se serrer. Lui aussi se sentait comme assommé, étourdi par toutes les émotions qui l'assaillaient depuis le début de cette journée.

— Viens, lança-t-il en ramassant les gants d'Ailsa par terre pour les lui tendre. Je devrais te raccompagner au château. Tu as l'air épuisée.

Elle essaya vaillamment de sourire.

— Tout ça est un peu… écrasant.

— C'est une façon de dire les choses, commenta Alasdhair en lui prenant la main. Nous appartenions l'un à l'autre, autrefois, avant que tu ne sois promise à Donald McNair. Et nous n'avons pas pu nous faire nos adieux, il y a six ans. Ce baiser nous était dû depuis très longtemps. Je n'ai pas l'intention de m'en sentir coupable, et tu devrais en faire autant.

Elle lui répondit avec le doux sourire de la jeune fille qu'elle avait été.

Il l'aurait volontiers embrassée derechef en voyant ce sourire qu'il connaissait si bien, et elle ne l'aurait pas repoussé. Ce fut donc avec difficulté qu'il sacrifia à l'honneur plutôt qu'au désir. Il regrettait déjà sa décision quand il glissa la main d'Ailsa sous son bras.

Sur le chemin parsemé de cailloux de plus en plus nombreux, elle trébucha plusieurs fois, l'incitant à resserrer son étreinte à mesure que la progression se faisait plus pénible. Il pouvait la raccompagner jusqu'au château. Cela, au moins, il pouvait le faire la conscience tranquille.

Chapitre 3

Errin Mhor était bâti sur un promontoire où jadis s'était dressé un bâtiment fortifié.

En fait, selon les rumeurs, les donjons, qui servaient à présent de chais pour le vieillissement du célèbre whisky d'Errin Mhor, remontaient à l'époque où les Vikings occupaient une grande partie des Highlands.

Le château proprement dit était constitué d'une tour carrée de trois étages, de remparts construits au milieu du XVIe siècle, d'une aile de style seigneurial qui s'étendait au sud de la tour principale, et enfin d'une petite tour ronde dans laquelle se trouvait la salle d'audience du *laird*, fruit d'une lubie du défunt lord Munro.

L'immense portique de chêne massif aux allures de pont-levis, qui encadrait l'entrée principale, était aussi l'œuvre du *laird*.

Les écuries, la laiterie et la ferme du château, ainsi que quelques maisons bâties les unes contre les autres complétaient le tableau, blotties dans l'angle nord-est du domaine. Tout près, il y avait la bâtisse, plus massive, traditionnellement allouée à l'intendant, et qui avait été la demeure d'Alasdhair jusqu'à la mort de son père.

Le granit gris utilisé pour la plupart des bâtiments donnait à l'ensemble un aspect impressionnant. Quand on regardait vers l'ouest, cependant, c'est-à-dire vers la mer, la vue était plus douce, car on avait permis à un lierre de grimper sur les murs de la tour carrée.

Les hautes fenêtres à la française du salon occupant le centre du bâtiment principal s'ouvraient sur les jardins en terrasses qui descendaient en pente douce jusqu'à la plage.

Comme ils franchissaient les portes pour s'engager sur la longue allée qui menait à l'entrée principale du château, le visage d'Alasdhair s'assombrit.

— Je ne veux pas entrer.

— Mais, tu n'as nulle part ailleurs où dormir.

— Ta mère…

— Calumn est notre *laird* à présent. Jamais il ne me pardonnerait de te laisser dormir ailleurs que sous son toit.

— Je lui ai déjà dit que je n'assisterais pas à la veillée funèbre. Je ne dormirai pas dans ce château tant que mon bannissement n'aura pas été officiellement levé.

Ailsa n'insista pas. A voir son visage déterminé, elle savait qu'Alasdhair ne changerait pas d'avis. Il ne servirait à rien d'essayer de le convaincre. Elle connaissait cette attitude pour la lui avoir vue bien souvent autrefois. Mais s'il s'en allait maintenant, elle craignait qu'il quitte le pays sans qu'elle le revoie jamais. Les blessures étaient encore trop à vif pour qu'elle puisse faire la paix avec lui complètement, mais elle aspirait néanmoins à cela.

— Si tu t'en vas maintenant, ma mère aura gagné une fois encore.

— Je ne vais nulle part, ne t'inquiète pas, répondit-il. J'ai d'autres choses à faire.

— Je vois, soupira-t-elle, attendant qu'il se confie, mais en vain.

— Est-ce que Calumn va proclamer le Grand Pardon demain ?

C'était un vieux rite traditionnel, une cérémonie au cours de laquelle le nouveau *laird* pardonnait publiquement les méfaits et les erreurs de ses féaux.

— Oui. Il en a parlé hier. Il a demandé à Madeleine, sa femme, de s'assurer qu'on prépare force nourriture et boissons, car la file risque d'être longue. Mon père n'avait pas besoin de grand-chose pour s'offenser, comme tu le sais, et il avait la rancœur facile. Il est vraisemblable que tous les gens d'Errin Mhor seront présents pour demander qu'on leur pardonne quelque chose.

— Parfait. Ce sera encore mieux. Ainsi, tout Errin Mhor pourra être témoin de la fin de mon exil.

— Alasdhair, tu n'as pas l'intention d'affronter ma mère, si ? Elle ne s'excusera pas pour ce qu'elle a fait, mais elle sera obligée de t'accueillir au château. N'est-ce pas assez ?

— Non. Pourquoi la défends-tu, Ailsa ? Ne veux-tu pas au moins admettre qu'elle a menti ? A moins que les choses n'aient changé depuis mon départ. Peut-être lady Munro a-t-elle appris à jouer les mères affectueuses, peut-être as-tu peur de la blesser.

Ailsa le regarda avec mépris.

— Pas vraiment. J'en suis arrivée à la conclusion que ma mère est incapable d'éprouver de l'affection pour quiconque, sans même parler d'aimer quelqu'un. Elle a même renié Calumn pendant un temps. Elle ne s'est réconciliée avec lui que lorsque mon père a été trop malade pour qu'elle puisse s'en occuper elle-même et qu'elle a eu besoin de lui. J'ai pensé à ce moment-là qu'elle essaierait de faire la même chose avec moi, mais il n'en a rien été. Et après ce que j'ai appris aujourd'hui sur le rôle qu'elle a joué dans notre séparation, je crains que le mal qu'elle nous a fait ne soit irréparable.

— En ce cas, tu as autant de raisons que moi de vouloir la voir fulminer.

— Ne vois-tu pas, Alasdhair, qu'en lui montrant qu'elle compte dans ta vie, tu lui donnes du pouvoir sur toi ? Mieux vaut faire comme moi et feindre l'indifférence. Je t'en supplie.

Elle posa la main sur la manche de la veste d'Alasdhair pour ajouter du poids à sa prière, puis :

— Fais-moi confiance là-dessus. Tu espères sans doute jouir de sa réaction, mais elle ne te fera pas ce plaisir.

Alasdhair fronça les sourcils.

— J'y réfléchirai, c'est promis.

A travers la porte ouverte du château leur parvenait le bruit étouffé de la foule riant aux éclats au milieu des grincements des violons qu'on accordait.

— Tu ferais bien d'entrer.

— Je ne sais pas si je vais pouvoir supporter tout ça.

Alasdhair baissa les yeux sur Ailsa. Elle avait l'air épuisée, terriblement fragile. Malgré ses courbes généreuses, elle était très mince et Alasdhair se surprit à s'interroger sur la vie qu'elle avait menée pendant ces six dernières années.

Pour la première fois, le fait qu'elle n'ait pas de mari lui semblait étrange. Elle avait vingt-deux ans. Dans les Highlands, c'était bien au-delà de l'âge auquel une fille comme elle devait se marier. Pourquoi avait-elle retardé l'échéance ? Etait-elle heureuse ?

Elle ne le semblait pas.

Mais la vie d'Ailsa et les sentiments d'Ailsa ne le concernaient plus.

— Ils vont se demander où tu es passée, affirma-t-il brusquement.

Là-dessus, avec un bref hochement de tête, il tourna les talons et s'engagea sur le chemin. Il ne se retourna pas une seule fois tandis qu'il s'éloignait d'un pas ferme.

Depuis la fenêtre de la chambre à coucher du *laird*, lady Munro regardait sa fille et Alasdhair Ross. Elle reconnaissait à peine ce dernier dans ses habits luxueux, mais la façon qu'il avait de tenir la tête penchée sur le côté d'un air impudent ne laissait aucun doute sur son identité.

Alasdhair Ross. Pendant des années, elle avait supporté que ce sale gamin, qui était le portrait craché de sa mère, prenne au château la place qui appartenait légitimement à un autre.

Pendant des années, elle avait supporté la façon dont son époux favorisait le gamin. Les étrangers pouvaient bien penser que lord Munro traitait durement son pupille, elle savait qu'il n'en était rien. Le *laird* ne savait pas montrer son affection autrement qu'en frappant de la main ou du bâton. Elle le savait mieux que tout autre.

Quand Alec Ross était mort quelques semaines seulement après que sa femme, Morna, fut partie, lady Munro s'était sentie un peu coupable. Mais ce sentiment avait vite fait place à la rancœur que lui inspirait la présence au château de ce gamin que lord Munro osait appeler son fils.

Elle avait été infiniment soulagée de se débarrasser

d'Alasdhair, d'autant plus qu'elle s'était vite rendu compte que sa fille s'était entichée de lui. Heureusement, cet imbécile d'Alasdhair avait mordu à l'hameçon que lady Munro lui avait tendu.

Comment aurait-elle pu laisser sa fille partir au bout du monde avec un garçon de si basse extraction, pour ne pas dire carrément un bâtard ! Non, elle avait veillé à ce que rien de tout cela n'arrive.

Et aujourd'hui, Ross était là, de retour, au plus mauvais moment.

Pendant des années, lady Munro avait sacrifié son propre bonheur et ses relations avec ses enfants pour obéir à la volonté de son époux. Cela lui avait beaucoup coûté, plus encore qu'elle n'aurait voulu l'admettre, mais à présent que le *laird* était parti, le temps était venu pour elle de réparer. Avec Ailsa, pour commencer.

Lady Munro regarda sa fille, le cœur serré par l'amour qu'elle n'avait jamais pu exprimer. Cela faisait très longtemps qu'elle attendait cette occasion. Trop longtemps. Elle n'avait pas l'intention de laisser qui que ce soit se mettre en travers de son chemin à présent.

Et surtout pas Alasdhair Ross.

En dessous d'elle, sur les marches du château, Ailsa regarda longuement Alasdhair s'éloigner à grands pas vers l'horizon, avant de redresser les épaules et d'ajuster son *arisaidh*. En levant les yeux, elle vit sa mère à la fenêtre. Pendant de longues secondes, leurs regards se croisèrent, puis Ailsa tourna les talons et s'avança vers la grande salle où devait avoir lieu la veillée funèbre en l'honneur de son père.

*
* *

Après une nuit passée dans l'un des repaires de son enfance, un endroit secret dans lequel il avait maintes fois dormi à la belle étoile, Alasdhair conclut, à contrecœur, qu'Ailsa avait raison. Lady Munro ne s'excuserait pas, pas plus qu'elle n'accepterait d'admettre qu'elle avait commis une mauvaise action. Il était vain d'essayer d'obtenir des excuses de sa part, d'autant plus qu'il espérait obtenir bien plus qu'un pardon de sa part : il voulait des explications. Il voulait lever le voile du mystère qui entourait la mort de sa mère et connaître les raisons de la haine que lady Munro éprouvait pour lui. Il affronterait lady Munro en privé et il obtiendrait des réponses à ses questions.

Bientôt, ses pensées revinrent à Ailsa. Ressasser en permanence leur histoire était un exercice aussi humiliant qu'inutile, mais il ne parvenait pas à s'en empêcher. Quelle que soit la version qu'il imaginait, elle ne changeait rien à la situation présente. Ailsa l'avait aimé avec une intensité tout adolescente, et il l'avait aimée avec la passion propre à la jeunesse. Mais aujourd'hui, elle n'éprouvait plus rien pour lui, tout comme il ne ressentait plus rien pour elle d'ailleurs. Ailsa était fiancée à Donald McNair, et en âge de se marier. Si elle n'avait pas encore convolé, ce devait être son choix, qu'il ait ou non fait l'objet d'un arrangement avec son promis.

Et puis, Alasdhair avait sa propre vie à mener. Une vie attachée à la terre vierge du Nouveau Monde, une vie qu'il était déterminé à ne partager avec personne. Une vie harmonieuse et ordonnée qu'il ne voulait à aucun prix voir bouleversée par les errements capricieux de l'amour. Bien sûr, il aurait toujours des regrets concernant Ailsa, mais il semblait finalement que leur rupture n'avait pas été une mauvaise chose.

Ils n'étaient clairement pas faits pour être ensemble.

Sauf que...

Sauf que la passion avait rejailli entre eux hier, comme une flamme. Sans doute, mais c'était une flamme ancienne, rien de plus, alimentée par le souvenir et l'absence. Ailsa était une très belle femme. Pas étonnant qu'il la désire. N'importe quel homme aurait eu envie d'elle.

Cela ne voulait rien dire. Rien du tout. Voilà ce qu'Alasdhair se répétait en approchant d'Errin Mhor, en ce matin gris et triste au cours duquel devait avoir lieu la cérémonie du Grand Pardon.

Le rituel devait se dérouler dans la grande salle, une pièce immense au sol pavé de dalles énormes et au plafond soutenu par d'épaisses piles en marteau.

Un escalier massif s'ouvrait au fond, donnant sur une galerie. La grande table dressée devant la cheminée qui tenait l'essentiel d'un des murs croulait sous les victuailles et les pichets de bière et de vin.

Face à cette scène, Alasdhair sentit une vague nausée monter en lui. Ce n'était pas seulement le souvenir de sa dernière entrevue avec le *laird* qui lui soulevait le cœur, mais ceux de tous les autres moments de sa vie qu'il avait passés ici. Il revoyait les fantômes de son passé, le garçon perdu, le rebelle, le gamin sans expérience et le jeune homme en colère, tous effroyablement présents et réels. C'était pour les exorciser qu'il avait fait le voyage jusque-là. Sans réaliser qu'ils étaient aussi nombreux.

Calumn était assis dans le grand fauteuil sculpté que l'on n'utilisait que dans les grandes occasions. A sa droite, sur un siège autrement confortable et tout rembourré de coussins, se trouvait une femme blonde et menue, enceinte jusqu'aux yeux et qui ressemblait furieusement à une nymphe. Ce devait être Madeleine, la femme du nouveau *laird*, et à en juger par la façon dont elle regardait Calumn, il y avait fort à parier qu'elle était très amoureuse de lui.

Lady Munro occupait le siège placé à la gauche de son fils et Ailsa occupait le centre de la grande table. Elle se leva quand Alasdhair entra, fit mine de s'avancer vers lui pour l'accueillir, mais croisa le regard de son frère et se rassit aussitôt.

Divers plaideurs formaient une longue file devant Calumn. Alasdhair reconnut quelques visages parmi eux, dont Hamish Sinclair, le forgeron et ancien champion du *laird*. Celui qui avait été forcé de le chasser des terres des Munro. Pauvre Hamish, c'était un devoir dont il se serait volontiers passé, surtout quand Alasdhair avait insisté pour qu'ils attendent jusqu'à l'extrême limite dans l'espoir qu'Ailsa finisse enfin par arriver. En vain, évidemment.

Le Grand Pardon n'avait pas encore commencé. Quand les villageois remarquèrent la silhouette massive d'Alasdhair postée aux confins de la pièce comme un ange assoiffé de vengeance, le bourdonnement profond des conversations cessa, le silence s'abattit sur la pièce et tous les regards se tournèrent vers lui.

Il n'existait pas une âme dans la salle qui ne connût son identité, car sa présence, la veille, auprès de la tombe du *laird* défunt, de même que son absence remarquée au cours de la veillée funèbre avaient été commentées à l'envi.

Quand il s'avança au milieu de la pièce, les villageois s'effacèrent devant lui pour lui donner la préséance.

— Seigneur Munro, lança-t-il en ôtant son chapeau et en s'inclinant avec élégance devant le *laird*.

Pour lui marquer son respect, Calumn se leva pour lui rendre son salut :

— Monsieur Ross.

— Je suis venu demander que mon bannissement soit levé.

Un murmure atterré parcourut l'assistance. La tradition voulait que le demandeur demande au *laird* son pardon et que celui-ci lui accorde l'absolution, mais Alasdhair se tenait bien droit et soutenait le regard de Calumn sans montrer la moindre marque de contrition.

Ce dernier repoussa la mèche qui lui tombait sur le front et s'approcha de son ami, l'air légèrement déconfit.

— Alasdhair, cette cérémonie a ses rites, plaida-t-il à voix basse. Il faut y mettre les formes. Tu dois t'excuser d'abord pour que je puisse t'accorder mon absolution.

— C'est ton père qui a commis l'offense, répondit Alasdhair avant d'ajouter, en jetant un regard appuyé du côté de lady Munro : ton père et quelqu'un d'autre.

Calumn poussa un long soupir.

— Si tu pouvais prononcer quelques mots d'excuse, pour la galerie… Je ne demande pas qu'ils soient sincères, mais comme cela, je pourrai…

Alasdhair secoua la tête avec obstination.

— Je ne veux pas ton pardon, Calumn. La seule chose que j'attends de toi, c'est que tu lèves officiellement mon bannissement et que tu reconnaisses que ton père a eu tort.

— Alasdhair, il faut que tu réalises que je dois maintenir la tradition.

— Nous avons été amis, autrefois, Calumn. De bons amis. Me fais-tu confiance ?

— Tu sais bien que oui.

— J'ai défié ton père, c'est vrai, je l'admets, mais le châtiment qu'il m'a infligé était sans commune mesure avec mon crime. Je te donne ma parole d'honneur que je ne le méritais pas.

— Tu ne me rends pas la tâchc facile, tu sais. Tu es toujours aussi têtu.

Calumn se passa la main dans les cheveux en plissant le front, mais finit par hocher la tête.

— Très bien, nous allons faire les choses comme tu le désires. J'espère que tu as l'intention de rester avec nous quelques jours. Tu me dois bien ça. Je vais déroger à toutes les règles pour te faire plaisir, et je ne suis même pas encore *laird* depuis vingt-quatre heures !

— C'est le moins que je puisse faire, répondit Alasdhair avec un sourire.

Calumn prit Alasdhair par l'épaule, le retourna pour faire face à la foule, puis leva la main pour demander le silence. C'était un geste superflu, car à eux deux, ils formaient un duo impressionnant et la foule s'était tue depuis longtemps.

— Hier, nous avons pleuré le trépas de mon père. Il repose en terre à présent, et avec lui comme le veut la coutume, toutes ses querelles et ses griefs passés. Comme la plupart d'entre vous le savent, Alasdhair Ross, fils d'Alec Ross, a été injustement banni. Aussi, au nom de ma famille, lui en demandé-je pardon.

En entendant la proclamation de Calumn, les termes

incroyablement généreux de celle-ci et la reconnaissance sincère du bien-fondé de sa requête qu'ils impliquaient, Alasdhair prit conscience de l'importance que revêtait pour lui cette réparation. Un poids qu'il ne soupçonnait même pas glissa de ses épaules d'un seul coup. Il s'inclina devant Calumn et, comme l'exigeait la coutume, baisa l'anneau gravé du sceau des Munro que celui-ci portait au doigt.

— Merci. De tout cœur, j'accepte tes excuses, mon *laird*.

— Alasdhair Ross, je proclame ici la fin de ton exil. Bienvenue à Errin Mhor.

L'assistance éclata en une salve d'applaudissements spontanés. Depuis son retour, quelques mois plus tôt, Calumn avait fait très bonne impression à ses gens et à ses voisins. Et si le nouveau *laird* avait envie de bousculer un peu la tradition, ils n'étaient que trop heureux d'approuver ce changement.

Comme Calumn retournait s'asseoir dans le fauteuil du *laird* pour poursuivre la cérémonie, Alasdhair se retrouva entouré de toutes parts.

On lui souhaita la bienvenue, on lui posa des milliers de questions, pour la plupart au sujet du lieu de son exil et de son évident succès, tandis que d'autres — qu'il ignora — portaient plutôt sur les circonstances de son départ.

L'étonnement, l'admiration, l'envie, le respect, le disputaient au plaisir de le revoir et à un peu de scepticisme quant à son récit. Que le fils d'un intendant d'Errin Mhor puisse être devenu un riche marchand, posséder plus de terres que le *laird* lui-même, et être en plus de cela propriétaire de sa propre flottille, personne ne pouvait vraiment le croire.

Et bien que certains, dont Hamish Sinclair par exemple, proclamassent qu'ils avaient toujours cru qu'Alasdhair irait loin, ou qu'il n'avait jamais hésité à travailler dur, il semblait difficile de croire que cet homme du monde élégant en veste de velours, bottes cirées et chapeau à plumes puisse être vraiment Alasdhair Ross, le fils de l'intendant Ross et de son épouse volage. Non point que quiconque se serait risqué à le lui rappeler. En face du moins.

Au milieu de tout ce tumulte, Alasdhair se sentait étrangement détaché. C'était une sensation plaisante, certes, d'être reconnu innocent. Mais il avait beau sourire, acquiescer du chef et répondre en plaisantant à tout ce qu'on lui disait, il aurait donné cher pour pouvoir fuir sans se retourner.

Dès que la cérémonie du Grand Pardon eut pris fin, Calumn s'avança à travers la foule.

— Alasdhair, si tu as suffisamment renoué avec tes anciennes connaissances, j'aimerais te présenter ma femme, lança-t-il en guidant son ami vers la table à laquelle était à présent assise la jolie blonde. Voici Madeleine, mon épouse, qui a abandonné sa Bretagne natale pour aider à sceller l'ancienne amitié qui lie les Français aux Ecossais.

Il disait cela en souriant tendrement à la jeune femme.

Touché, à sa grande surprise, par l'amour évident que son ami portait à cette charmante Française, Alasdhair s'inclina devant celle-ci en balayant l'air de son chapeau.

— Enchanté, madame. Calumn est un heureux homme.

Deux petites fossettes se creusèrent sur le visage rayonnant de Madeleine.

— *Soyez le bienvenu*, monsieur Ross, dit-elle en français. C'est un plaisir de rencontrer un ami d'aussi longue date de mon époux. Il me dit que vous êtes l'un des rares hommes capables de rivaliser avec lui à l'épée.

— M'est avis qu'il vous a raconté des sornettes, répondit Alasdhair en fronçant les sourcils d'un air inquisiteur à l'adresse de Calumn. Je n'ai pas souvenir qu'il ait jamais pu me surpasser avec cette arme.

Madeleine lança un regard malicieux à son mari.

— Il vous faudra le pardonner, monsieur Ross. C'est dans la nature d'un époux de se vanter auprès de sa femme.

— Tout comme c'est celle d'une épouse d'accepter ce que lui dit son mari sans poser de questions, intervint Calumn avec un grand sourire.

— Oh ! mais c'est exactement ce que je fais, *mon cher*. Toutefois, il serait malséant de dire à notre hôte que je ne le crois pas, répliqua Madeleine d'un air contrit, ce qui eut le don de faire rire les deux hommes.

En les voyant ainsi tous les deux, Alasdhair n'avait aucun mal à comprendre pourquoi Calumn semblait si heureux. On ne pouvait imaginer contraste plus flagrant que celui qui existait entre l'austère beauté de lady Munro et la sensualité tranquille et sans complexes de celle qui lui succédait.

Au bout de la table, elle venait de prendre la place d'Ailsa pour présider avec majesté au service des viandes, des fromages, du pain et du vin. La désormais douairière arborait sur son visage glacial un air désapprobateur qui ne laissait aucun doute sur son état d'esprit.

— Où est ton frère Rory ? s'enquit Alasdhair auprès de Calumn. Je l'ai vu au cimetière aujourd'hui, il me semble. Je suppose qu'il devait s'agir de lui car je l'ai presque pris pour toi, au début, tant la ressemblance était frappante. Je suis impatient de faire enfin sa connaissance.

— Il est reparti pour Heronsay immédiatement après l'enterrement.

— Il n'est donc pas réconcilié avec ta mère ?

— Elle arrive à peine à se forcer à le regarder quand il est là. Je me demande si elle agit de la sorte en raison de sa culpabilité.

— Pour qu'elle éprouve de la culpabilité, il faudrait d'abord qu'elle ait une conscience et un cœur, et je n'ai jamais rien vu qui puisse donner à penser qu'elle possède l'une ou l'autre.

— Et tu n'es pas près de le voir, j'en ai bien peur. Allons, viens, autant en finir tout de suite avec les formules de politesse.

Le visage de lady Munro sembla se figer encore plus dans la glace quand elle vit son fils guider son hôte vers l'endroit où elle se trouvait.

— Mère, vous vous souvenez d'Alasdhair Ross, sans doute.

— En effet, quoi que je m'en passerais bien, répondit lady Munro sans se lever.

— Mère, je vous prierai d'être aimable et de l'accueillir poliment dans notre château.

— Je n'en ferai rien, répliqua la douairière à voix basse. Ton père l'a banni d'Errin Mhor. Pour moi, Alasdhair Ross est mort.

— Non, mère, poursuivit Calumn, implacable, en la forçant du bras à se lever. C'est mon père qui est mort. Vous feriez bien de vous rappeler que je suis le *laird* à présent. C'est moi qui décide de qui est ou n'est pas le bienvenu dans ma maison ou sur mes terres.

La mère de Calumn lança à son fils un regard plein d'amertume, mais après un moment consentit enfin à saluer Alasdhair d'un petit hochement de tête.

— Monsieur Ross, grommela-t-elle sans même esquisser l'ombre d'une révérence, comme si son mépris n'était pas assez flagrant.

Alasdhair, de son côté, la gratifia d'un salut appuyé en s'inclinant devant elle.

— Lady Munro. Toujours aussi chaleureuse et accueillante, à ce que je vois.

Elle regardait droit devant elle comme s'il n'était pas là et cette indifférence obstinée le mettait en rage. Il était résolu à susciter une réaction en elle, mais au moment où il allait proférer quelque raillerie bien sentie, il croisa le regard préoccupé d'Ailsa et se rappela soudain la mise en garde de la jeune femme.

Elle avait raison. Il n'allait pas offrir à lady Munro une nouvelle occasion de lui faire bouillir le sang, ni lui laisser voir sa colère.

— Trinquons, cela s'impose, il me semble, lança-t-il en se tournant vers Calumn.

— C'est l'une des meilleures années de notre production, annonça le nouveau *laird* en emplissant les verres d'un whisky ambré tiré d'une bouteille couverte de poussière, et qui devait avoir passé bien des années à vieillir dans l'un des donjons d'Errin Mhor.

— A mes amis, d'hier et d'aujourd'hui, lança Alasdhair à l'adresse de Calumn et Madeleine.

Sa phrase resta suspendue quelques instants, puis, en se tournant vers lady Munro :

— Et à mes vieux ennemis, ajouta-t-il. Puissent-ils trouver enfin le repos.

— Au retour du fils prodigue, renchérit Calumn avec un large sourire.

— Au retour du fils prodigue, lancèrent-ils tous à l'unisson en levant leur verre.

Tous sauf lady Munro, qui resta muette ostensiblement, ses mains jointes sur ses genoux. La douleur que lui causaient ses ongles plantés dans la chair de ses paumes lui était presque un soulagement très doux.

Plus tard dans la journée, alors qu'il cherchait la solitude après l'agitation de la matinée, Alasdhair se rendit au cimetière adjacent à l'église dans lequel se trouvait la tombe de son père. Agenouillé devant celle-ci, il suivit du bout du doigt le nom gravé qui s'effaçait lentement sur la grande dalle de pierre et se perdit dans les vagues souvenirs qui lui restaient de cet homme.

— Je pensais bien te trouver ici.

Il était là depuis si longtemps qu'il en avait les genoux roides, et si perdu dans ses pensées qu'il n'avait pas entendu Ailsa s'approcher. Il se remit sur ses pieds rapidement et se mit à secouer la poussière de ses chausses :

— Je rendais mes devoirs à mon père.

— Je te dérange ?

— Non, j'en avais terminé.

— Tu étais très jeune quand il est mort.

— Mais assez âgé pour savoir ce que signifiait sa disparition.

— Quelques semaines seulement après que ta mère est partie, ajouta Ailsa gauchement. Tu as dû avoir l'impression qu'ils t'avaient abandonné.

— En ce qui concerne ma mère, ce n'était pas qu'une impression.

— Et lui ? insista Ailsa après avoir hésité un moment, car elle avait entendu les rumeurs.

— Je ne crois pas qu'il ait attenté à sa vie, si c'est ce que tu veux dire, contra Alasdhair sèchement. Dire qu'il est mort de chagrin serait plus près de la vérité, car c'est exactement ce qui s'est passé. C'est ma mère qui porte l'entière responsabilité de sa mort et s'il faut blâmer quelqu'un, c'est elle. Elle et celui avec lequel elle s'est enfuie.

— Qui était-ce ?

Alasdhair secoua les épaules.

— Personne ne semble le savoir. Elle a gardé le secret sur sa sordide petite aventure.

— Te demandes-tu parfois ce qu'il est advenu d'elle ?

— Pourquoi cette question ? Tu ne me l'as jamais posée auparavant.

— Je ne sais pas. Je dois penser à ma propre mère après ce que tu m'as raconté hier, j'imagine. Pourquoi m'a-t-elle menti de la sorte ? Je n'arrive pas à trouver une bonne raison, hormis le fait qu'elle m'exècre.

— J'ai eu le sentiment que la mienne me haïssait aussi, à voir la façon dont elle a disparu du jour au lendemain. Elle n'a pas dit un mot à quiconque, pas même à Mhairi Sinclair, la femme de Hamish, et pourtant elles étaient très amies, et depuis longtemps. Je lui ai demandé plusieurs fois si elle savait quelque chose, mais elle a toujours affirmé n'en savoir pas plus que moi.

— Penses-tu essayer de la retrouver ? Est-ce pour cela que tu es rentré en Ecosse ?

— Non, je n'ai aucune envie de la voir. Elle a fait son choix et n'a jamais essayé de prendre contact avec moi. Elle ne fait plus partie de ma vie à présent…

— Mais… ?

Alasdhair eut un rire amer.

— Tout comme toi, je veux savoir pourquoi elle est partie.

Il secoua les pans de sa veste et se dirigea vers la porte du cimetière.

— Au fait, que fais-tu ici ?

— Je suis venue te chercher. Je n'ai pas pu t'approcher ce matin avec tous ces gens qui voulaient t'interroger sur ta vie de l'autre côté de l'océan.

— Le retour du fils prodigue, répondit Alasdhair avec un sourire ironique. J'espère que Calumn sait qu'il n'est pas nécessaire de tuer le veau gras. En tout cas, je suis content que tu sois ici. Veux-tu marcher avec moi un moment ? Cela nous permettra de parler, toi et moi. Nous avons beaucoup de choses à nous dire et nous pourrions bien ne pas en avoir l'occasion de sitôt.

— Oui, répondit Ailsa, reconnaissante. C'est exactement ce dont j'ai envie.

Le village d'Errin Mhor était constitué d'une trentaine de maisons au toit de chaume blanchies à la chaux, blotties les unes contre les autres. Elles donnaient directement sur les longues dunes de sable doré s'étirant le long de la côte, et comportaient chacune une bande de terre cultivée sur l'arrière ; face aux collines.

L'église se dressait sur un côté du hameau, l'auberge, la forge et le port sur l'autre.

Alasdhair et Ailsa traversèrent l'étendue d'herbe verte et drue qui marquait la limite entre le village et la plage et commencèrent à marcher sur le sable durci par les vagues qui venaient y mourir.

— Parle-moi de la Virginie, souffla la jeune femme.

— Tu as dû en apprendre plus qu'assez à ce sujet si tu as entendu l'interrogatoire auquel j'ai été soumis ce matin.

— Assez pour savoir que tu es aussi riche que le roi et que tu es propriétaire de trois fois, vingt fois, cent fois plus de terres que Calumn, selon l'interlocuteur à qui tu t'adresses. Je veux savoir à quoi ressemble la Virginie, et non pas le nombre de pieds carrés que tu en possèdes. Dis-moi ce qui est différent d'Errin Mhor, là-bas.

— Eh bien, en été, l'air est parfois assez brumeux. Il fait chaud, mais humide, comme si le soleil pleuvait, pour ainsi dire, et que la couleur s'échappait de toutes choses. La terre y sent bon, d'une odeur douce et sucrée comme celle d'un pudding aux raisins secs et qui s'alourdit à mesure que le tabac mûrit.

— Et les paysages, à quoi ressemblent-ils ?

Il lui brossa un tableau assez complet de la Virginie, répondant à ses questions chaque fois qu'elle l'en pressait.

Avec son enthousiasme et son sens de l'humour un peu caustique, elle parvint même à obtenir des informations sur lui-même qu'il ne dévoilait d'habitude à personne. De fil en aiguille, il aborda le sujet de la récente rébellion.

Ailsa se moquait un peu de qui avait raison ou tort, mais ayant eu un frère dans chaque camp, le sujet l'affectait énormément.

— Je pense que notre vie ici va beaucoup changer, et pour toujours, à cause de Charles-Edouard, affirma-t-elle tristement.

Qu'elle n'ait pas pris position sur le conflit forçait Alasdhair à acquiescer.

Ils poursuivirent leur marche tout en parlant et en riant, puis se firent plus sombres au bout d'un moment, avant de rire de nouveau aux éclats.

Ils partageaient toujours la même complicité et pouvaient parler de tout et de rien, comme avant. Mais parfois, le silence s'installait entre eux et c'était alors de longs moments de gêne durant lesquels ils se lançaient des regards furtifs sans rien dire.

Pendant qu'ils marchaient, la robe d'Ailsa frôlait parfois les jambes d'Alasdhair. Leurs mains s'effleuraient. Une intimité profonde s'établissait en eux, fugacement, comme une étoile dans le crépuscule apparaît pour disparaître l'instant d'après avant de scintiller de nouveau un peu plus tard.

Finalement, ils s'assirent sur le sable au milieu des dunes pour s'abriter du vent. En face d'eux, la mer chatoyante avait des reflets de turquoise et d'émeraude. Le soleil luisait par instants, jouant à cache-cache avec les nuages rebondis.

L'air était frais, refroidi par la neige qui s'accrochait aux sommets des montagnes, chargé de l'odeur de la fumée de tourbe, du sel et des pins. La brise fouettait les vagues qui roulaient sur la plage dans le vacarme apaisant du ressac. Un cormoran plongea, puis ressortit des flots d'interminables secondes plus tard, arborant fièrement dans son bec la preuve argentée de son succès.

Ailsa glissa ses mains dans le sable pour le faire couler entre ses doigts.

— Pourquoi as-tu parlé à mon père sans même me consulter ? demanda-t-elle abruptement.

— Je me suis posé cette question un millier de fois. J'imagine que c'était en partie par sens de l'honneur, parce que je ne voulais rien faire dans son dos, mais aussi parce que je ne voulais pas qu'il nous faille attendre une minute de plus avant de pouvoir enfin être ensemble. Je regrette amèrement de m'être montré si impulsif. C'était vraiment stupide de ma part.

— En effet, approuva-t-elle. Si tu ne t'étais pas comporté ainsi, peut-être que les choses auraient tourné autrement.

— Allons, Ailsa, tu ne crois pas vraiment ce que tu dis, n'est-ce pas ? Ni toi ni moi n'avions toute notre tête. Nous étions trop bouleversés par ce que nous ressentions l'un pour l'autre pour réfléchir posément à l'avenir et aux problèmes auxquels nous risquions de devoir faire face. Tu n'avais que seize ans, et je n'avais moi qu'un vague rêve à quoi m'accrocher.

— Je sais, répondit Ailsa d'un ton lourd de regrets. Quand j'y repense, je n'arrive pas à croire que nous ayons pu être aussi irréalistes. Il nous avait suffi d'un baiser pour croire que les choses se feraient d'elles-mêmes, tout simplement. De toute façon, je n'aurais pas pu partir tout de suite avec toi pour le Nouveau Monde. J'aurais été un fardeau pour toi avant que tu n'aies commencé à te faire une situation. Et cela aurait pu prendre des années.

— Aurais-tu accepté de me rejoindre plus tard, si je te l'avais demandé ?

— Et si j'avais dit non, serais-tu resté ?

La question demeura sans réponse, s'ouvrant entre eux comme un gouffre profond et noir.

— Tes parents avaient raison sur un point, reprit-il tristement. Nous étions désespérément naïfs. C'est notre innocence qui nous a perdus. Nous avons beau tous les deux trouver pratique d'accuser tes parents, c'est nous qui sommes responsables de ce qui est advenu, car nous avons cru que l'amour avait le pouvoir de changer les choses. En fait, dans la vraie vie, il ne change rien du tout.

Au loin, le cormoran émergea de l'eau avec une nouvelle proie et, tendant le cou, fit sauter celle-ci en l'air pour l'engloutir d'un seul coup.

— Tu as raison, bien sûr, mais si seulement…

Alasdhair se leva d'un bond et secoua le sable de ses vêtements.

— Tu sais ce qu'on dit : avec des si…

— Oui, je sais, coupa Ailsa. Inutile de ressasser le passé.

— Ce qui est fait est fait, confirma Alasdhair en lui tendant la main. Allons, viens, nous devrions rentrer. Il commence à faire froid.

Elle le laissa l'aider à se remettre sur pieds, mais trébucha quand sa botte resta accrochée dans le sable où elle l'avait enfouie. Projetée en avant dans sa chute, elle heurta la poitrine d'Alasdhair et, en essayant de reprendre son équilibre, lança les bras en avant. Le contact fut immédiat, tout autant que le désir qui jaillit en eux.

Ils se regardèrent un instant sans bouger, tétanisés, le souffle coupé.

Dans les yeux d'Alasdhair, elle lisait une promesse dont, quelques secondes plus tôt, elle ignorait encore qu'elle l'attendait depuis longtemps.

La rencontre de la veille avait suscité en elle un désir bouleversant qu'elle avait tenté de chasser de son esprit, pour s'éviter de penser à ce qui aurait pu arriver si leur baiser s'était prolongé, à ce qu'elle aurait ressenti en ce cas, et à ce qu'elle avait effectivement éprouvé.

Dieu savait qu'elle avait fait de son mieux, mais à présent, si près de lui, sa présence, l'odeur de son corps, son goût, presque, emplissaient ses sens si fort qu'il fallait bien se rendre à l'évidence. C'était un échec. Elle avait envie qu'il l'embrasse. Elle ne pourrait pas supporter qu'il ne le fasse pas.

Les doigts d'Alasdhair se perdirent dans les boucles blondes lorsqu'il sentit sur ses lèvres le goût de miel de la bouche d'Ailsa que le temps n'avait pas réussi à lui faire oublier. Le dessin parfait de ses lèvres. La douceur de sa langue. Il savait qu'il ne fallait pas, mais il savait aussi qu'il le regretterait toute sa vie s'il ne le faisait pas. Il en avait assez des suppositions et des interrogations. Leur baiser de la veille avait été un adieu trop timide, trop hésitant. Elle avait été sienne avant qu'on la promette à qui que ce soit d'autre et il leur fallait conclure leur histoire correctement.

Leurs lèvres se touchèrent. A peine. Tout juste. Elle était sienne, jusqu'à ce qu'ils en aient fini. Et c'était la seule façon de faire en sorte que cela se termine une bonne fois pour toutes.

Sa langue s'insinua lentement entre les lèvres d'Ailsa. Elle avait un goût affolant. Il l'attira plus près, enserrant son corps gracile entre ses bras, nouant la longue tresse qui tombait sur son dos autour de sa main. Elle poussa un soupir quand la langue d'Alasdhair toucha la sienne.

Le temps sembla s'arrêter un instant, puis les engloutir.

Leur baiser désormais n'avait plus rien de l'incertitude du précédent, plus rien de mélancolique. C'était une étreinte sensuelle, lèvres contre lèvres, qui à mesure qu'elle devenait plus profonde, se faisait plus animale, plus brute. Le baiser d'un homme et d'une femme poussés l'un vers l'autre par un désir impitoyable. Leurs bouches avides buvaient l'une à l'autre avec la soif des naufragés. Leurs mains pressaient et pétrissaient, de plus en plus fort, et leurs corps s'imprimaient l'un dans l'autre, l'un dur et ferme, l'autre souple et tendre. Leurs lèvres se cherchaient comme pour rattraper tout ce qu'ils avaient manqué d'étreintes et de baisers, tout ce qu'ils savaient perdu à jamais, avec une passion si dévastatrice et si bouleversante qu'elle les prit tous deux par surprise.

Ailsa ne comprit pas ce qui lui arrivait. Rien, absolument rien de ce qu'elle connaissait ne l'avait préparée à la sensualité brute, à la passion brûlante qui la submergeait en cet instant. Les doigts d'Alasdhair glissaient sur ses bras, sa taille, son dos. Ses seins étaient pressés contre son torse, leurs pointes douloureuses — mais était-ce vraiment de la douleur ? — frémissant à son contact pendant qu'il l'embrassait avec une intensité qu'elle n'aurait jamais crue possible. Elle avait un sentiment d'urgence, come si elle cherchait quelque chose, comme si elle avait perdu quelque chose que lui seul pouvait l'aider à retrouver.

Elle se sentait étourdie, impatiente, la tête lourde, écrasée de sommeil. Elle tendit la main pour caresser ses cheveux semblables à l'aile d'un corbeau. Et doux comme la soie. Elle sentait le cœur d'Alasdhair cogner contre le sien, comme le sien, au point qu'elle se demanda si elle ne confondait pas les deux.

A contrecœur, il mit un terme à leur baiser. Quand Ailsa posa un doigt sur ses lèvres, elle les trouva gonflées.

— Voilà un vrai baiser d'adieu, cette fois-ci, lança-t-il pour elle comme pour lui-même. Avant que je prenne la route avec Calumn demain.

Il avait beau dire, la perspective de partir lui souriait si peu qu'il en avait le ventre noué.

Ailsa ne put rien répondre.

Il partait ? Il partait vraiment ? Mais cela n'avait pas le goût d'un adieu, loin de là. Les adieux signifiaient la fin de tout, alors que ce baiser sonnait comme un commencement.

Alasdhair plongea son regard dans le sien. Oui, il partirait le lendemain, mais avant, il devait voir lady Munro.

Une fois qu'il aurait obtenu les réponses qu'il attendait d'elle, il quitterait Errin Mhor et se joindrait à Calumn et sa femme qui partaient eux aussi pour Edimbourg afin de régler une affaire urgente liée au testament du *laird* défunt.

Ce baiser avec Ailsa avait sérieusement entamé sa résolution. Il savait que personne n'avait jamais embrassé Ailsa de la sorte. Cela l'excitait et le dérangeait à la fois. Lui, en tout cas, n'aurait pas dû l'embrasser. Comment pouvait-il partir à présent ?

Comment pouvait-il tourner le dos à ce sentiment si intense qu'il ressentait de nouveau en lui, comme s'il venait à peine de quitter Ailsa. Il devait trouver un moyen de mettre un terme à cette histoire.

Il y avait forcément un moyen de mettre un terme à cette histoire…

Chapitre 4

— Table rase, murmura-t-il en contemplant le charmant visage sur lequel se peignait la surprise du dormeur à peinc réveillé.

— Table rase ? répéta Ailsa en fronçant les sourcils. Tu veux dire recommencer depuis le début ?

Elle essayait de remettre un peu d'ordre dans ses cheveux, pour se donner une contenance.

Etait-ce de la passion, ce bouleversement qu'elle venait d'éprouver, ou bien autre chose ?

Alasdhair en était-il aussi surpris qu'elle-même ? En le regardant furtivement, elle se convainquit que la réponse était oui. Elle aurait préféré qu'il ne l'embrasse pas. Elle aurait préféré qu'il ne s'arrête pas. Elle avait l'impression de partager désormais une moitié de secret qu'elle aurait préféré continuer d'ignorer.

— Je ne comprends pas, dit-elle, désespérée, prononçant à haute voix ces mots qu'elle aurait voulu taire.

Ces mots qui suscitèrent un rire contrit chez Alasdhair.

— Moi non plus.

— Qu'allons-nous faire ?

Il croisa son regard. Les yeux violets le suppliaient de calmer leur angoisse, mais il n'avait pas de réponse. Il n'était pas prévu que son retour prenne cette tournure.

Il venait chercher des réponses, et non des questions. Et mettre à nu les âmes des autres, pas la sienne.

— Rien.

— Allons-nous faire semblant de rien, prétendre qu'il ne s'est rien passé ?

— Cela, nous ne le pourrons pas, mais nous pouvons faire en sorte que cela ne se reproduise plus. Pourquoi n'es-tu pas mariée, Ailsa ?

Elle battit des paupières devant cet abrupt changement de sujet.

— Je te demande pardon ?

— Depuis combien de temps es-tu fiancée à McNair ?

— Un an, environ. Peut-être deux, en fait.

— Et pourquoi n'as-tu pas convolé ?

— Mon père était malade.

— Raison de plus, il me semble, pour s'assurer que tu étais bel et bien mariée.

— Le mariage de Calumn a semblé plus urgent.

— A en juger par la rondeur du ventre de ta belle-sœur, celui-ci a dû avoir lieu il y a déjà un bon moment. Tu es une femme superbe, Ailsa, ta dot doit être confortable et tes relations font de toi un parti extrêmement avantageux pour McNair. J'aurais pensé qu'il serait très impatient de te mettre dans son lit.

Ailsa rougit violemment.

— Tais-toi, veux-tu ? Cela ne te regarde en rien, protesta-t-elle.

— Je t'ai crue mariée. Depuis six ans, je vis avec la certitude que tu es la femme d'un autre. Et voilà que j'apprends que tu es restée célibataire pendant tout ce temps.

Elle s'était efforcée de garder son sang-froid mais à

présent, ses bonnes résolutions étaient sur le point de voler en éclats.

— Pourquoi me dis-tu tout cela à présent ? Tu viens tout juste de dire qu'il était inutile de spéculer. Tu es totalement injuste, Alasdhair. Ce n'est pas ma faute si les choses en sont là. En tout cas, je ne suis pas plus responsable que toi-même. Je suis désolée que les choses n'aient pas pris la tournure que tu espérais. Je suis désolée de te décevoir parce que je ne suis pas mariée, et je le suis encore plus que le fait de ne pas l'êtrc t'ait entraîné à m'embrasser de nouveau. Je suis navrée que tu aies aimé ça, et aussi que ça m'ait plu également. Et crois-moi, j'aurais préféré qu'il n'en soit rien. En fait, je suis désolée que tu sois revenu, parce que je commençais à m'habituer à ma vie et maintenant, tu as tout bouleversé.

Sur ces mots, Ailsa se couvrit le visage avec ses mains. Elle tremblait de tout son corps. Jamais elle ne perdait son calme de la sorte, mais maintenant qu'elle avait laissé ses nerfs exploser, elle allait avoir du mal à se reprendre.

— Va-t'en, Alasdhair, retourne en Virginie et laisse-moi tranquille.

Au lieu d'obéir, il l'entoura de ses bras puissants et l'attira contre lui cn murmurant des exhortations inarticulées pour la calmer tout en lui caressant doucement les cheveux. Elle se mit à pleurer, un torrent de larmes qui la laissa vidée. Elle devait faire peur à voir. Elle avait trempé la chemise d'Alasdhair avec ses larmes et elle n'avait aucune idée de ce qu'il pensait d'elle après ça. Mais pour l'heure, elle s'en moquait complètement. Quand ses sanglots se transformèrent en hoquets, elle se dégagea d'un geste ferme.

— Tu te sens mieux ?

Au moins, il n'avait pas l'air en colère. Il devait plutôt être écœuré. Elle hocha la tête en essayant d'essuyer ses larmes avec son *arisaidh*.

— Ce n'est pas ta faute, Ailsa, je me suis habitué à penser qu'il était facile de toujours rejeter la responsabilité sur toi. Je n'aurais pas dû t'embrasser. Peut-être est-ce parce que je désire encore ce que nous n'avons jamais eu. Peut-être est-ce simplement que tu es une très belle femme et que, pendant un moment, j'ai oublié que tu étais fiancée. Je ne sais pas. Je n'ai pas vraiment d'excuse, ni d'explication sérieuse, et je m'en veux de cela, sans doute. Agir de la sorte n'est pas dans mes habitudes. Pardonne-moi.

Ailsa risqua un sourire avant de répondre, des larmes plein les yeux :

— Si tu me pardonnes toi-même.

— Il n'y a rien à pardonner. Ce que tu as dit est vrai.

Ils repartirent lentement vers le château en passant par la plage.

— Es-tu vraiment décidée à épouser McNair ? s'enquit Alasdhair brusquement.

— C'est un bon parti, répondit Ailsa en haussant les épaules. On ne peut pas le nier.

— Exact. Pour ta famille et pour Errin Mhor, mais pour toi ?

— Ce qui est bon pour Errin Mhor et ma famille est bon pour moi.

— Pourquoi te marier si ce n'est pas vraiment ce que tu désires ?

— Parce que c'est mon devoir. Et puis, que puis-je faire d'autre ? Tu es riche et indépendant, mais ce n'est pas mon cas. Si je ne me marie pas, je serai un fardeau pour mon frère. A vingt-deux ans, je constitue toujours un atout pour mon clan, un morceau de choix qui peut se négocier dans de bonnes conditions, mais je perdrai beaucoup de ma valeur à vingt-cinq, et n'en aurai plus du tout à trente.

— C'est horrible de parler ainsi de toi-même.

— Horrible, sans doute, mais surtout réaliste. Les choses sont ainsi, Alasdhair.

— C'est ce que dit lady Munro. A t'entendre, on croirait que tu as décidé de prendre sa suite.

Ailsa tressaillit.

— Au contraire. Je suis résolue à éviter cela. Les circonstances sont tout à fait différentes.

— En es-tu bien certaine ? demanda Alasdhair comme ils arrivaient devant l'entrée principale du château.

Puis, sans attendre qu'elle lui réponde, il s'éloigna d'un pas décidé.

Il voulait trouver Calumn et parler avec lui. Evoquer le bon vieux temps et la vie à Errin Mhor. Une conversation simple et franche avec un vieux camarade lui offrirait sans doute une diversion bienvenue.

Il en avait besoin.

Ailsa ne put pas différer bien longtemps la confrontation avec sa mère. Elle se devait à elle-même d'essayer de comprendre pourquoi lady Munro avait jugé nécessaire de détruire son premier amour, même si, finalement, elle doutait fort d'y parvenir.

En frappant à la porte du salon de sa mère, elle remarqua que ses mains tremblaient. Même après toutes ces années, elle ne pouvait ignorer l'ascendant que sa mère conservait sur elle.

Ailsa avait beau feindre l'indifférence, elle savait très bien que ce qu'elle attendait depuis toujours, c'était un signe, n'importe lequel, que sa mère éprouvait quelque chose à son égard. Pas de l'amour, non, ç'aurait été trop demander. Et puis, de toute façon, lady Munro était parfaitement incapable d'éprouver un tel sentiment. N'y avait-il pas d'innombrables preuves de la chose, depuis tant d'années ? Non, il fallait s'y résigner, ses relations avec sa mère ne seraient jamais affectueuses, mais elle aurait néanmoins aimé trouver auprès d'elle un peu d'approbation, de soutien.

Elle croyait que cette situation ne l'affectait plus, qu'elle était en quelque sorte immunisée contre elle, mais depuis la mort de son père, depuis, en fait, que son fugace espoir que les choses changent s'était évanoui, elle devait se rendre à l'évidence et admettre qu'il n'en était rien.

La rencontre avec sa mère allait sans doute remuer des souvenirs et mettre à nu des vérités déplaisantes. Mais comment pouvait-elle affronter le destin qu'on lui avait tracé sans avoir de réponses à toutes ses questions ? De ce point de vue, elle aspirait à la même chose qu'Alasdhair et pouvait par conséquent comprendre ce qui l'avait poussé à revenir sur les lieux de sa jeunesse. Ils avaient besoin de savoir, voilà tout.

Elle entendit la voix de sa mère qui l'invitait à entrer.

La ressemblance entre lady Munro et sa fille était frappante. Les deux femmes avaient la même couleur de cheveux, les mêmes yeux bleu-violet, et des traits d'une symétrie parfaite, quoique la bouche d'Ailsa fût moins dure que celle de sa mère, et l'expression de son visage plus douce et plus chaleureuse.

Ailsa était d'une beauté rayonnante alors que sa mère possédait celle d'une statue de marbre. Elles se différenciaient aussi par leur façon de marcher. Ailsa se déplaçait rapidement, mais avec grâce tandis que lady Munro marchait toujours à une allure plus lente et quelque peu empruntée.

Elles se regardèrent à travers le salon, une pièce qui avait été aménagée à l'époque où les meubles étaient fabriqués plus pour leur capacité à résister au temps que pour leur confort. Les lourdes chaises en chêne noir massif semblaient à peu près aussi engageantes qu'un cercueil et sûrement moins confortables. Lady Munro, assise à côté de la cheminée, fixait sa fille de ses yeux perçants.

Ailsa s'exhorta à trouver son regard.

— Mère, je suis venue vous demander…

— Je sais ce que tu es venue me demander, je t'attendais. Tu vas me faire le plaisir de refréner ton enthousiasme pour cet homme, Ailsa, déclara lady Munro d'une voix ferme. Il ne m'a pas échappé que ton puéril entichement pour lui ne s'est pas encore entièrement évaporé, comme il l'aurait pourtant dû.

— Si vous voulez parler d'Alasdhair, alors vous devez savoir que j'avais toutes les raisons du monde de vouloir lui parler. Je dois dire que ç'a été une expérience très éclairante. Oh ! Mère, comment avez-vous pu ? Comment avez-vous pu nous mentir autant ?

Si Ailsa espérait voir sa mère regretter son crime, elle en fut pour ses frais. Lady Munro pinça les lèvres, puis :

— J'avais mes raisons.

— Lesquelles ?

— Je ne doute pas un instant que vous avez échangé vos histoires, toi et lui, et que vous en avez conclu que vous étiez des amants maudits, ou quelque chose comme ça. Je n'ai aucunement l'intention d'expliquer ou de justifier ce que j'ai fait. Il devrait te suffire de savoir que j'ai pensé, et que je pense encore, que mes raisons pour cela étaient pleinement légitimes.

— Vous m'avez menti !

Lady Munro pinça les lèvres de plus belle.

— Ailsa, tu comprendras un jour que tu t'es menti à toi-même. Penses-tu sincèrement que tu aurais été heureuse de vivre avec le fils d'une putain parmi des sauvages, à l'autre bout du monde ?

— Nous ne le saurons jamais ! Vous ne m'avez pas donné l'occasion de le savoir.

— Je t'ai empêchée de faire un choix funeste, voilà la vérité. J'ai fait ce que je pensais être le mieux et le temps a confirmé la sagesse de ma décision. Je regrette simplement qu'il soit revenu. Il aurait mieux fait de rester où il était.

— Il a extraordinairement bien réussi sa vie.

— Il a fait fortune, je te l'accorde, mais cela ne compensera jamais son manque d'éducation. Sous la mince couche dorée de sa richesse, Alasdhair Ross est resté un paysan aux ambitions démesurées.

Ailsa regarda sa mère, le cœur serré par le désespoir. Il semblait n'y avoir aucun moyen de briser le rempart de ses certitudes.

— Pourquoi le haïssez-vous tant ? Je ne comprends pas. Qu'a-t-il jamais fait pour mériter l'inimitié féroce que vous cultivez à son endroit et qui date de bien avant la première fois qu'il a osé me faire la cour ?

Avant même la naissance d'Ailsa, en vérité, songea lady Munro.

Elle serra les dents pour chasser le violent pincement au cœur que lui causait ce souvenir.

— Ce que je n'arrive pas à comprendre, dit-elle lentement, c'est ce qu'il a bien pu faire pour s'attirer cette adoration puérile que tu lui voues.

— Vous ne pouvez pas comprendre, mère, répondit Ailsa. Vous n'avez jamais éprouvé ce genre de sentiments vous-même.

Lady Munro eut un moment d'hésitation. Si Ailsa ne l'avait pas connue aussi bien, elle aurait même pu croire que sa remarque l'avait blessée.

Mais elle la connaissait trop bien pour se montrer aussi naïve.

— A quoi bon ressasser le passé de la sorte, Ailsa ? Il vaut bien mieux que nous concentrions nos efforts sur l'avenir.

Ailsa s'approcha de la fenêtre. Dehors, il faisait nuit. Elle se retourna vers l'intérieur de la pièce, où sa mère s'occupait à allumer quelques bougies avec une longue allumette. Elle était intraitable, comme toujours. Insister pour qu'elle explique les raisons de ses actes n'aurait fait que la braquer un peu plus. Et puis, au fond, quelle importance cela pouvait-il avoir à présent ? On ne pouvait pas revenir sur le passé.

Lady Munro s'était rassise près de la cheminée et fixait de nouveau sa fille de son regard implacable.

— J'ai écrit à Donald, annonça-t-elle avec précaution. Je lui ai demandé de venir ici dès qu'il lui agréera de le faire.

— Pourquoi ?

La mère d'Ailsa haussa les sourcils.

— Votre mariage a été trop longtemps repoussé.

— Mais… le cadavre de mon père n'est même pas encore froid, dans sa tombe.

— Son trépas va permettre que de grands changements aient lieu à Errin Mhor. Et quoi de mieux que des noces pour ouvrir la nouvelle ère ?

— Ce ne serait pas convenable.

— Je ne peux croire que ces hésitations soient le fait du retour inopportun de ce sauvage, siffla lady Munro en lançant à sa fille un regard inquisiteur.

Ailsa baissa la tête. Il y avait des moments où elle croyait sincèrement que sa mère avait la capacité de lire dans ses pensées comme dans un livre. Elle sentait littéralement le regard perçant de lady Munro entrer dans son esprit comme un couteau dans une motte de beurre. Elle ne savait même pas ce qu'elle pensait au juste, mais quelles qu'elles fussent, elle ne voulait à aucun prix que sa mère puisse deviner ses pensées la première.

— L'arrivée d'Alasdhair n'a rien à voir là-dedans.

— Ainsi, tu hésites pour de bon ! s'exclama la veuve. Ailsa, tu ne peux pas sérieusement penser à laisser passer un aussi bon parti. Ce mariage était le vœu le plus cher du *laird*…

— Son vœu le plus cher était d'avoir eu un autre garçon au lieu d'une fille.

— Il était très favorable à cette union.

— *An làmb a bheir, 's i a gheibh*, comme on dit, mère, n'est-ce pas ? La main qui donne est la main qui reçoit. Même la mort n'a pas pu diminuer l'ascendant qu'il avait sur vous. Je m'attendais presque à vous voir vous jeter sur son bûcher funéraire. S'il vous l'avait demandé, je sais que vous l'auriez fait.

— Il était mon mari.

— Et vous l'aimiez, au détriment de tous les autres.

— Ce n'est pas vrai.

— Non ? s'exclama Ailsa en bondissant sur ses pieds. Non, vous avez raison, ce n'est pas vrai, car vous ne savez pas cc que c'est qu'aimer, mère, n'est-ce pas ?

Elle avait affreusement mal aux yeux, mais elle parvenait miraculeusement à retenir ses larmes. La violence de sa réaction l'étonnait.

— Ecoute-toi parler ! On dirait une enfant gâtée, asséna lady Munro en se levant à son tour et en tendant à sa fille l'un de ses mouchoirs délicatement brodés. Ce n'était pas seulement le vœu du *laird*, Ailsa, mais également le mien. Réfléchis : si tu épousais Donald et t'installais chez lui, nous serions voisines. Nous pourrions nous voir souvent, et avec le temps, quand tu aurais des enfants, nous pourrions…

— Jouer les familles modèles ? répondit Ailsa d'une voix cinglante. C'est un peu tard pour ça, mère.

Les mouchoirs brodés de lady Munro étaient de véritables œuvres d'art. Leur dentelle au petit point était d'une délicatesse exquise, quoique Ailsa doutât fort qu'elle ait jamais essuyé la moindre larme. Elle étala démonstrativement sur ses genoux celui qu'elle tenait à la main pour bien montrer qu'elle n'en ferait pas usage.

— Je veux que vous écriviez à Donald, moi aussi. Dites-lui que le moment est mal choisi et que je n'ai aucun désir de le voir tant que je n'aurai pas l'esprit clair.

— Sa présence t'éclaircira bien plus les idées que son absence. Je suis sûre que quand il arrivera, tu auras recouvré tes esprits et ton bon sens.

Ailsa regarda sa mère d'un air impuissant.

— Mon bonheur ne signifie-t-il donc rien pour vous ? demanda-t-elle.

A peine l'eut-elle prononcée qu'elle regretta sa question, sans toutefois pouvoir s'empêcher d'espérer que sa mère y réponde par l'affirmative.

— Je pense que c'est en faisant son devoir que l'on atteint le bonheur. Quand tu auras réfléchi à cela, je ne doute pas un instant que tu seras d'accord avec moi. Après tout, tu es ma fille.

Quand Ailsa se leva, le mouchoir de lady Munro tomba sur le sol sans que ni l'une ni l'autre ne le remarquent.

— Je suis peut-être votre fille, mais je ne suis plus une enfant et je sais penser par moi-même. Si je décide de ne pas épouser Donald, je ne l'épouserai pas.

— Ailsa, insista sa mère, tiens-toi à l'écart d'Alasdhair, je t'en supplie.

Voyant sa fille se diriger vers la porte, elle cria :

— Je ne veux pas qu'il revienne se mettre entre nous deux de nouveau ! Il y a des choses que… il n'est pas l'homme que tu crois, Ailsa !

Ces mots se perdirent dans le silence quand la porte se ferma sans bruit.

Lady Munro ramassa le mouchoir tombé sur les dalles froides et en pressa la dentelle sur ses yeux. Ils piquaient, certes, mais restaient pourtant obstinément secs.

Seigneur, faites que McNair réponde vite à cette lettre. Que ma fille soit enfin délivrée de ce bâtard.

Lady Munro commençait sérieusement à se demander

si le père d'Alasdhair Ross n'avait pas, depuis sa tombe, envoyé son fils la hanter.

Assis à la table du dîner — un repas que, Dieu merci, la veuve de Munro prenait dans sa chambre —, Alasdhair essayait de converser poliment avec ses voisins tout en regrettant amèrement de n'avoir pas respecté son vœu de ne jamais revenir à Errin Mhor.

La tranquillité de sa plantation lui manquait. Là-bas, en Virginie, il pouvait jouir de la solitude et du bonheur de vivre sur ses propres terres, dans sa propre maison.

Sauf que, s'il avait vraiment été parfaitement heureux, il ne serait pas venu. Rentrer au pays lui avait fait prendre conscience que sa vie n'était pas aussi sereine qu'il voulait bien le croire.

Comme si les choses n'étaient pas assez difficiles comme ça, Madeleine l'avait placé à côté d'Ailsa. Comme elle lui passait un plat pour qu'il se serve, la main de cette dernière avait frôlé la sienne et ils avaient sursauté tous les deux comme s'ils venaient de se brûler. Il l'avait surprise à le regarder fixement d'un air troublé, mais il en avait fait tout autant lui-même, il le savait. Dans sa robe de velours vert, elle était exquise, quand bien même elle repoussait doucement les compliments qu'on lui faisait. Elle ne s'aimait pas, physiquement, et pourtant, beaucoup de femmes auraient fait n'importe quoi pour avoir sa silhouette.

Et beaucoup d'hommes pour l'avoir à leurs côtés…

Il n'aurait pas dû l'embrasser. Dieu du ciel, comme il regrettait de l'avoir fait !

Depuis, il n'arrivait plus à penser à autre chose.

Autrefois, quand il se sentait ainsi sur les nerfs, il aurait apaisé sa bile en se bagarrant avec Calumn ou en invitant Hamish à croiser le fer avec lui. Ou encore en partant tirer des bords sur le… Mais oui, bien sûr !

— Qu'est-il advenu d'*An Rionnag* ? lança-t-il à la cantonade.

Calumn leva la tête vers lui, surpris, car Alasdhair n'avait pas prononcé une seule parole depuis vingt bonnes minutes.

— L'Etoile ? demanda-t-il, avant de préciser pour Madeleine en aparté : c'était son bateau, autrefois. Je n'en ai aucune idée.

— Il se trouve à Errin Beagh, intervint Ailsa. L'un des pêcheurs s'occupe de l'entretenir pour moi. Son fils sort avec de temps en temps.

— Je pensais que ton père l'aurait fait saborder, affirma Alasdhair.

Ailsa croisa son regard pour la première fois de la soirée avant de répondre :

— Il l'a cru.

— Tu as sauvé le bateau ! s'exclama Alasdhair avec un large sourire.

— Il m'a simplement semblé insensé de laisser détruire une chose aussi belle, expliqua Ailsa en rougissant.

— Je t'approuve entièrement.

— Je ne savais pas que vous sortiez en bateau, Ailsa, intervint Madeleine, intriguée par ce qu'elle sentait qu'il se passait entre sa belle-sœur et l'ami de son mari à qui elle trouvait l'air bien sévère.

— Je ne l'ai pas fait depuis bien longtemps, répondit Ailsa. Alasdhair et moi parcourions la baie sans cesse, autrefois, mais ma mère s'oppose désormais à ce que je sorte seule.

— *Ah oui, je comprends*, acquiesça Madeleine en français, du ton qu'elle réservait aux échanges avec sa belle-mère, qu'elle appelait secrètement le dragon.

— Qu'à cela ne tienne, lança Alasdhair. Pourquoi ne t'emmènerais-je pas sur *An Rionnag,* demain ?

Ailsa le regarda, surprise.

— Mais tu n'en auras pas le temps, objecta-t-elle. Je te rappelle que tu dois partir tôt avec Calumn et Maddie.

— Eh bien, j'ai changé d'avis, en fait. J'ai décidé de rester quelques jours de plus. Qu'en dis-tu ? En souvenir du bon vieux temps ?

Ailsa regarda son frère d'un air inquiet.

— Je trouve que c'est une excellente idée, affirma celui-ci. De toute façon, je ne comprends pas pourquoi tu es si impatient de quitter Errin Mhor, Alasdhair, après avoir fait un voyage aussi long et aussi exténuant pour arriver jusqu'ici. Reste aussi longtemps que tu voudras. Ma demeure est la tienne. Et puis, je suis sûr qu'Ailsa sera ravie d'avoir de la compagnie pendant que nous serons partis.

Madeleine battit des mains avec enthousiasme.

— *Parfait !* s'exclama-t-elle derechef dans sa langue maternelle, ce qu'elle semblait faire chaque fois que l'émotion la gagnait. Cela vous fera du bien, chère Ailsa, et vous aidera à vous remettre un peu de votre deuil. Amusez-vous bien.

Un coup d'œil furtif en direction d'Alasdhair indiqua à Ailsa qu'il pensait la même chose qu'elle. Elle avait furieusement envie de voguer avec lui une dernière fois, et de mettre une fois pour toutes un terme à leurs rêves d'antan. Peut-être ce faisant pourrait-elle trouver l'occasion d'un nouveau départ avec Donald, même si, très franchement, elle en doutait.

Plus vraisemblablement, cela mettrait un terme aux deux histoires. Ce dont elle ne doutait pas, en revanche, c'était que sa mère serait folle de rage qu'elle ait fait si peu de cas de ses recommandations. Mais après leur affrontement d'aujourd'hui, cette idée lui procurait une sorte de satisfaction un peu puérile, et diablement agréable.

— Je pourrais... j'aimerais cela, si tu en as envie...

Il la dévisagea, troublé. *Etait-ce le cas ?* Avait-il vraiment envie de se confronter de nouveau à d'aussi poignants souvenirs ? Cela dit, ne serait-ce pas le parfait antidote contre l'attirance qu'il éprouvait pour Ailsa et qui menaçait de devenir une véritable folie ? Recréer cette fameuse journée à bord de l'Errin Mhor avec la vraie Ailsa l'aiderait sans doute à extirper de son esprit la jeune femme rêvée qui le hantait depuis six ans. Remplacer l'illusion par la réalité devait être la solution, forcément.

— Oui, j'aimerais ça, répondit-il en souriant.

Assise à côté de lui, Ailsa avait les doigts crispés sur le pied de son verre. La voir aussi nerveuse que lui réconfortait un peu Alasdhair.

Ailsa venait de se servir un bol de porridge sur lequel elle avait jeté une petite pincée de sel avant de se mettre à table lorsque Alasdhair entra dans la pièce. Il venait de souhaiter bon voyage à Calumn et Madeleine qui partaient pour Edimbourg.

Il s'installa à ses côtés. Il sentait l'air frais et le savon. Ses cheveux soigneusement coiffés en arrière luisaient de l'eau dont il venait de les asperger et il était rasé de frais. Il portait un haut-de-chausse et des bottes ainsi qu'une chemise et un gilet, mais sans veste et sans cravate. Ainsi, il avait l'air beaucoup plus jeune. Et moins sévère. Beaucoup plus séduisant, en fait. Ailsa sentit son cœur s'arrêter de battre un instant en le voyant et prit soudain conscience qu'elle le fixait sans vergogne.

— Sers-toi, lança-t-elle.

Alasdhair s'exécuta, remplissant généreusement son assiette.

— Es-tu certaine de vouloir sortir en bateau aujourd'hui ?

— Et toi ?

Il éclata de rire.

— Si je dis oui, en feras-tu autant ?

— Oui.

— Ta mère est-elle informée de la chose ?

— Pas encore, mais tu peux être sûr qu'elle l'apprendra vite.

Alasdhair se versa un bol de café tandis qu'Ailsa remuait son porridge avec une longue cuiller.

— Tes vêtements ne sont pas vraiment faits pour sortir en bateau. Si tu veux, je pourrais te trouver un *plaid*, offrit-elle.

— Je croyais qu'on n'avait plus le droit d'en porter, désormais.

— Exact. Ils ont aussi essayé d'interdire que l'on parle gaélique, mais tu remarqueras que ceux qui s'expriment en anglais sont peu nombreux par ici, expliqua Ailsa d'un ton plein de mépris. Les gens s'en fichent, sauf quand ils vont vers le sud, à Oban. Il y a même une cabane en pierre sur l'île de Seil que l'on appelle *Tigh an Truish* et où les hommes passent des braies avant de traverser pour rejoindre le Continent.

— La Maison des Braies, cela dit bien ce dont il s'agit, commenta Alasdhair avec un demi-sourire. Calumn m'a expliqué comment les choses se sont passées pour lui et son frère durant la rébellion.

— Et pour beaucoup d'autres. Nous avons traversé des moments très difficiles. C'est bien dommage que Rory n'ait pas pu rester. Il te plairait, j'en suis sûre. Alors, veux-tu un *plaid* ou non ?

— As-tu décidé de refaire de moi un Highlander, Ailsa ?

— C'est ce que tu es au fond. Ne me dis pas que tu es américain.

— Pas quand je suis ici en tout cas, non. Trouvez-moi un plaid, miss Munro, et j'essayerai de me transformer pour vous.

Ailsa chantonnait doucement tout en s'habillant. Elle se débarrassa de sa robe de chambre et passa un jupon rayé et une robe en laine bleu-roi qui lui descendait à mi-cheville. Seules les veuves étaient obligées de porter du noir à Errin Mhor.

Un gilet d'un bleu plus sombre était noué au-dessus de ses culottes et un *arisaidh* de laine retenu par une ceinture complétait le tout, attaché sur sa poitrine par une jolie épingle d'étain. Elle brossa ses cheveux de sorte qu'ils cascadaient sur ses épaules en longues vagues dorées, seulement noués d'un peu de ruban. Il ne lui restait plus qu'à passer d'épaisses bottes pour être prête.

Alasdhair l'attendait dans la grande salle et lui tournait le dos quand elle arriva. Ailsa s'arrêta sur le seuil pour se donner l'occasion de l'observer sans être vue.

Dans ses vêtements noirs, elle l'avait trouvé superbe, mais en tenue de Highlander, il était franchement à couper le souffle.

Son *filleadh beg* drapé dans le *plaid* qu'elle lui avait trouvé était retenu à la taille par une large ceinture. Le tissu épais tombait en plis bien nets qui suivaient la courbe légère de ses fesses, s'arrêtant juste au-dessus du genou, laissant apparaître ses mollets musclés. Il ne portait pas le traditionnel *filleadh mòr*, pendant masculin de *l'arisaidh*, mais un long plastron de cuir par-dessus sa chemise dont il avait ôté les manchettes de dentelle. Le tout faisait ressortir sa haute taille et le côté sculptural de sa silhouette — larges épaules, torse puissant, ventre plat, longues jambes.

Cependant, quelque chose semblait avoir changé en lui. Le beau garçon au faîte de sa splendeur physique s'était en effet transformé en un Highlander plein de noblesse mâtinée d'accents sauvages. La mince couche d'élégance avait cédé la place à quelque chose de plus brut, plus primitif. Il avait bien plus l'air du pionnier qu'elle savait qu'il était. Cela lui remua le sang et l'âme.

Ailsa secoua la tête pour reprendre ses esprits.

Alasdhair devait avoir senti son regard sur sa nuque, car il se retourna brusquement, forçant Ailsa à reprendre sa marche précipitamment et à descendre les dernières marches comme si de rien n'était pour le rejoindre.

— Eh bien, suis-je présentable ? demanda-t-il en écartant les bras.

— Je t'ai déjà vu porter un plaid, Alasdhair Ross, répondit Ailsa, heureuse qu'il ne l'ait pas surprise en train de l'observer.

Résolue à chasser ses troubles pensées, elle s'obligea à se concentrer sur des choses pratiques. Inutile de se laisser distraire par l'encolure de la chemise d'Alasdhair qui lui permettait de voir la peau hâlée de son cou, ses bras musclés ou le balancement de son *plaid* quand il marchait.

Ouvrant la marche, elle passa une porte qui s'ouvrait dans le lambris tapissant le fond de la pièce.

— Calumn a fait amener *An Rionnag* ce matin. Il est amarré à notre ponton à présent. Nous allons passer par les jardins de devant pour le rejoindre.

La porte donnait sur un escalier en colimaçon qui menait aux cuisines et à la distillerie. En sortant, ils passèrent par les jardins, sur l'avant du château, puis descendirent une allée qui serpentait jusqu'à la mer sous la voûte impressionnante que formaient les branches de gigantesques pins sylvestres.

C'était l'une de ces journées de printemps au cours desquelles les quatre saisons semblent lutter pour prendre la préséance. Le matin avait commencé avec un ciel pur et un soleil ardent, mais à présent de lourds nuages gris roulaient dans le ciel, venant du nord. Deux mois plus tôt, ils auraient immanquablement apporté de gros flocons, mais en avril, ils annonçaient de la neige fondue ou de la grêle.

Derrière eux, cependant, et vers l'ouest également, le ciel était d'un bleu tranquille et la mer, bien qu'agitée, ne semblait pas remuée par la houle puissante annonciatrice de tempêtes.

— Qu'en dis-tu ? s'enquit Ailsa en scrutant le ciel d'un œil inquiet.

— Je pense que nous devrions prendre le risque.

— De sortir par ce temps, tu veux dire ?

Alasdhair lui lança un regard énigmatique.

— Quoi d'autre ?

Ils émergèrent du couvert des pins au sommet d'une petite colline. Quelques marches avaient été taillées sommairement dans la roche et une corde attachée à de solides anneaux de fer formait une rampe acceptable. La plage au-dessous d'eux descendait abruptement par paliers jusqu'au bord de l'eau où une sorte de jetée avait été aménagée en utilisant les rochers existants disséminés alentour.

Des trois bateaux attachés là, *An Rionnag* semblait le plus petit. Ce n'était en fait qu'un petit esquif muni d'une paire d'avirons et d'une voile unique.

A côté de lui tanguait une embarcation du même style, mais un peu plus grande et visiblement neuve, et sur la proue de laquelle on lisait, en lettres dorées, le mot *Madeleine*. Enfin, là où l'eau semblait la plus profonde, se trouvait le navire officiel de lord Munro.

La marée était haute. Les bateaux dansaient sur les vagues qui se brisaient sur la plage, plus loin, rendant l'abordage particulièrement délicat. Il fallait de l'équilibre. Alasdhair sauta souplement depuis la jetée dans le bateau, son *plaid* se soulevant devant lui dans la manœuvre. La vision furtive qu'en eut Ailsa lui révéla une cuisse couverte de poils sombres sous le voile desquels les muscles saillaient joliment, mais à la peau très blanche. Elle se demanda où s'arrêtait le hâle.

— Ailsa ?

Il lui tendait la main en souriant d'une façon qui lui noua le ventre. Il avait attaché ses cheveux avec un lacet de cuir, mais de longues mèches noires comme l'aile d'un corbeau lui fouettaient néanmoins le visage. Elle se percha sur le bord de la jetée, tâchant de synchroniser le saut qu'elle s'apprêtait à tenter avec le mouvement imprimé au bateau par les vagues, tout en ignorant délibérément l'aide d'Alasdhair. Elle avait sauté dans le bateau des dizaines de fois sans y penser, mais cette fois, elle hésitait, aussi, quand elle se décida enfin à sauter, trébucha-t-elle en atterrissant sur le fond arrondi de *An Rionnag*. Alasdhair se tenait prêt à la rattraper, comme il le faisait toujours autrefois, mais quand elle se sentit vibrer d'être dans ses bras, elle sut que cela n'avait rien à voir avec le passé, mais plutôt avec le plaisir brut, la sensation primitive d'être une femme blottie contre le corps puissant d'un homme.

Elle était plutôt grande et pourtant, à côté d'Alasdhair, elle semblait aussi menue que sa belle-sœur. Il la tenait sans effort aucun. Une vague passa sous le bateau, mais il s'affermit simplement sur ses jambes en l'attirant contre lui pour l'assurer entre ses bras.

Le vent jouait dans ses cheveux noirs. Quand une autre longue mèche s'échappa du nœud de cuir qui les retenait et vint lui tomber sur les yeux, Ailsa leva instinctivement la main pour la repousser. Elle était douce comme la soie et se mêlait à ses cils également noirs et soyeux. De la paume, elle effleura la joue d'Alasdhair, qui tourna légèrement la tête à ce moment-là, de sorte que ses lèvres frôlèrent le bout du pouce de la jeune femme. C'était un baiser, sans aucun doute, chaud et tendre. Elle aurait pu s'échapper, se dégager, mais n'en fit rien. Elle entendit quelqu'un inspirer profondément, pas très sûre de respirer elle-même, puis un soupir — le sien, cette fois, assurément — quand elle se retourna entre les bras d'Alasdhair. D'une main, elle suivit la ligne de son menton tandis que de l'autre elle le prenait par le cou pour s'aider à garder l'équilibre.

Alasdhair écarta un peu plus les pieds sur le fond du bateau quand Ailsa se blottit entre ses bras. Son corps tout en courbes s'imprimait contre le sien de la plus excitante des façons. Elle sentait délicieusement bon et apparemment, son cœur battait tout aussi fort que le sien. Pourtant, il hésitait encore. Il avait des embruns sur le visage, le goût du sel sur les lèvres. Le bateau montait et descendait au même rythme que sa poitrine se soulevait. Son cœur battait, battait, hésitait, battait encore. Une vague plus grosse que les autres passa sous le bateau, soudain. *An Rionnag* tangua dangereusement et le charme fut rompu.

— Nous devrions mettre la voile sans quoi nous allons manquer la marée, affirma Alasdhair en relâchant son étreinte à contrecœur.

Le désir, brûlant, entêtant, le tenait entre ses serres. Honnêtement, il avait envie de bien plus que simplement embrasser Ailsa.

Peut-être cette sortie était-elle une erreur ?

Ce qu'il ressentait à cet instant précis n'avait rien d'un souvenir fantôme. C'était au contraire tout à fait présent, et absolument vital. Il avait envie d'elle comme jamais il n'avait désiré une femme auparavant.

Elle ne sentait que trop son regard sur elle, au point qu'elle lutta un moment avec le nœud qui retenait *An Rionnag* à la jetée pendant qu'Alasdhair mettait la voile et prenait la barre.

Etait-ce une erreur, une folie ?

Elle se servit d'un aviron pour repousser le bateau loin du ponton, puis alla s'installer à la proue, s'asseyant au milieu des casiers à homards et des lignes de pêche, tandis qu'Alasdhair guidait l'embarcation vers la mer écumante. Ils voguaient sur la même étendue d'eau que celle sur laquelle elle avait pour la première fois vu en lui un homme et non plus un adolescent, jadis.

Tout en le regardant à présent, aussi à l'aise à la barre du bateau que sur la terre ferme, elle essayait d'invoquer l'esprit de cette journée lointaine, en se rappelant que c'était précisément ce pourquoi elle était venue, afin d'exorciser une bonne fois pour toutes les fantômes du passé.

Mais l'Alasdhair qui lui faisait face à présent refusait obstinément de céder la place à son double de jeunesse. Malheureusement pour elle, et pour sa tranquillité, cet Alasdhair-ci, le véritable Alasdhair, risquait de s'obstiner à ne pas s'effacer. Elle avait refusé de le voir et de l'admettre jusqu'à la veille, mais elle reconnaissait désormais le désir qui lui nouait le ventre quand elle le regardait. Qui lui laissait la bouche sèche et lui donnait des frissons.

Elle avait envie de lui.

Honteuse et à la fois terriblement excitée de s'apercevoir qu'elle pouvait éprouver, contrairement à ce qu'elle pensait jusque-là, ce genre d'émotion, elle détourna les yeux, ce qui n'empêcha néanmoins en rien son esprit de battre la campagne.

Elle avait envie de lui.

De lui seulement ? Ce réveil des sens signifiait-il qu'elle pourrait éventuellement désirer Donald lui aussi ? Elle ne se fut pas plus tôt posé la question qu'instantanément, et avec la clarté cristalline d'un torrent de montagne, la réponse lui vint, péremptoire : non, jamais.

Il allait lui falloir méditer cette révélation, et agir en conséquence. Ce serait sans doute douloureux, mais pour l'heure, elle se sentait soulagée.

Ailsa renversa la tête en arrière pour offrir son visage aux rayons du soleil d'avril, un sourire sur les lèvres. Aujourd'hui, tout était possible. Tout. Demain serait un autre jour, comme Shona MacBrayne le disait toujours.

Alasdhair navigua autour du Collier, dirigeant *An Rionnag* entre les îlots comme s'il dessinait une chaîne dans l'eau. La résistance de la barre et la force qu'il devait déployer pour la contrôler l'enchantaient. Il prenait un réel plaisir à manœuvrer avec dextérité le gouvernail en même temps que la voile quand la direction du vent changeait. Le bois de la barre était lisse et poli sous ses doigts, la mer, dure sous la coque. Il fallait garder l'œil constamment sur le ciel et l'eau, car le temps pouvait changer d'une minute à l'autre. Il savourait tout cela avec la délectation du voyageur qui retrouve enfin son pays.

Assise à la proue, Ailsa évoquait ces statues ornant celle des bateaux de haut bord qui encombraient le port de Jamestown, en Virginie. Chaque fois que le bateau plongeait dans la vague, les embruns lui fouettaient le visage et le vent claquait dans ses cheveux, ce qui la faisait rire aux éclats. Elle avait l'air bien plus détendue que pendant les deux jours précédents, comme si elle avait réussi à jeter par-dessus bord tous ses soucis et ses peines. Elle rayonnait, comme le soleil sur les flots bleus.

Il se demandait ce à quoi elle pensait, si elle évoquait ses souvenirs. Ailsa était assise exactement au même endroit que ce fameux jour, et lui aussi occupait la même place dans le bateau. Mais le passé avait beau palpiter aux confins de ses pensées, cela restait éphémère. La réalité, c'était ici et maintenant. Aujourd'hui. Avec cette femme-là, ce désir-là, vibrant, intense. Cette envie d'elle.

Etait-il en train de commettre la plus grosse erreur de sa vie ?

Lorsqu'il prenait une décision, Alasdhair avait l'habitude de s'y tenir obstinément, et cette fois-ci ne dérogerait sûrement pas à la règle. Son plan fonctionnerait. Forcément. C'était pour ça qu'il avait fait tout ce voyage. Pour faire table rase du passé.

L'îlot qui se trouvait au milieu du petit archipel était également le plus grand, environ cinq cents mètres de long par moitié moins de large. On avait l'impression que *An Rionnag* se souvenait du chemin à le voir se jouer de la manœuvre compliquée qui le menait dans le petit port naturel formé par deux avancées rocheuses escarpées. Quand le bateau atteignit le haut fond, Alasdhair affala la voile, ôta ses chaussures et ses chausses et sauta dans l'eau glacée pour haler le petit esquif sur la plage.

Ailsa sauta sur la rive à son tour et ils se dirigèrent aussitôt vers l'autre côté de l'îlot, là où se trouvait l'endroit secret où ils aimaient se cacher, autrefois. Il y avait des trous d'eau creusés dans la roche par les assauts incessants de la mer où vivaient des crabes énormes et des anémones aux couleurs splendides. Ils s'assirent sur les rochers plats l'un à côté de l'autre pour partager le pique-nique apporté par Ailsa.

Ils passaient de la plus parfaite sérénité à des moments d'intense nervosité, hésitant entre leur identité présente et passée.

Quand ils se furent restaurés, ils se promenèrent autour de l'île et, tout du long, l'intimité ancienne qui ne les avait jamais vraiment quittés commença à lentement s'insinuer autour d'eux comme un lierre obstiné, diffusant en eux le charme insistant qui menaçait de les subjuguer tous les deux.

Chapitre 5

— Pourquoi as-tu décidé de venir ici avec moi ? s'enquit Alasdhair alors qu'ils se trouvaient à l'abri derrière une rangée de pins nains qui bordaient la côte.

— Parce que je voulais monter à bord d'*An Rionnag* une nouvelle fois.

— Et parce que tu savais que cela mettrait ta mère en rage, n'est-ce pas ?

— Un peu, répondit Ailsa en éclatant de rire.

Du bout du pied, elle remuait les morceaux d'ardoise qui parsemaient la plage, consciente du regard d'Alasdhair pesant sur ses épaules et du rouge qui lui montait aux joues.

— Tu vas penser que je suis idiote, ajouta-t-elle en levant les yeux sur lui, mais je voulais surtout exorciser les fantômes qui me… qui nous hantent.

— Je ne pense pas que tu es idiote, Ailsa. Je suis venu exactement pour les mêmes raisons.

— Et… cela fonctionne ?

— Pour l'heure, pas vraiment, répondit-il, à sa propre surprise comme à celle de la jeune femme.

Elle lui prit la main.

— Je n'ai pas voulu t'écouter quand tu as dit que ça n'aurait pas marché entre nous hier, mais tu avais raison.

Nous étions trop jeunes et trop peu sûrs de nous. Tu avais un avenir à construire et je n'aurais fait que te distraire.

Elle posa sa joue dans le creux de la main d'Alasdhair avant de poursuivre :

— C'est dur à accepter, et très triste aussi, mais peut-être que si nous admettons que c'est la vérité, les fantômes retourneront d'où ils viennent une bonne fois pour toutes.

Son honnêteté, de même que les efforts que ces paroles semblaient lui avoir coûté, touchèrent Alasdhair droit au cœur.

— Voilà encore une chose qui n'a pas changé chez toi, déclara-t-il d'une voix émue. Tu n'as jamais manqué de courage.

Ailsa secoua la tête tristement. C'était précisément le courage qui lui avait fait le plus défaut au cours des années passées. Son courage s'était érodé en même temps que sa confiance en elle, à mesure qu'elle avait accepté de mener la vie que son père voulait pour elle et à laquelle sa mère faisait tout pour la préparer, depuis toujours.

Elle pressait toujours la main d'Alasdhair contre sa joue, comme elle le faisait autrefois, il s'en souvenait fort bien. Du bout du pouce, il lui effleura la commissure des lèvres. Une larme tremblait au bout de ses cils argentés et il se pencha sur elle pour l'embrasser avant qu'elle ne tombe.

Une tendresse presque douloureuse l'envahissait, et des regrets aussi. Mais, pour la première fois, il ne ressentait aucune amertume ni colère. Il perdit ses doigts dans l'auréole de cheveux diaphane qui ceignait le front de sa bien-aimée, comme si par ce geste il avait pu la libérer des fantômes qui la pourchassaient, et, ce faisant, se libérer lui-même en renvoyant les siens flotter sur la brise qui balayait l'océan.

Devant le sourire hésitant d'Ailsa, il se sentit fondre à l'intérieur. Ce devait être le soulagement qu'il attendait, ou plutôt qu'ils attendaient tous les deux. L'embrasser semblait alors la chose la plus naturelle du monde, et ce baiser, le seul capable de les libérer, elle comme lui. Sans réfléchir, et sans penser à rien d'autre, il l'embrassa. Les lèvres d'Ailsa tremblaient sous les siennes Du bras, il l'attira un tout petit peu plus près de lui.

Elle soupira. La tension qui lui vrillait les épaules et le dos s'apaisait quand elle se blottissait entre les bras d'Alasdhair. Se laisser aller, voilà, c'était exactement ce qu'il leur fallait. Un au revoir, un vrai. Sans regrets ni récriminations. Ils avaient eu raison de venir sur cette île, finalement. Elle soupira de nouveau lorsque leurs lèvres se rencontrèrent et qu'il lui passa les bras autour de la taille pour l'embrasser doucement, presque à regret.

Sauf que le baiser ne cessa pas. Quand il passa le bout de sa langue sur la lèvre inférieure d'Ailsa, elle sentit nettement de petites bulles de désir se mettre à pétiller dans ses veines. Dans une minute, elle se dégagerait. Ou il le ferait, lui. Elle ne voulait pas que ce moment magique s'interrompe. Il lui léchait l'intérieur de la bouche, l'incitant doucement à s'ouvrir à lui, s'insinuant de plus en plus profondément en elle à mesure qu'elle se détendait. Une tension montait en elle, différente de tout ce qu'elle avait ressenti jusque-là. Elle se dressa sur la pointe des pieds pour lui passer les bras autour du cou et attirer sa tête vers la sienne.

Comment cela arriva-t-il ? L'instant d'avant, il n'avait

aucune idée de ce qui allait se passer, une minute plus tard, il l'embrassait tendrement, et la suivante, le désir s'enflammait entre eux, infiniment plus dangereux encore, et quasiment impossible à contrôler.

Leur baiser devenait sans prévenir un prélude, vital, flamboyant, d'une intensité folle, porté au rouge par une passion qui semblait tomber du ciel avec une violence inouïe.

Il l'embrassait passionnément, la subjuguant comme les Vikings qui avaient arraché Errin Mhor aux Highlanders quelques siècles plus tôt. Elle rendit les armes volontiers, ses petits gémissements de plaisir incitant Alasdhair à forcer son avantage. Ils glissèrent à terre ensemble sans cesser de s'embrasser, de se toucher, de se caresser. La chair d'Ailsa était tendre, sa bouche sucrée. Ses baisers le rendaient fou. Ses caresses suivaient un chemin tortueux sur lui, si légères qu'il aurait presque souhaité qu'elle insiste, et pourtant si brûlantes qu'il les trouvait presque insoutenables. Il l'embrassa encore et encore, sur la bouche, les paupières, le nez, les joues, le menton, revenant sur sa bouche pour savourer ses lèvres roses si pleines et si tendres.

Ailsa se sentait emportée comme un fétu dans un tourbillon gigantesque, impuissante, ballottée, assommée. Il était sur elle à présent, si grand, si fort et si incroyablement mâle. Elle ne se sentait pas en sécurité, et pourtant elle n'avait pas peur. Elle perdait pied. Elle allait se noyer, mais ce serait une noyade si envoûtante qu'elle l'appelait de ses vœux. La bouche d'Alasdhair sur la sienne l'y incitait. Ses mains, elles aussi, promettaient de sombres plaisirs.

Sa chair. Sa peau. Brûlante dans l'air glacé. Son gilet

ouvert, sa chemise dénouée qui laissait voir la naissance de ses seins au-dessus de son corset. Les yeux d'Alasdhair sombres des secrets qu'elle lui ferait conter, fixés sur elle d'une façon qui la faisait se sentir presque nue, et si vulnérable.

Ses baisers se faisaient plus lents à présent, si bien qu'elle crut qu'ils allaient cesser et qu'elle l'attira contre elle, mais au lieu de cela ils devinrent plus langoureux, s'attardant sur sa bouche, puis plus bas, sur son cou, sa gorge. Les pointes de ses seins durcies frottaient douloureusement contre l'étoffe de son corset. Quand elle réalisa qu'elle avait follement envie qu'il les touche, elle resta pantoise devant l'audace de son désir.

Elle ferma les yeux. Si elle ne pouvait pas voir ce qui se passait, c'était que cette créature mi-fée mi-femme livrée à ses sens et à ses nerfs qui se tortillait en haletant ne pouvait être Ailsa Munro. Derrière ses paupières palpitait un monde aux couleurs nouvelles. Des couleurs interdites. Des roses aux reflets carmin frémissants comme des pétales de fleurs humides qui flamboyaient et scintillaient dangereusement. Un monde de glace brûlante qui la faisait trembler et frissonner, un pays plein de périls pour lequel elle n'avait nul guide et où un homme menaçant qu'elle n'avait pas le droit de rencontrer lui demandait des choses qu'elle n'aurait pas dû lui donner.

Alasdhair ouvrit les yeux. Son sexe pesait contre la cuisse d'Ailsa, insistant. Elle gisait sous lui, les yeux fermés, le visage en feu, ses cheveux défaits répandus autour de sa tête comme une rivière d'or sur la terre nue. Elle avait les lèvres enflées et les jupes relevées. L'une de ses jarretières s'était défaite et son bas avait glissé, découvrant au regard d'Alasdhair la courbe délicate de son mollet. Elle ne portait jamais de bas, autrefois. Il ne l'avait jamais vue sans eux depuis son retour.

Il réalisa alors, avec une force qui le fit tressaillir, que tout était fini pour de bon. Peu importait que les choses aient l'air de n'avoir pas changé ou presque, il n'en était rien. La Terre avait tourné, tourné, tourné, et le temps les avait irrémédiablement changés l'un et l'autre. C'était bel et bien fini.

— Ailsa…

Doucement, il effleura ses lèvres une dernière fois en la serrant entre ses bras longuement, très fort, et en caressant ses cheveux comme on calme un enfant qu'un cauchemar vient d'arracher au sommeil.

— Ailsa…

Elle ouvrit les yeux, ses grands yeux si beaux, l'air tout étourdie comme un oiseau aveuglé par les flammes.

— Je…

— Chut.

La tendresse était de retour, le désir évanoui, quoi qu'il sût sans l'ombre d'un doute qu'il reviendrait le hanter. Cela lui ferait un nouveau fantôme à rapporter en Virginie.

Avait-il des regrets ? Non. Il ne lui ferait aucun mal. Elle comptait pour lui. Il n'y aurait jamais rien d'autre entre eux, mais c'était quelque chose, quelque chose d'autre, quelque chose de nouveau.

Cela faisait-il partie de la guérison ? Le penser lui donnait du courage.

A contrecœur, il la relâcha et la reposa sur le sol près de lui, remit ses jupes en place, redressa ses bas, renoua sa jarretière, et chaque geste était comme une petite fin à lui tout seul.

— Ecoute-moi un instant, Ailsa, plaida-t-il en secouant les cheveux qui lui tombaient sur les yeux et en se passant la main sur le front. Je veux t'expliquer.

Il en avait vraiment envie, et cela le surprenait. Il voulait qu'elle sache, qu'elle comprenne. Ce serait agréable, pour une fois. Personne ne l'avait jamais compris.

— Tu m'as demandé pourquoi j'étais revenu, pas seulement sur cette île, mais à Errin Mhor. Eh bien, je suis revenu parce que je voulais des réponses. Du moins à ce que je croyais.

— Mais… ?

— Mais j'ai réalisé que cc que je voulais vraiment, c'était être en paix avec moi-même et avec qui je suis. J'ai été…

Il chercha le mot juste et celui-ci s'offrit à lui avec une clarté aveuglante. Il pouvait l'admettre à présent qu'il était sur le point de trouver la solution.

— J'ai été malheureux, souffla-t-il, surpris de trouver cet aveu si facile à faire. Ou du moins, pas vraiment malheureux, mais pas franchement heureux non plus.

— Je connais cela, répondit-elle d'une voix rassurante en lui serrant la main.

— Je sais. Cette journée m'a beaucoup aidé. De même que ce que tu m'as dit. Je crois que les fantômes ont enfin été renvoyés d'où ils venaient, et je t'en remercie.

Ces paroles auraient dû la rassurer, mais au contraire, elles la remplirent d'une tristesse indicible. Elle comprit, à le voir jouer nerveusement avec les plis de son *plaid*, qu'il n'en avait pas terminé.

— Tu sais que tu comptes beaucoup pour moi, Ailsa.

Pendant une minuscule fraction de seconde, le temps qu'il fallait à une vague pour se briser sur les rochers rouges et plats de la côte à marée montante, elle pensa qu'il allait lui faire une déclaration d'amour. Elle ne s'y était pas attendue, ni ne s'était autorisée à y penser, mais à cet instant précis, ce fut le cas, et elle se laissa aller à espérer. Mais elle vit bientôt, à la façon dont il la regardait, qu'elle se trompait absolument. Une nouvelle fois.

Elle se força à sourire, puis :

— Mais ? répéta-t-elle.

— Mais c'est tout. Je ne suis pas capable d'autre chose, et je ne cherche pas à l'être non plus.

— Ne te sens-tu pas seul, parfois, à mener cette vie solitaire sans personne avec qui la partager ?

— Ce qu'on n'a pas ne peut manquer. Je suis habitué à la solitude. C'est plus prudent d'être seul. J'ai payé cher pour mon indépendance. Quand je vivais ici, étant jeune, j'ai donné mon amour à trois femmes, ma mère, la tienne et toi-même. Dans chaque cas, et pour des raisons différentes, cela ne m'a apporté que du chagrin. J'ai résolu alors de ne jamais me mettre de nouveau en position d'avoir le cœur brisé.

Ailsa parvint à sourire faiblement, craignant qu'il ne voie les traces de son fol espoir dans ses yeux.

— Rassure-toi, tu n'as rien à craindre de moi, si c'est ce qui te préoccupe.

— C'est pour toi que je m'inquiète, Ailsa. Tu mérites mieux qu'un mariage arrangé avec un homme qui t'est, au mieux, indifférent.

— Je suis d'accord avec toi. C'est pour cette raison que je vais refuser d'épouser Donald.

— Je te demande pardon ?

— Tu m'as bien entendue. J'ai décidé de ne pas épouser Donald. Et avant que tu ne commences à te verser des cendres sur la tête, sache que cela n'a rien à voir avec toi. Enfin, juste un petit peu. Tu avais raison de t'étonner que j'aie tant repoussé la date de notre mariage. Je me mentais à moi-même en pensant que je pourrais continuer à faire semblant. Je n'avais pas vraiment réalisé ce que cela voudrait dire, d'être sa femme. Je veux dire… jusqu'à aujourd'hui.

Elle sentait le rouge enflammer ses joues, mais tint à aller au bout de ce qu'elle avait à dire. En fait, ce n'était pas tant l'aveu qu'elle faisait à Alasdhair qui comptait, mais celui qu'elle se faisait à elle-même. Dire les choses à haute voix signifiait qu'elle ne pourrait plus les ignorer, et elle espérait qu'elle trouverait le courage d'annoncer sa décision à sa mère.

— Ce ne serait pas juste envers Donald de lui donner une femme pour laquelle partager son lit serait un calvaire.

— Ce ne serait pas juste, en effet, mais pas inhabituel, commenta Alasdhair.

— C'est vrai. Je n'ai pas besoin d'aller regarder chez les autres pour le savoir, renchérit Ailsa d'un ton plein d'ironie amère. Mais je refuse d'être comme ma mère. Je te l'ai dit hier. Contrairement à elle, je n'ai pas le goût du martyre.

— Ni son sang-froid.

— Non.

Ailsa rougit de plus belle, enfouissant ses mains dans le tapis d'aiguilles de pin sur lequel ils étaient assis.

Elle était si belle et avait l'air si perdue, si vulnérable qu'il eut envie de la prendre dans ses bras de nouveau, pour chasser la douleur féroce que son aveu lui causait.

Cela avait beau ne le concerner en rien, il éprouvait un immense soulagement à l'idée qu'elle ait décidé de ne pas épouser McNair. Il se disait que ce devait être parce qu'il souhaitait son bonheur et qu'il savait que Donald serait incapable de la rendre heureuse.

— C'est un changement brutal si l'on songe à ce que tu m'as dit hier.

— C'est en me défendant devant toi hier que j'ai compris l'inanité de ma position. Tu avais raison : si j'avais vraiment voulu suivre le chemin que je m'étais tracé, je l'aurais fait plus tôt.

— Et maintenant, que vas-tu faire ?

— Je n'y ai pas encore pensé, répondit Ailsa en haussant les épaules. Je ne sais pas... Peut-être qu'être une tante n'est pas si mal, au fond.

— Ce serait dommage. Je suis sûr que tu ferais une excellente mère.

— En prenant exemple sur la mienne ?

— Pour savoir ce qu'il ne faut pas faire, oui.

— Ne veux-tu pas d'enfants toi-même, Alasdhair ?

— Les souvenirs que je garde de mon enfance ne m'incitent pas vraiment à en avoir, non. Je suis satisfait de mon sort.

— Comme moi.

Le ton de la voix d'Alasdhair lui disait que le sujet était clos, aussi Ailsa se leva-t-elle en époussetant ses jupes. Le soleil avait disparu pendant qu'ils parlaient et les nuages menaçants s'étaient désormais amoncelés au-dessus de leur tête.

— Nous devrions rentrer avant que le vent ne se lève.

Ils suivirent l'allée de grands arbres pour regagner rapidement la grève sur laquelle gisait le bateau.

Un fin crachin s'était mis à tomber et le vent soufflait sur les énormes vagues qui agitaient la mer.

— Monte ! Garde les pieds au sec, je vais le pousser dans l'eau, lança Alasdhair en jetant ses bottes et ses chausses dans le bateau.

Ailsa fit ce qu'il lui disait. Alasdhair poussa *An Rionnag* sur les flots et sauta à bord. Tout en faisant glisser le gouvernail dans l'eau, il déploya la voile, mais quand la jeune femme voulut aller s'installer à la proue, il la retint en posant la main sur son bras.

— Tu ne regrettes pas d'être venue aujourd'hui ?

Elle secoua la tête.

— Assieds-toi à côté de moi.

Pour la dernière fois.

Elle s'exécuta. Sa cuisse contre la sienne. Son pied contre le sien. Son bras sur la barre à côté du sien.

Le petit bateau filait sur les flots, droit sur Errin Mhor. Derrière eux, sur le morceau de rocher qui avait été leur île autrefois, les fantômes du passé regagnèrent leur dernière demeure avec un soupir plein de tristesse.

Il en restait un qui n'avait pas trouvé le repos. Alors qu'ils cheminaient entre la jetée où ils venaient d'aborder et le château, en passant par les jardins, ils remarquèrent l'ombre d'une haute silhouette qui se dessinait dans l'une des grandes fenêtres. Ailsa sentit son cœur se serrer.

— C'est ma mère. Elle monte la garde, comme il y a six ans.

Alasdhair s'arrêta et se plaça devant elle comme pour la protéger des regards de lady Munro.

— Je suis content de savoir qu'elle est là. Ça m'évitera d'avoir à la chercher.

— Que veux-tu dire ?

— Il va falloir que nous ayons enfin la conversation que nous aurions dû avoir voici bien longtemps, elle et moi, affirma Alasdhair.

— J'espère que tu auras plus de chance que moi pour obtenir des réponses.

— Il ne s'agit pas de chance, mais de volonté.

Ailsa rit doucement.

— En ce cas, ma mère va bientôt trouver à qui parler, car je n'aimerais pas devoir m'opposer à toi, Alasdhair Ross. Crois-tu vraiment qu'elle pourra te dire quelque chose à propos de ta mère ?

— Je ne sais pas pourquoi au juste, mais j'en suis persuadé.

— Rentre, maintenant. Je dois souper avec Hamish et Mhairi Sinclair ce soir, mais je te verrai demain.

— Tu veux dire… avant de partir ?

Il ne se sentait pas encore prêt à quitter Errin Mhor.

— Cela dépendra des informations que j'aurai pu obtenir de ta mère, affirma-t-il, soulagé — même si jamais il ne l'aurait admis — de pouvoir se ménager une excuse pour rester. Rentre, il fait froid. Je vais prendre le chemin le plus long, ça me donnera du temps pour rassembler mes idées.

Elle s'en fut à travers les jardins en direction du château. Sa mère devait sans doute avoir houspillé le jardinier pour avoir fait preuve de faiblesse en taillant les rosiers, comme elle le faisait chaque année.

D'un pas las, elle se dirigea vers le havre de sa chambre à coucher. La peau lui piquait un peu, asséchée par le sel et le soleil. Cela faisait bien longtemps qu'elle n'avait pas passé toute une journée au grand air. On se sentait merveilleusement bien après cela, au point qu'elle résolut de ne pas laisser encore de nombreux mois passer avant de sortir de nouveau en bateau. Quand Alasdhair serait parti, elle ferait de *An Rionnag* son bateau.

Quand Alasdhair serait parti…

Si elle n'y prenait garde, ce serait facile de tomber amoureuse de lui de nouveau. Trop facile. Et trop douloureux. Elle comptait pour lui, cela aurait dû lui suffire. Et elle resterait la seule. Cela aurait dû la consoler. Mais non, ce n'était pas le cas. Et l'idée qu'il puisse un jour avoir une autre femme auprès de lui ne la consolait pas non plus.

Tu es trop contrariante, se houspillait-elle en se regardant dans le miroir pour dégrafer son *arisaidh*. *Tu ne peux pas tout avoir.*

Son reflet lui renvoyait son regard. Elle avait la peau rougie par le grand air, les cheveux en bataille et les lèvres si pincées que la ligne en était presque invisible. Ses lèvres encore brûlantes des baisers d'Alasdhair. Ses mains sur elle, sa bouche, son corps dur et ferme pressé contre le sien, tout cela était si net, si réel, qu'elle ferma les yeux. Une bouffée de désir la submergea, poignante et si violente qu'elle eut l'impression qu'elle revivait tout cela pour de bon. Si elle se posait encore des questions sur sa propre sensualité, elle venait de trouver les réponses. Elle pouvait bel et bien éprouver du désir, comme tout un chacun, et bien plus que ça encore.

Raison de plus pour être sur ses gardes. Ses sentiments ne seraient pas partagés, il valait donc mieux les taire. C'était plus sûr. Elle le savait. Mais alors pourquoi, en ce cas, la prudence, qui fondait tous ses actes depuis des années, semblait-elle soudain si peu séduisante ?

Quelques instants plus tard, Alasdhair entra dans le château par la porte de devant et, traversant la grande salle, se lança dans le grand escalier en sautant une marche sur deux. Il suivit sans difficultés le labyrinthe de couloirs qui s'enchevêtraient d'un bord à l'autre du bâtiment, retrouvant son chemin comme par miracle après tant d'années.

Depuis la grande pièce située au dernier étage de la partie la plus ancienne d'Errin Mhor, on avait une vue superbe sur les champs qui s'étendaient devant le château et, plus loin, jusqu'au village.

Lady Munro en avait fait son bureau. Elle aimait y surveiller son domaine et Alasdhair y avait bien souvent essuyé ses remontrances glaciales. Comme il ne doutait pas un instant qu'elle fût là, il frappa bruyamment à la porte et entra sans même attendre qu'on lui réponde.

La pièce n'avait pas changé d'un pouce. Les livres de comptes — certains remontant à des dizaines d'années en arrière — s'alignaient toujours sur les étagères, dans leur reliure de cuir épaisse.

Lady Munro trônait derrière l'imposant bureau de bois, une moue dédaigneuse sur les lèvres, tout comme sur celles de son *laird*, dont le portrait était accroché au mur, juste au-dessus d'elle. Que de souvenirs désagréables remontaient à la surface à cette vue.

Alasdhair redressa les épaules.

— Lady Munro, quel plaisir de revenir dans ce

petit nid douillet. Cela me rappelle tant de merveilleux souvenirs.

Il refusa de s'asseoir, mais s'appuya au manteau de la cheminée dans une attitude de nonchalance soigneusement calculée pour la mettre en rage.

L'âge avait peu changé son allure. Au lieu de se rider, elle semblait s'être durcie. Elle le regardait exactement de la même façon qu'autrefois et seuls les cernes noirs qu'elle avait sous les yeux disaient son deuil récent.

— Monsieur Ross ! Je ne me souviens pas d'avoir sollicité votre compagnie.

Elle parlait d'un ton absolument glacial. Alasdhair parvint à sourire, quoique avec difficulté, surpris de se sentir nerveux tout à coup. La force de l'habitude, sans doute.

Cela dit, elle ne pouvait lui faire aucun mal. Elle n'était rien pour lui. Plus rien.

— Allons, milady, n'avez-vous pas envie de parler du bon vieux temps ?

— Que voulez-vous ? demanda lady Munro d'un ton sans concession.

Abandonnant d'un coup tout faux-semblant, Alasdhair s'assit sur le siège placé devant le bureau en l'enfourchant pour s'appuyer au dossier.

— Des réponses.

— Je vois que vos manières ne se sont guère améliorées. Vous devez sûrement vous trouver à votre aise au milieu des sauvages, là-bas en Amérique.

Elle prononçait ce mot comme s'il lui brûlait la bouche.

— C'est votre langue qui est celle d'un sauvage, milady. Je constate que vos manières non plus ne se sont guère améliorées.

— Vous n'êtes pas le bienvenu ici, monsieur Ross.

— Oh ! mais si, lady Munro ! Je suis l'hôte de votre fils. C'est lui le *laird*, à présent, l'avez-vous déjà oublié ? Mon nom n'est plus souillé désormais.

Elle avait le regard en feu.

— La putain qui t'a donné le jour a souillé le nom des Ross bien avant que tu sois banni pour avoir osé poser les yeux sur ma fille, cracha lady Munro, abandonnant à son tour le vernis de politesse qu'elle avait maintenu jusque-là à grand-peine.

Alasdhair repoussa sa chaise si violemment qu'elle claqua sur les dalles de la pièce. D'un air menaçant, il se pencha sur le bureau, forçant la mère d'Ailsa à se tasser sur son fauteuil, quoiqu'elle soutînt son regard sans ciller.

— Si ma mère était une putain, comme vous dites, c'est qu'elle avait pris exemple sur vous, milady. N'avez-vous pas vous-même abandonné votre fils pour un homme ?

Lady Munro se leva d'un bond.

— Comment oses-tu ? Comment oses-tu comparer ce que j'ai fait avec les actes de ta mère ? Tu n'as aucune idée de ce que doit supporter la femme d'un *laird* pour se conformer à ses devoirs, ni des sacrifices qu'elle doit consentir, ni de la douleur qu'elle doit endurer. Et tout ça pour son *laird*, et pour son clan. Mes motivations étaient honorables, quelque désagréables qu'aient pu être les actes auxquels j'ai été contrainte de recourir.

Pour la première fois de sa vie, le coup que venait de lui asséner Alasdhair avait percé l'armure de lady Munro et il en était presque abasourdi.

— Est-ce que me torturer faisait partie de ces actes dont vous parlez ? J'étais un intrus à vos yeux, je le sais, mais je n'étais aussi qu'un gamin, et orphelin de surcroît. Vous avez fait de ma vie un enfer. Je veux savoir pourquoi.

— Un enfer, ta vie ? siffla lady Munro. Tu n'as aucune idée de ce qu'est la souffrance !

— Oh ! mais si, je le sais, et pour l'essentiel c'est vous qui me l'avez appris. Il ne vous aurait rien coûté de vous montrer aimable avec moi, ou simplement de me laisser en paix, mais non, au contraire, vous preniez plaisir à me voir souffrir.

— J'en aurais pris plus encore si l'on ne t'avait pas imposé à moi.

— C'était la décision de votre époux.

— Oh ! je ne le sais que trop. Il n'a pas voulu de mon coucou dans son nid, mais il était parfaitement heureux de…

Lady Munro reprit son souffle.

— Il a fini par le regretter, note bien. Oui, je ne dois pas l'oublier. Il l'a regretté. Tu l'as trahi. Il ne t'a pas pardonné pour cela, même si… Non, il ne t'a jamais pardonné.

— Je ne l'ai pas trahi !

Conscient qu'il lui redonnerait l'avantage s'il se laissait aller à perdre son sang-froid, Alasdhair recula et se rassit devant le bureau.

— Etait-ce à cause de Rory ? demanda-t-il d'un ton plus calme.

— Rory ? Que vient-il faire là-dedans ?

— Votre premier-né, l'enfant de votre premier lit. Les choses sont-elles vraiment aussi simples ? M'en avez-vous voulu de ce que moi, le fils d'un simple intendant, je vienne vivre ici alors qu'il n'en avait pas le droit ? Cela a dû être dur, de me voir prendre sa place légitime.

— Non, les choses ne sont pas aussi simples, comme tu le dis. Tu ne peux pas prendre la place de Rory, tout simplement. Il est *laird*, lui, et son sang est noble alors que tu n'es qu'un bâtard.

— Mais pour vous, ce devait être tout comme, insista Alasdhair. Je le vois bien, à présent. Et ça a dû être d'autant plus difficile que, dans les deux cas, c'était la décision de lord Munro. La culpabilité est une chose terrible, milady, n'est-il pas vrai ? Pas étonnant que vous soyez incapable de regarder Rory dans les yeux. Ni que vous ne vous sentiez pas le droit d'aller voir votre petite-fille.

Elle avait pâli, mais elle gardait toujours le silence. Visiblement, il venait de toucher un point sensible. La vérité, tout simplement. En partie, au moins.

— Est-ce la seule raison ?

Pendant un long moment, lady Munro ne répondit rien, les yeux perdus en l'air, par-dessus l'épaule d'Alasdhair. En fait, elle semblait avoir carrément oublié sa présence, car elle avait le regard vide et les mains si serrées que ses doigts étaient comme de la craie.

La pendule, sur la cheminée, sonna l'heure. Lady Munro tourna les yeux vers le portrait de son mari accroché au mur derrière elle.

Pourquoi pas ? La honte qu'elle ressentirait en vaudrait la peine, si cela les débarrassait une fois pour toutes d'Alasdhair Ross. Oui, pourquoi pas ?

Elle se retourna vers le visiteur, puis, avec une moue pleine de mépris :

— Tu as raison, Alasdhair Ross, répondit-elle. Il y a autre chose. Mais je ne vois pas pourquoi je devrais prendre la peine de te le dire. Cet honneur devrait revenir à la personne qui est à la racine de toute cette histoire.

— Qui cela ?

— Ta mère.

— Ma mère ? répéta Alasdhair en fronçant les sourcils. Ainsi, elle est vivante ? Savez-vous où elle vit ?

— J'ai toujours veillé à le savoir, répondit lady Munro en plissant les yeux. Quand tu l'auras vue, quand tu auras entendu ce qu'elle a à te dire, tu ne resteras pas une minute de plus ici et tu retourneras en Virginie aussi vite que tu pourras.

— C'est exactement ce que j'ai l'intention de faire.

— En ce cas, veille à t'y tenir, rétorqua la mère d'Ailsa avec une moue méprisante. Je le répète : quand tu l'auras entendue, je ne doute pas un instant que tu le feras.

— Que voulez-vous dire ? Qu'est-ce que ma mère a à voir avec vous ? Pourquoi… ?

— Demande-lui, Alasdhair Ross. Demande-lui pourquoi je te hais. Dis-lui que je l'autorise à te dire toute la vérité.

— De quoi parlez-vous ?

Lady Munro secoua la tête.

— Elle se trouve à Inveraray. Pose-lui toutes les questions que tu voudras. Ensuite, quitte l'Ecosse à jamais et laisse ma fille en paix.

Conscient qu'il n'en tirerait plus rien, et résolu à ne pas lui permettre de constater à quel point ses allusions avaient piqué sa curiosité, Alasdhair se leva. Il avait ce qu'il voulait et il lui tardait de partir.

— Inutile de chercher Ailsa pour lui faire tes adieux, lança lady Munro d'une voix suave. Elle est occupée, ce soir. Son mari vient juste d'arriver.

— McNair est ici ?

— Elle t'a informé de ses fiançailles, j'imagine ?

— Bien sûr. Contrairement à vous, elle n'a aucun goût pour le mensonge et la tromperie.

— En ce cas, je te dis adieu, car je sais que tu projettes de passer la nuit à la forge. C'est une excellente idée. Hamish Sinclair et sa femme sont le genre de compagnie qu'il te faut. L'ambiance est un peu trop distinguée pour toi, au château.

Il fut surpris de remarquer à quel point son dépit avait quelque chose de mesquin, au point qu'il se demanda même si cela avait toujours été le cas.

— Vous avez parfaitement raison. Hamish et Mhairi sont le genre de personnes que j'aime à fréquenter, et j'espère qu'il en sera toujours de même, riposta Alasdhair. Il n'est toutefois pas nécessaire que vous me fassiez vos adieux tout de suite. Je n'ai pas l'intention de partir une deuxième fois sans saluer Ailsa. Vous avez réussi la dernière fois, par la traîtrise et le mensonge, mais je ne vous laisserai pas recommencer, aussi vous dis-je seulement au revoir.

Il s'inclina devant lady Munro, puis ajouta avant de tourner les talons :

— Je m'en vais. L'air ici est trop fétide pour moi.

Quand il eut tiré la porte derrière lui, il s'appuya au battant de bois comme un homme épuisé. Il remerciait le ciel de ne pas devoir dîner au château.

Ailsa aurait déjà bien assez d'épreuves à affronter sans que vienne s'y ajouter l'angoisse que ne manquerait pas de susciter sa présence.

Dans son office, lady Munro saisit le coupe-papier qui gisait sur le grand buvard. Muni d'une lame en acier repoussé et d'un manche en ivoire, il avait appartenu à son mari, le père de Rory. C'était l'un des très rares souvenirs qu'elle conservait de lui, car lord Munro avait préféré croire que Rory et son père, en fait tout l'épisode de ce premier mariage, n'avaient jamais existé. Elle prit une longue inspiration, très lentement, puis leva le petit couteau au-dessus de sa tête et hésita un moment avant d'abattre la lame sur le plateau en chêne du bureau.

Ailsa s'habillait pour assister au dîner. Elle portait une demi-robe de soie vert sombre à longues manches serrées qui descendaient jusqu'au coude, où les manchettes de dentelle de son corsage se déployaient en volutes. Elle portait cela par-dessus un jupon grège sur lequel des tiges de fleurs jaunes formaient un entrelacs régulier. Elle venait d'enrouler un long collier de perles laiteuses autour de son cou et mettait la dernière main à sa coiffure, assurant l'échafaudage avec quelques épingles qui lui tiraient douloureusement les cheveux, lorsque lady Munro entra sans frapper.

— Je suis fort aise de te voir aussi belle, déclara-t-elle en regardant la toilette d'Ailsa d'un œil approbateur. Donald est ici.

L'épingle que tenait la jeune femme entre ses doigts tomba sur le sol.

— Donald ? Je croyais… je pensais que vous aviez reporté sa visite, après notre dernière conversation.

— Après notre dernière conversation, j'ai pensé au contraire qu'il était tout à fait urgent qu'il vienne ici.

Vêtue d'une robe de soie noire très ajustée, lady Munro avait l'air d'un serpent à la fois magnifique et terriblement dangereux. Une certaine fragilité émanait d'elle, qui ne laissait pas d'être effrayante.

Ailsa se demanda si ce n'était pas à cause de l'entrevue qu'elle venait d'avoir avec Alasdhair. Comme elle savait que sa mère ne lui dirait rien qu'elle ne veuille lui dire, elle évita de lui poser des questions.

— Ce que je pense n'a aucune valeur pour toi, je le sais, déclara lady Munro en ramassant l'épingle tombée sur les dalles avant de la replacer soigneusement dans les cheveux de sa fille. Néanmoins, tu ferais bien d'y prêter attention quand même. Ce serait stupide de ta part de céder à un accès de romantisme imbécile et de mettre un terme à tes fiançailles.

— Et de quel accès parlez-vous ?

— Ne joue pas les innocentes avec moi, ma fille. Ce n'est pas un effet du hasard si tu changes d'avis précisément au moment où Alasdhair Ross revient. J'ai vu la façon dont tu le regardais. On dirait une idiote.

Vraiment ?

— Ce n'est pas vrai, répliqua Ailsa avec défi. Alasdhair et moi sommes amis. Nous avons toujours été très proches, jusqu'à ce que vous mettiez un terme à notre amitié.

— Eh bien, je n'aurai pas à le faire cette fois-ci, répliqua lady Munro avec un sourire glacial. Il me semble tout à fait capable d'y mettre un terme lui-même.

— Que voulez-vous dire ?

— Il part demain. Pour se réconcilier avec sa mère en versant des larmes à profusion.

Ailsa eut du mal à déglutir. Elle avait soupçonné que, malgré ses dénégations, Alasdhair ne résisterait pas à la tentation de retrouver sa mère une fois qu'il saurait où elle se trouvait. N'empêche, elle n'avait pas pensé qu'il la retrouverait aussi vite.

— Ainsi, vous avez toujours su où elle était ?

— Bien sûr que je le savais ! Tout ce qui se passe à Errin Mhor me concerne.

Ailsa se mordit la joue. Cette fois-ci, elle ne perdrait pas la foi qu'elle avait en Alasdhair.

— Jamais il ne partirait sans me dire au revoir. Si vous me dites le contraire, je ne vous croirai pas. Vous avez menti, la dernière fois, vous êtes tout à fait capable de recommencer dans l'espoir de nous monter l'un contre l'autre.

— Non, tu as raison, il ne ferait pas une chose pareille. Il l'a dit, d'ailleurs, répondit lady Munro en faisant tourner son bracelet de jais autour de son poignet. Il pourra te faire des adieux un peu sentimentaux si cela lui chante, cela ne prête pas vraiment à conséquence.

Il y eut un court silence puis :

— L'important, c'est qu'il s'en aille, ma fille, et pour toujours, asséna-t-elle avec un grand sourire.

Chapitre 6

Ailsa regarda sa mère avec des yeux pleins d'un désespoir profond.

— Pourquoi le détestez-vous tant ? Pourquoi êtes-vous si impatiente de le voir s'en aller à jamais ?

— Je te connais, et j'ai… enfin, il y a eu… bref, tu crois que je ne t'aime pas, mais…

Lady Munro hésita, prise de court par le regard incrédule de sa fille.

— A présent que ton père est mort, j'espérais que nous aurions l'occasion de repartir du bon pied, toi et moi.

— A présent que mon père est mort ! Il a été malade pendant des mois, et pourtant vous n'avez montré aucun signe de cette volonté. En fait, vous ne m'avez jamais donné la moindre preuve que vous éprouviez pour moi un quelconque sentiment. Nous n'avons rien à rebâtir, vous et moi, rien du tout.

— Ce n'est pas vrai. Je n'ai jamais fait étalage de marques d'affection, mais…

— Je vous en supplie, ne me dites pas qu'au fond de votre cœur, vous m'aimiez, car vous n'avez pas de cœur, tout simplement. Cela n'a rien à voir avec le trépas de mon père. Vous êtes comme un chien avec son os, mère. Il ne vous intéresse que si quelqu'un cherche à vous l'enlever. Vous voulez que j'épouse Donald pour pouvoir me garder près de vous, sous votre contrôle. Alasdhair est une menace pour vous de ce point de vue, voilà pourquoi vous êtes si impatiente de le voir partir. Ce n'est pas parce que vous m'aimez, mais pour protéger vos intérêts égoïstes.

Lady Munro avait semblé être sur le point de s'attendrir, mais elle pâlit subitement et se raidit si fort qu'on aurait dit une statue de marbre.

— Ecoute-moi, Ailsa, et écoute-moi bien. Quels que soient les sentiments que tu crois éprouver pour Ross, il faut les oublier. Rien n'est possible entre vous. Rien du tout. Je ne… je ne peux pas… ce serait mal, très mal.

Elle inspira profondément avant de reprendre :

— Ross n'éprouve rien pour toi. Ce serait une folie de mettre un terme à un mariage aussi avantageux pour une tocade d'adolescente. Tu ne peux pas faire ça.

— En effet.

Lady Munro se détendit l'espace d'une seconde.

— Je savais que le bon sens te reviendrait.

— Je ne vais pas annuler mes fiançailles parce que je suis toujours amoureuse d'Alasdhair Ross, Mère. Il faut que vous m'écoutiez, pour changer. Et que vous me preniez au sérieux, pour une fois.

Ailsa fit quelques pas autour de la pièce avant de reprendre :

— Je ne peux pas épouser Donald et je ne l'épouserai pas. Je suis navrée si cela bouleverse vos plans, mais je ne me sacrifierai pas par devoir, comme vous l'avez fait en votre temps. Croyez-le ou non, ma décision n'a rien à voir avec Alasdhair. En fait, j'ai simplement compris ce que je voulais. Nous ne ferions pas un beau couple, croyez-moi.

— Personne n'est mieux accordé à toi que lui, objecta lady Munro. Si Alasdhair n'a rien à voir là-dedans, alors qui ? Qui t'a fait changer d'avis si subitement ? Ces fiançailles ne sont pas une chose nouvelle, tout de même, et je te rappelle qu'elles n'ont pas été scellées sans ton consentement.

— Je le sais, bien sûr, mais j'ai eu tort de le donner, voilà tout. Je ne peux pas, Mère. Je ne l'aime pas assez.

— Tu ne l'aimes pas ? Allons donc, tu apprendras à l'aimer une fois mariée.

— Non. Je ne l'aime pas !

— Je me demande où diable tu vas chercher ces idées fixes ! Pour faire un bon mariage, il faut que les époux partagent certains intérêts, qu'ils s'occupent de donner naissance à une nouvelle génération et qu'ils aient un commun désir de faire fonctionner leur union. Cela demande de l'engagement, une loyauté à toute épreuve et beaucoup de travail. L'amour, les sentiments, n'y ont pas leur part.

— Parlez pour vous. Il n'y avait pas d'amour dans le vôtre, en effet.

— Mon mariage a été un succès. Comme le tien le sera à son tour.

— Je ne veux pas de ce genre de… succès, comme vous dites. Le prix en est trop élevé, répliqua Ailsa en serrant les mains très fort pour les empêcher de trembler. Vous avez dit que vous m'aimiez. Voulez-vous vraiment mon bonheur ?

— Tu seras heureuse si tu épouses Donald, c'est ce que tout le monde veut que tu fasses. Remplir ses devoirs, ce n'est pas rien, bien au contraire. On y trouve des satisfactions. Je ne saurais trop te recommander de le faire.

— Même si cela me rend malheureuse.

— Tu fais exprès de ne pas comprendre ce que je dis. Faire ce que l'on doit ne peut pas vous rendre malheureux, c'est impossible. Si je ne peux pas te convaincre, peut-être Donald y parviendra-t-il, lui. Je vais faire en sorte que vous vous voyiez en privé, tous les deux, tout à l'heure.

— Mère ! Je vous en prie, n'en faites rien, plaida Ailsa, désespérément. Je ne veux pas être seule avec lui. Je ne l'épouserai pas. Il va falloir que vous l'acceptiez.

— Balivernes. Tu te dois de l'épouser, pour lui, pour moi, pour la mémoire de ton père, et pour Calumn aussi, d'ailleurs, asséna lady Munro d'un air satisfait. Je me demande pourquoi je n'ai pas pensé plus tôt à ça. Parfois, ce sont les vieilles recettes qui sont les meilleures.

— De quoi parlez-vous, Mère ?, demanda Ailsa, soudain suspicieuse.

— Dans le temps, on résolvait les problèmes d'une façon plus… directe, si l'on peut dire. Finalement, prendre des mesures préventives n'est pas une mauvaise idée du tout.

— A quoi diable faites-vous allusion ? s'enquit Ailsa de plus en plus inquiète.

— Inutile de prendre un air tragique, Ailsa, répondit lady Munro, impitoyable. Je parle de permettre à Donald de prendre certaines libertés en gage de ton obéissance, voilà tout. Je ne dis pas qu'il faut que tu lui abandonnes ta virginité.

— Je ne veux pas. Non ! Vous avez l'impression que j'ai pris ma décision à la légère, mais je vous assure que ce n'est pas le cas. Depuis un certain temps, déjà avant la mort de mon père, l'idée de ce mariage me tourmentait.

— Mon erreur a été de permettre que ces fiançailles s'éternisent beaucoup trop longtemps. Nous allons mettre bon ordre à cela dès que possible, et quand tu seras mariée, je te prouverai que je peux être la mère affectueuse que tu mérites, affirma lady Munro, implacable. Tu finiras par me remercier pour tout ça, plus tard. Je te laisse finir de t'habiller. Le dîner sera servi dans quinze minutes. Ne sois pas en retard.

Dès qu'elle eut fermé la porte de la chambre derrière elle, la mère d'Ailsa s'appuya au battant pour se soutenir tant la force de caractère de sa fille venait de l'ébranler.

Elle se protégea les yeux de la main quelques instants, le temps d'évaluer ce qui pouvait se passer à présent. Elle ne pouvait tenir pour certain que Ross repartirait en Amérique, même après ce qu'il allait apprendre de la bouche de Morna. Elle ne pouvait pas non plus prendre le risque de voir les plans qu'elle avait élaborés depuis si longtemps pour retenir Ailsa près d'elle et quitter enfin l'ombre de son *laird*, échouer maintenant, à la dernière minute. Ni que l'ombre du *laird* défunt s'étende sur elle à jamais. Il fallait que Ross s'en aille. Et qu'Ailsa épouse McNair.

Absolument.

La solution, pour être évidente, n'en était pas moins répugnante. Mais Ailsa lui pardonnerait. Et si elle ne le faisait pas…

Elle prit une longue inspiration pour se calmer.

La vérité sur Ross. S'il le fallait, elle la lui dirait. Alors, elle comprendrait.

Lady Munro se leva et s'engagea dans le couloir d'un pas résolu. La vérité serait son dernier recours. Donald McNair était le premier.

Le *laird* d'Ardkinglass buvait du vin de Bordeaux quand Ailsa descendit l'escalier qui menait à la grande salle. Il posa le hanap dès qu'il la vit pour baiser la main de sa fiancée.

Ailsa l'avait toujours trouvé grand et en fait, il l'était par comparaison avec la plupart des Highlanders, mais ce soir-là, il lui parut nettement moins élancé. Pas seulement parce qu'il était plus petit et moins bien bâti qu'Alasdhair, mais aussi — et surtout — parce qu'il n'avait pas son charisme.

Elle l'avait toujours trouvé bel homme, et il faut dire qu'à trente-deux ans, avec ses cheveux brun foncé, son nez fort et son menton volontaire, il passait pour être fort beau auprès de la plupart des gens. Elle n'aurait su dire toutefois s'il avait les yeux marron, noisette ou gris-vert.

— Donald est ici, annonça lady Munro. Il est venu te présenter ses condoléances.

Sa mère arborait le sourire d'une sorcière qui vient de concocter un sortilège particulièrement épuisant.

— J'espère que vous êtes entièrement remis, *laird* Donald, lança Ailsa en s'inclinant devant Ardkinglass.

— Oui, je vais passablement bien, répondit-il. Et d'autant mieux que j'ai le plaisir de vous voir.

Ils passèrent dans la petite salle à manger où les

attendait le dîner. Lady Munro présidait, le visage semblable à celui d'une morte, Donald à sa droite et Ailsa à sa gauche. Ailsa se trouvait dans un état d'agitation et de nervosité qui confinait à la panique. Elle n'arrivait toujours pas à croire ce que sa mère lui avait dit. Elle sentait la nausée lui monter aux lèvres et regrettait amèrement que Calumn ait dû se rendre à Edimbourg.

La conversation porta pour l'essentiel sur la menace que faisaient peser sur l'Ecosse ceux qu'on appelait les Nouveaux Venus.

Lady Munro n'y prit qu'une part très minime, mais resta assise toute la soirée comme un sphinx menaçant à regarder Ailsa et Donald débattre de cet épineux sujet.

Après la défaite des Jacobites, nombre des terres de ceux-ci avaient été mises sous séquestre par la Couronne et étaient à présent vendues à vil prix à des fermiers venus du sud de l'Ecosse ou du nord de l'Angleterre. Préoccupés seulement par le profit, ceux-ci étaient occupés à chasser de leurs domaines nouvellement acquis les fermiers et métayers qui y vivaient depuis des générations, les abandonnant à la famine et à l'errance.

— Fraser de Straad a mis ceux de ses fermiers qui voulaient partir sur un bateau en partance pour l'Amérique avant que les nouveaux propriétaires n'arrivent, affirma Donald. C'est un spectacle désolant de voir des hommes aussi fiers en arriver là. Fraser n'a plus rien. Il ne lui reste que son nom.

— Si nous n'y prenons garde, nous subirons tous le même sort, répondit Ailsa.

Comme ses deux frères, elle voyait bien que le changement était nécessaire.

— Calumn dit que l'important est de rester à l'avant du troupeau.

— Qu'est-ce qu'une bande de Sassenach — c'était le nom que les Ecossais donnaient à tous les étrangers à leur terre natale — pourrait bien nous apprendre, à nous Highlanders, sur la meilleure façon de cultiver nos terres ? cracha Donald avec mépris. Cela fait des siècles que nous les labourons de la même façon.

— C'est précisément le cœur du débat, objecta Ailsa. Suivre la tradition pour suivre la tradition, ce n'est pas forcément le mieux.

— Votre frère risque de gaspiller son héritage, Ailsa. Votre père se retournerait dans sa tombe s'il pouvait vous entendre.

— Il y tournera comme un moulin d'ici à ce que Calumn en ait terminé, répliqua Ailsa, ignorant délibérément sa mère, qui fronçait les sourcils en la fusillant du regard. Il n'a aucune intention de permettre à ses fermiers de suivre ceux de Fraser de Straad à travers l'océan. S'il faut enclore nos champs, eh bien soit ! L'important est que le domaine reste entier et que le moral de nos gens soit préservé. A quoi sert votre fierté si vous avez le ventre vide ? Il n'y a pas de façon traditionnelle de crever de faim.

Donald la regarda d'un air scandalisé.

— J'espère que vous n'avez pas l'intention d'apporter ces idées scandaleuses à Ardkinglass.

Lady Munro repoussa sa chaise brusquement.

— Ailsa écoute trop les discours modernistes de son frère, expliqua-t-elle. Elle aime taquiner les gens,

Donald, et je suis certaine qu'elle n'a aucune intention de faire ce que vous dites.

— Il n'y a pas que Calumn pour dire ces choses, se défendit Ailsa.

Lady Munro ferma les yeux.

— Je suis consciente, ma fille, de ce que ton autre frère est encore plus révolutionnaire, mais tu ferais bien de ne pas le suivre sur cette voie.

— Mon autre frère, comme vous dites, s'appelle Rory, Mère. Cela vous écorche-t-il la bouche de prononcer son nom ?

— Ne crois pas que tu aies le monopole du cœur, Ailsa, rétorqua sèchement lady Munro.

Pendant une fraction de seconde, son masque amène tomba. Un chagrin immense embuait ses yeux, mais le temps qu'Ailsa ouvre la bouche pour s'excuser, il avait disparu et la veuve décochait déjà un sourire jovial à Donald.

— Vous m'excuserez si je me retire tôt ce soir, McNair. J'ai la migraine.

— Je gage que la compagnie d'Ailsa ne manquera pas d'être divertissante, répondit Donald.

Le regard entendu qu'ils échangèrent tous les deux persuada la jeune femme de ce que sa mère avait mis ses menaces à exécution. Incrédule, elle regarda celle-ci sortir tranquillement de la pièce sans même lui adresser un regard.

Le son du pêne tombant dans sa gâche la fit sursauter.

— Je dois vous dire bonne nuit moi aussi, s'exclama-t-elle en se levant brusquement et en reculant loin de la table. Je me sens fatiguée.

Donald vida le fond de sa coupe de vin d'un trait avant de répondre :

— Votre mère ne s'est-elle pas entretenue avec vous ?

— A quel sujet ?

— Lady Munro tient à ce que les traditions soient respectées.

— Il y a eu un malentendu, Donald. Vous devez savoir que j'ai…

— Allons, allons, vous voilà nerveuse, tout à coup, remarqua-t-il en souriant et en lui prenant la main avant d'ajouter : c'est normal, bien sûr.

Il avait des mains fortes, calleuses et couturées. Les mains d'un homme qui travaillait dur pour gagner sa vie, et celles d'un guerrier aussi. Il savait manier l'épée à deux mains comme personne et son talent était légendaire. Cela faisait partie des qualités qui l'avaient séduite, avant.

Elle essaya de s'arracher à son étreinte, mais cela ne fit que la renforcer, au contraire.

— Donald, vous ne comprenez pas…

— Il n'y a rien sur quoi se méprendre, Ailsa. Nous sommes fiancés. Il est grand temps que vous fassiez preuve de bonne volonté.

Ce tête-à-tête ne lui disait rien qui vaille. La table n'avait pas encore été débarrassée, certes, mais elle ne doutait pas un instant que sa mère ait laissé des instructions pour que les domestiques ne les dérangent pas. La pièce se trouvait dans la tour carrée, dans la partie la plus ancienne du château. Les murs devaient être épais d'au moins un pied, au plus étroit, et personne ne l'entendrait crier. Et comme Alasdhair était à la forge, il n'y aurait personne pour lui venir en aide.

— Je suis très fatiguée, Donald. Ces derniers jours ont été épuisants, plaida-t-elle désespérément.

— Vous voulez que je vous fasse la cour, c'est ça ? Je ne pensais pas que vous étiez fille à réclamer de beaux discours et toute cette sorte de choses, mais si c'est ce qu'il vous faut, eh bien, sachez que je vous trouve très belle.

— Donald, je ne peux pas…

Il poussa un soupir exaspéré avant de poursuivre :

— Et si vous ne l'étiez pas autant, et si votre dot n'était pas aussi coquette, je suis certain que je chercherais ailleurs pour me trouver une épouse.

— Je suis navrée, Donald, mais c'est précisément ce que vous allez devoir faire. Nous avons commis… enfin, j'ai commis une erreur. Tout est ma faute. Encore une fois, je suis désolée, vraiment, mais nous ne sommes pas faits l'un pour l'autre.

— Je ne dirais pas ça. J'ai maté des pouliches plus rétives que vous. Allons, ma belle, ne soyez pas timide.

Il disait cela avec un sourire censé la rassurer.

— Il faut une main ferme pour tenir les rênes et de l'équilibre sur la selle. Je possède les deux.

— Donald, il faut que vous m'écoutiez. Je ne veux pas vous épouser. Je ne peux pas.

— Ce n'est pas ce que m'a dit votre mère.

— Elle se trompe. Elle ne comprend pas.

— Je pense au contraire qu'elle vous comprend très bien. Ce qu'il vous faut, c'est quelqu'un qui vous prenne en main, affirma-t-il en la repoussant insidieusement vers le mur. Vous allez devenir ma femme, Ailsa. Il vaut mieux que vous appreniez tout de suite que je ne tolérerai pas que vous vous refusiez à moi.

— Donald, je vous en supplie, ne faites pas ça !

Mais le *laird* d'Ardkinglass restait sourd aux supplications.

— Assez de jérémiades, ce ne sont pas des mots que j'attends de votre bouche, éructa McNair en l'embrassant.

Il écrasait ses lèvres dures et brûlantes sur celles d'Ailsa. Sa langue, ses mains s'invitaient là où elles n'étaient pas bienvenues, c'était une invasion.

Elle essaya de le repousser, mais ses coups ne servaient à rien contre un adversaire physiquement bien supérieur. La main qu'il pressait contre son sein semblait comme un étau. Sa bouche pressée sur la sienne l'étouffait. Il lui tirait les cheveux violemment pour lui faire pencher la tête. Elle essaya de lui donner des coups de pied dans les jambes, mais elle était plaquée au mur et ne pouvait prendre d'élan. Elle parvint tout de même à dégager l'une de ses mains et lui griffa le visage.

Donald poussa un cri furieux et jura épouvantablement en portant ses doigts à sa joue, puis regarda d'un air stupéfait le sang qui les maculait.

Ailsa commença à battre en retraite lentement vers la porte. Donald s'avança sur elle, mais s'arrêta soudain.

— Un chat sauvage, hein ? Qui aurait cru ça de la fille d'une mère frigide comme la vôtre ?

Elle ouvrit la porte et se mit à courir, les yeux pleins de larmes, le souffle court, tremblant de peur et de soulagement mêlés, jusqu'à sa chambre. Dans la grande salle, Donald s'essuyait le visage avec une serviette abandonnée par un dîneur. Il faudrait du temps pour la mater, mais il la materait, et promptement. Ce serait un défi, mais il aimait ça. Il s'en pourléchait les babines à l'avance. Avec un sourire sombre, il avala d'un trait une nouvelle coupe de vin avant de tirer la sonnette.

— Dites à lady Munro que je suis décidé à faire ce qu'elle m'a suggéré, ordonna-il au valet quelques secondes plus tard. Et pas plus tard que ce soir.

Sur ces mots, il se dirigea vers les écuries pour y chercher son palefrenier.

Ailsa regardait la flottille de bateaux de pêche sortir en direction de la haute mer tout en arpentant sa chambre entre la fenêtre et la cheminée à l'heure où la lumière montait sur l'océan. Elle avait l'impression que Hamish Sinclair lui frappait sur la tête avec son grand marteau de forgeron.

Jusqu'à ce jour, elle n'avait jamais détesté Donald. Au contraire, elle pensait sincèrement qu'il avait tous les attributs d'un bon mari. En le revoyant, elle avait été frappée de constater à quel point ses sentiments pour lui avaient pu changer. Elle ne pouvait imaginer la moindre intimité physique avec lui sans avoir la nausée. Il la regardait sans vraiment la voir, écoutait sa conversation sans l'entendre, et hormis le fait qu'ils partageaient une même origine sociale et les mêmes traditions claniques, ils n'avaient absolument rien en commun.

Et pourtant, c'était précisément ces origines et ces traditions qui, selon sa mère, garantiraient le succès de leur mariage. Cela et le fait qu'elle finirait par reconnaître qu'accepter une telle union était son devoir. Jusqu'à ce qu'elle commence à la mettre en doute, elle n'avait pas réalisé à quel point elle adhérait elle-même à cette rhétorique. Ni non plus à quel point sa mère avait réussi à la façonner à son image, en s'aidant de ses peurs pour y parvenir. Et avec quel succès elle lui avait fait oublier ses propres désirs, sa propre inclination, en l'amenant insidieusement à s'en sentir coupable !

Cette soirée avait été comme une révélation, et à plus d'un titre. Elle n'était pas faite comme sa mère, pour commencer, quand bien même elle lui ressemblait de façon frappante. Cette prise de conscience était un tel soulagement qu'elle en oubliait presque les douloureuses conséquences de ce constat. Elle n'était pas comme elle et ne pouvait pas l'être. Les réserves qu'elle n'avait pas pu exprimer et qui s'étaient contentées de l'effleurer vaguement depuis le jour où elle avait accepté d'épouser Donald se condensaient à présent en objections palpables.

Elle ne l'aimait pas et il n'était pas question qu'elle mette au monde des enfants qui seraient le fruit d'une telle union sans amour. Elle ne s'immolerait pas non plus sur l'autel du devoir. Certes, elle devait à son clan respect et loyauté, mais ni l'un ni l'autre n'auraient plus aucun sens si c'était au prix de sa propre intégrité.

Elle n'aimait pas Donald, mais cela ne voulait pas dire qu'elle était incapable d'aimer. Voilà ce que sa mère ne pouvait pas comprendre. Si elle s'y autorisait, elle pourrait aimer, et le savoir lui permettait d'entrevoir le bonheur. Cela rendait la simple idée de renoncer à l'espoir inadmissible, scandaleuse. Elle refusait de se sacrifier. Sa mère ne pouvait pas le comprendre, mais elle, Ailsa Munro, le pouvait. C'était une certitude.

Mais alors, une question lui venait inévitablement à l'esprit : *pourquoi ?*

Elle se lova sur le banc de pierre taillé sous la fenêtre en serrant ses genoux enveloppés dans sa robe de chambre. Elle savait pourquoi. Et sa mère aussi — elle en tremblait rien que d'y penser.

Alasdhair.

Alasdhair dont elle ne pouvait s'empêcher de comparer les baisers à ceux de Donald McNair. Dont les caresses lui donnaient envie de supplier qu'il les prolonge, et non de crier pour qu'il cesse. Dont elle ne pouvait qu'admirer la noblesse et la retenue par comparaison avec l'ignoble contrainte qu'elle avait subie avec Donald.

Lady Munro l'avait remarqué. Et lui ? Etait-ce pour cela qu'il l'avait éconduite avec autant de tact ? Elle comptait pour lui, mais elle ne compterait jamais assez, avait-il dit. Il ne voulait pas d'elle pour femme. Ni de personne. Sur ce point, sa mère avait raison de la mettre en garde. Elle ferait bien de ne pas bâtir son bonheur autour d'un rêve qui n'avait aucune chance de jamais devenir réalité.

Néanmoins, elle devait à ses sentiments pour Alasdhair d'être désormais sur le chemin du bonheur, ou du moins loin de celui du malheur. Son retour l'avait forcée à considérer sa vie d'un œil neuf, plus intransigeant. C'était lui qui lui avait fait réaliser à quel point ses émotions se trouvaient sous le boisseau. Il l'avait extirpée de son cocon. Elle n'y retournerait plus jamais. C'était à cette certitude qu'il fallait qu'elle s'accroche, pour se donner le courage de s'en tenir à sa décision de ne pas épouser Donald.

L'ultime étoile solitaire s'évanouit dans le ciel nocturne au moment où le dernier des bateaux de pêche ne fut plus qu'un point sur l'horizon. Ailsa retourna sur son lit et se blottit sous les couvertures, toute tremblante de froid. Elle avait eu raison de penser que le retour d'Alasdhair annonçait du changement, finalement. Cela la faisait sourire. Elle n'avait aucune idée de ce que l'avenir lui réservait, mais à cette heure, il lui suffisait de savoir qu'un mariage sans amour n'en faisait pas partie.

Demain, Alasdhair lui dirait au revoir et il partirait à la recherche de sa mère. Elle n'avait pas envie de penser à cela pour l'instant. C'était trop douloureux. Elle trouvait étrange que lady Munro ait fait allusion à une réconciliation entre elles. Si elle n'y prenait garde, Ailsa finirait bientôt par avoir pitié d'elle. Il n'y avait aucun doute : malgré toutes ses dénégations, lady Munro était une personne terriblement malheureuse. Comment Ailsa pouvait-elle ne pas s'en être rendu compte plus tôt ? Peut-être s'était-elle montrée trop dure avec elle, ce soir... Peut-être que sa mère avait été sincère lorsqu'elle lui avait affirmé vouloir être une bonne mère...

Demain, ou plutôt aujourd'hui, songea-t-elle dans un demi-sommeil, elle demanderait à sa mère si elle pensait ce qu'elle disait. Et elle demanderait aussi à son frère de l'aider dans cette affaire de fiançailles. Calumn la soutiendrait, sûrement.

Demain, Alasdhair serait parti. *N'y pense pas, Ailsa*, s'exhorta-t-elle en glissant dans un sommeil agité.

Quelques minutes plus tard, elle fut réveillée par un bruit qui venait du couloir. Alors qu'elle luttait encore pour émerger du sommeil, la porte s'ouvrit à la volée et Donald apparut sur le seuil de la chambre, visiblement habillé de pied en cap pour voyager. Par-dessus son haut-de-chausse, il portait une veste courte sur laquelle était accroché son *filleadh mòr*. Son *dirk*, ce long couteau sans lequel aucun Highlander digne de ce nom n'aurait envisagé de prendre la route, était logé sous sa ceinture et sa grande épée pendait à son côté.

Ailsa s'assit sur le lit, interloquée.

— Que diable voulez-vous ? Si vous osez poser le pied dans cette pièce, j'appelle au secours !

Donald l'ignora totalement et entra dans la chambre.

— Sortez, cria-t-elle en rassemblant les couvertures sur sa poitrine, sa voix montant subitement d'un ton sous l'effet de la panique. Sortez de ma chambre tout de suite !

— Silence ! Habillez-vous. Nous n'avons pas beaucoup de temps, lança Donald debout au pied de son lit.

Dans la lumière grisâtre, elle ne pouvait bien distinguer l'expression de son visage, mais elle n'avait pas besoin de cela pour avoir peur.

— Sortez, répéta-t-elle.

Quand elle réalisa à quel point elle était vulnérable, elle s'extirpa de son lit et tenta d'atteindre le cordon de la sonnette qui pendait près de la cheminée. Si seulement elle parvenait à appeler un domestique…

Donald lui barra le chemin.

— Que me voulez-vous ? demanda-t-elle en se tassant sur elle-même et en reculant vers la fenêtre.

Il souriait. Elle pouvait voir ses dents étonnamment blanches briller dans la pénombre.

— Habillez-vous, Ailsa.

Il ne tenta nullement de la toucher. Elle se tenait devant le banc installé sous la fenêtre. Sa chambre était au deuxième étage. Si elle s'avisait de sauter, elle n'y survivrait pas.

— Pourquoi ?

— Parce que nous partons faire un petit voyage, vous et moi.

— A cette heure ? Au milieu de la nuit ?

— L'aube point. Les chevaux nous attendent.

— Où… où m'emmenez-vous ?

— Des questions, encore des questions ? Je vous mets en garde, Ailsa : j'attends de ma femme qu'elle se montre plus docile.

— Votre… Je ne serai jamais votre femme, Donald.

Froid. Elle avait froid. Une peur mortelle étreignait son cœur de ses serres impitoyables, l'étouffant peu à peu.

— Quand j'en aurai terminé avec vous, vous remercierez le ciel d'avoir la chance de l'être. Croyez-vous que je sois homme à oublier la façon dont vous vous êtes comportée hier soir ? Je suis McNair d'Ardkinglass, et personne ne saurait me dire non. Vous serez mienne, Ailsa Munro, et si vous m'agréez, je vous passerai mon anneau au doigt. Mais si tel n'est pas le cas…

Il tira sa dague si promptement qu'elle ne s'en rendit compte que lorsque la pointe acérée de celle-ci toucha la peau nue de sa gorge, juste sous le menton.

— Aussi vous feriez bien de me contenter, ma chère. A présent, passez vos vêtements, sans quoi je vous emmène dans cette tenue.

Elle ne doutait pas un moment qu'il mettrait sa menace à exécution. Il semblait évident désormais que sa mère voulait un mariage à tout prix. Ailsa avait la certitude que lady Munro était au moins informée des plans de Donald. Il l'aurait déjà bâillonnée et attachée depuis longtemps s'il n'avait pas été assuré que personne ne risquait de venir la délivrer.

D'une main tremblante, elle repoussa le *dirk* loin de sa gorge, mais la lame était si tranchante qu'elle lui entailla le doigt. Voyant le sang jaillir et couler sur le parquet de bois, elle le porta à sa bouche. Quand le goût métallique du sang lui picota la langue elle remarqua que Donald la regardait d'un air étrange, sans doute émoustillé par son geste, aussi retira-t-elle son doigt à la hâte.

— Tournez-vous, plaida-t-elle.

Il partit d'un grand rire égrillard qui lui donna la chair de poule.

— Pour que vous me donniez un coup sur la tête avec Dieu sait quoi ? Pas question. De toute façon, je ne tarderai pas à vous voir toute nue, Ailsa. Ne perdez pas votre temps à jouer les saintes nitouches.

Comme toujours lorsque d'un sauvage on a fait un homme du monde, le vernis de civilité de McNair s'effritait facilement dans les situations difficiles. Son accent se faisait plus fort, tout d'un coup.

Consciente qu'il n'était pas homme à proférer des menaces en vain, Ailsa passa un jupon et un surplis de laine par-dessus sa chemise de nuit. Pour éviter de perdre du temps avec le laçage compliqué de son corset, elle préféra à celui-ci un gilet de laine épais autour duquel elle ceignit son *arisaidh*, qu'elle ferma sur sa poitrine avec sa broche. Comme elle fouillait un tiroir pour y prendre des bas, elle ferma la main sur le *sgian dubh* serti de pierreries qu'elle y avait caché. Il avait autrefois appartenu à sa grand-mère maternelle et elle le tenait de Rory, qui lui en avait fait cadeau après qu'elle l'eut découvert à Heronsay, mais ce à la condition expresse qu'elle ne le porte jamais. L'arme ne faisait que six pouces tout au plus depuis le manche jusqu'à la pointe de la lame, mais elle était terriblement acérée et tranchante.

Tout en faisant mine d'enfiler ses bas et ses bottes, Ailsa attacha le *sgian dubh* à sa cheville à l'aide de sa jarretière, puis, après avoir noué ses cheveux avec un ruban, tira son *arisaidh* sur sa tête et se tourna vers Donald.

Cela lui coûtait énormément, mais il fallait qu'elle se montre docile. S'il la croyait résignée à son sort, il serait moins sur ses gardes. Durant le voyage, quand elle le déciderait, et quand l'occasion s'offrirait à elle, elle passerait à l'action. Elle n'avait pas l'intention de le laisser arriver à ses fins avec elle. Plutôt mourir.

Ils descendirent l'escalier central, ce qui ne fit que confirmer à Ailsa que lady Munro était informée de ce qui se tramait. S'il en fallait une preuve supplémentaire, Donald fit jouer la lourde serrure de la porte principale sans se soucier le moins du monde du bruit qu'elle pouvait faire. Au bas des marches du perron, son palefrenier les attendait, les rênes de trois chevaux à la main. Sans protester, Ailsa permit au jeune homme de la hisser sur sa selle. Dans la lumière blafarde de la nuit, ils traversèrent les portes du château et prirent le sentier qui partait vers le sud. Donald chevauchait en tête, Ailsa sur ses talons.

Le palefrenier formait l'arrière-garde et la serrait

de près pour bloquer toute échappatoire. Une martre traversant la route brusquement sous son nez fit se cabrer le cheval de Donald, qui poussa un juron épouvantable.

La simple idée de devoir subir les caresses de McNair lui donnait la nausée. La volonté qu'elle avait de survivre à cette épreuve et d'en sortir indemne la surprenait elle-même. Elle lutterait jusqu'à son dernier souffle.

Elle se cala dans sa selle. Sa résolution s'affermissait à mesure que le soleil montait dans le ciel et le désespoir qui lui embrumait l'esprit comme un brouillard tenace semblait se dissiper peu à peu. Elle commença à élaborer un plan.

L'odeur de la fumée de tourbe, de l'air salé et de la marée qui émanait des filets séchant sur des cordes tendues emplissait l'air quand Alasdhair quitta la forge ce matin-là. Autrefois, au bon vieux temps, Hamish lui permettait de se libérer de ses frustrations en frappant sur son enclume avec son marteau. C'est Hamish qui lui avait appris à se servir de l'épée à deux mains, et aussi à tirer. Le feu de la forge était déjà rouge quand Alasdhair fit ses adieux. La barbe de son ami avait la couleur de celle-ci et son sourire accueillant en avait la chaleur et l'éclat. La nuit avait été bonne. De vieux amis, de bonnes histoires, de la nourriture simple et une atmosphère chaleureuse, il n'en fallait pas plus pour atteindre au bonheur. Mais à présent, il devait retourner au château pour prendre congé.

La nuit qu'il venait de passer sur un matelas de paille dans la petite chambre, à laquelle on accédait, depuis la chambre d'Hamish, par une méchante échelle branlante, lui avait apporté au moins une certitude : il fallait qu'il voie sa mère, qu'il lui parle face à face, qu'il l'entende raconter son histoire de sa bouche même. Il voulait d'abord et avant tout comprendre. C'était Ailsa qui lui avait fait prendre conscience de cela.

Ailsa.

En marchant dans la brume matinale qui donnait au village une apparence incertaine, comme si les maisons allaient disparaître subitement, Alasdhair luttait pour démêler l'écheveau de sentiments que suscitait l'évocation de ce seul mot.

Ailsa. Ce n'était qu'un nom, sans doute, mais il faisait naître immédiatement l'image de la jeune femme dans son esprit, avec une telle clarté qu'il semblait impossible qu'il puisse appartenir à une autre.

Il était content qu'elle ait décidé de ne pas épouser Donald. La simple idée qu'elle pût être malheureuse lui était absolument odieuse et il avait la certitude qu'un tel mariage ne pourrait mener qu'à ce résultat, inévitablement. Elle méritait qu'on prenne soin d'elle, qu'on la chérisse. En un mot, elle méritait d'être aimée.

Quelques jours plus tôt à peine, il n'aurait pas pensé la même chose. Etait-il arrivé à Errin Mhor que depuis si peu de temps ? Quelques jours, vraiment ? Les choses avaient tellement changé qu'il lui semblait qu'il était là depuis des semaines.

Savoir qu'Ailsa ne l'avait pas repoussé l'amenait à s'interroger sur les raisons qui avaient conduit sa propre mère à l'abandonner. Sa mère constituait la dernière pièce du puzzle. Une fois qu'il l'aurait trouvée et mise à sa place, il pourrait rentrer chez lui, l'âme en paix, enfin.

Mais c'était compter sans Ailsa.

Il ne voulait pas la quitter. Il ne comprenait pas ce qu'il ressentait pour elle. De l'affection, oui, sans doute, mais c'était se mentir à lui-même que d'essayer de se persuader qu'il ne s'agissait que de cela.

Et il en avait terminé avec les mensonges.

Il avait envie d'elle. Envie d'imprimer l'empreinte de son corps dans la cire délectable de sa chair, de se laisser engloutir par sa délicieuse sensualité. De se noyer en cllc, dc s'abreuver à elle. Il voulait lui apprendre le plaisir, et prendre du plaisir avec elle. Il la désirait plus passionnément qu'il n'avait jamais désiré une femme, et d'autant plus qu'il savait qu'elle éprouvait la même chose elle aussi, et que c'était la première fois. Oui, la première.

Elle ne l'avait pas désiré six ans plus tôt. Pas ainsi. Autant comparer un vulgaire tord-boyaux sortant de l'alambic d'un contrebandier à un whisky hors d'âge. L'un n'était qu'un pâle reflet de l'autre, sans profondeur, qui vous enivrait rapidement mais ne laissait d'autre souvenir qu'un solide mal de tête.

Peut-être, mais il pouvait aussi choisir de ne pas boire le nectar, se rappela-t-il. Il n'avait pas besoin d'Ailsa Munro, quelque désir qu'il éprouvât pour elle. Aucun feu, si ardent qu'il soit, ne pouvait brûler sans combustible. Il ne la verrait plus après aujourd'hui. Ou peut-être attendrait-il d'avoir vu sa mère. Elle voudrait sûrement connaître le résultat de sa visite. Puisqu'elle avait contribué à le persuader de retrouver cette dernière, elle avait le droit de savoir. Après cela, il lui ferait ses adieux. Une fois qu'il aurait mis entre eux la distance de tout un océan, il serait plus facile de ne pas penser à elle.

La nostalgie de la Virginie le submergea soudain. Revenir à Errin Mhor n'avait pas été exactement le simple voyage qu'il s'était imaginé. Pas du tout. Il s'arrêta à la patte-d'oie qui menait au château et ferma les yeux pour revoir par la pensée les terres ondoyantes de sa plantation, humer l'odeur des champs accablés de soleil et celle, âcre, du tabac en train de sécher dans les entrepôts.

La Virginie était son pays désormais. Il n'en doutait plus à présent. Ne fût-ce que pour ça, il avait bien fait d'entreprendre ce voyage.

Quand il arriva au château et s'enquit d'où se trouvait Ailsa, il fut sèchement informé par lady Munro que sa fille n'était pas là.

— Où est-elle ?

— Elle est allée prêter main-forte à la sage-femme pour un accouchement difficile — des jumeaux — et ne reviendra qu'en fin de journée.

Comme Alasdhair avait croisé Shona McBrayne en venant au château, il savait pertinemment que la mère d'Ailsa mentait. Une prémonition terrible lui étreignit le cœur comme une main glacée.

— Je ne vous crois pas. Où est-elle ?

— Eh bien, si tu tiens à le savoir, elle est partie.

— Où cela ?

— Loin de toi et de ton influence. Elle va épouser Donald McNair. Il est venu la chercher la nuit dernière.

— Elle n'a aucune envie de se marier avec lui.

— C'est peut-être ce qu'elle t'a dit.

Alasdhair secoua la tête, dégoûté.

— Vos manigances ne fonctionnent plus, milady. Si elle est avec McNair, ce ne peut être de son plein gré.

Lady Munro pâlit.

— Ce le sera, quand elle réalisera que c'est pour son bien.

— Quand elle réalisera… Seigneur ! L'avez-vous fait enlever ?

— Non, bien sûr que non. Donald est son fiancé, son futur mari, et…

— Et elle a fait ses bagages et est partie avec lui de son plein gré, c'est bien ce que vous dites ?

— Elle…

— Non, bien sûr, tonna Alasdhair. Elle n'est pas partie de son plein gré, voilà la vérité. C'est votre fille, milady. Votre seule et unique fille. Etes-vous décidée à parvenir à vos fins au point d'organiser l'enlèvement de votre propre fille ?

Confrontée à la masse solide et imposante d'un Highlander furieux dont la colère déformait le visage, lady Munro se mit à trembler de tout son corps. Elle ne comprenait pas comment Alasdhair Ross avait fait pour devenir cet homme impressionnant de force et de caractère, qui la veille encore ne lui faisait guère d'effet mais la terrifiait aujourd'hui.

Car oui, elle avait peur de lui.

— J'ai pensé que quand elle verrait Donald en chair et en os, elle changerait d'avis, bredouilla-t-elle d'une voix chevrotante.

— Et ç'a été le cas ? Evidemment non, sans quoi il n'aurait pas eu besoin de l'enlever.

Alasdhair se laissa tomber lourdement sur une chaise et se prit la tête entre les mains.

— Quand ? Quand l'a-t-il enlevée ?

— Ce matin. Très tôt. Je ne sais pas… je…

— En ce cas, il n'est peut-être pas trop tard, s'exclama Alasdhair en bondissant sur ses pieds. Où l'a-t-il emmenée ? Ne me dites pas qu'ils sont partis pour Ardkinglass, je ne vous croirais pas. Il va falloir qu'il affronte la colère de Calumn et voudra sûrement la garder loin d'ici le plus longtemps possible pour s'assurer qu'elle soit définitivement déshonorée si d'aventure son frère exigeait qu'elle lui soit rendue. Où diable l'a-t-il emmenée, vous dis-je ? Que le diable vous emporte ! A moins que vous ne souhaitiez voir la vie de votre fille ruinée par un mariage honteux avec un homme qui n'est pas moins un tyran que son propre père, je vous jure bien que vous allez me le dire !

— Donald n'est pas… elle ne sera pas…

— C'est un *laird* de la vieille école, comme votre époux. Tous les hommes le savent. Pourquoi croyez-vous que Munro voyait d'un si bon œil cette alliance ? Voulez-vous vraiment que votre fille ait la même vie que la vôtre ? Vous pouvez encore l'éviter, si vous me répondez maintenant, sans tarder.

Lady Munro fit un pas en arrière et trébucha contre un fauteuil.

— Vers le sud, ils sont partis vers le sud ! Que vas-tu faire si tu les retrouves ?

— Je n'en sais rien, mais je suis bien certain que je ne la ramènerai pas ici tant que je ne serai pas assuré de sa sécurité.

— Malgré ce que tu penses, j'ai fait cela parce que j'aime ma fille.

— Vous avez une bien étrange manière de le montrer, rétorqua Alasdhair.

Quand il tourna les talons, lady Munro agrippa la manche de sa veste.

— Ramenez-la ici, je vous en prie. Ne l'emmenez pas avec vous.

— Je n'ai nullement l'intention de l'emmener avec moi en Virginie, si c'est ce que vous craignez, répondit-il avec mépris, conscient du changement de ton qu'elle venait d'adopter. J'ai assez perdu de temps comme ça.

Là-dessus, il s'ébroua pour se dégager de l'étreinte de la vieille femme et quitta la pièce à grands pas.

Décomposée, pâle comme un linge, lady Munro tituba jusqu'à l'armoire pour en tirer l'aiguière qui s'y trouvait cachée, se versa une interminable rasade de whisky qu'elle vida d'un trait en renversant la tête en arrière, puis s'effondra sur le sol en se prenant la tête entre les mains. Le désespoir lui transperçait le cœur comme un diamant cruel.

Alasdhair courut jusqu'à la forge, ignorant le forgeron occupé à activer son grand soufflet quand il parvint à celle-ci, et pénétra dans la maison. Il se débarrassa de ses vêtements noirs en une fraction de seconde, les remplaçant par son *filleadh beg.* Sous sa ceinture, il glissa la lame nue de sa dague, et dans son dos son *sgian dubh*, sur lequel il laissa retomber le cuir de son gilet. L'épée à deux mains soigneusement aiguisée et polie par Hamish fut soigneusement retirée de la boîte dans laquelle il la gardait.

Il la tenait de lord Munro lui-même, qui lui en avait fait présent pour son seizième anniversaire. Le même jour où il avait offert à son propre fils une arme exactement semblable. Désormais, la *claymore*, l'épée à deux mains d'autrefois, se voyait de plus en plus supplantée par un équipement plus léger, plus court, dont la lame mesurait tout de même trois pieds de long, soit dix-huit pouces de moins que celle dont Robert de Bruce avait fait son arme fétiche.

La grande épée d'Alasdhair avait une poignée en cage qu'Hamish avait façonnée pour lui dans un acier superbe. Elle portait les armes des Munro, était sertie de pierres semi-précieuses et garnie de velours. Lord Munro avait fait spécialement importer d'Allemagne la lame à double tranchant qui portait, gravés sur une face, les mots *Andrea Ferrara*, du nom d'un Italien que les forgerons allemands utilisaient pour certifier la qualité de leurs aciers.

Alasdhair attacha le fourreau à sa ceinture et y plaça la *claymore* avec des précautions de prêtre tirant le ciboire du tabernacle. La veille même, lui et Hamish s'étaient entraînés l'épée à la main et il s'était étonné de voir avec quelle rapidité les gestes qu'il croyait avoir oubliés lui revenaient dans les bras, avec quelle facilité il se souvenait de la nécessité de garder son équilibre en sautillant sur la pointe des pieds, de la façon dont il fallait contrebalancer le mouvement de l'épée en tendant le bras gauche. Il n'avait pas pensé à utiliser son arme quand la colère l'avait saisi, mais il savait à présent que c'était exactement ce qu'il s'apprêtait à faire.

Hamish l'attendait dans l'écurie, visiblement inquiet, à côté de son cheval sellé et prêt à partir.

— As-tu besoin que je t'accompagne, mon garçon ? demanda-t-il.

Alasdhair fut touché. Hamish devait bien avoir cinquante ans, mais il ne doutait pas un instant que son offre fût sincère.

— Il faut que je fasse cela tout seul, Hamish, répondit-il en accompagnant ses paroles d'un bref signe de la tête.

Il sauta en selle et quitta Errin Mhor sans se retourner, disparaissant vers l'horizon dans un grand nuage de poussière.

Chapitre 7

Il n'était pas bien difficile de suivre trois chevaux, et ce d'autant plus que Donald, certain de l'appui de lady Munro, ne faisait rien pour dissimuler leurs traces.

L'esprit traversé par des envies de meurtre, et pressé par la terreur d'arriver trop tard, Alasdhair avait chevauché sans interruption à toute allure, abandonnant son premier cheval dans une auberge et jetant à l'aubergiste éberlué une poignée de pièces d'or pour prix d'une monture fraîche.

Il les trouva en fin d'après midi, dans les environs de Stronmilchan, plus précisément sur la pointe du *loch* Awe, où ils s'étaient arrêtés pour faire boire les chevaux. L'air était sec, mais il avait plu légèrement toute la journée, par intermittence. Après avoir fait s'arrêter son cheval à l'abri des regards de McNair et de sa troupe, Alasdhair descendit de sa selle et attacha l'animal à un arbre. Ils étaient tout aussi couverts de boue l'un que l'autre, mais comme si cela ne suffisait pas, il remarqua que, sous les fougères et les ajoncs au milieu desquels il s'approchait subrepticement, le sol était marécageux. Il avait les pieds trempés.

Les chevaux buvaient l'eau fraîche du *loch* tandis que McNair et son homme de main discutaient, debout, presque en face d'Alasdhair. Si le *laird* portait sa grande épée au côté, son serviteur n'avait pour seule arme que sa dague.

Ailsa était assise derrière eux, sur le sol détrempé. Elle avait les mains liées devant elle et une ecchymose violette barrait sa joue.

Comme il la regardait, le cœur plein de rage et d'envie de meurtre, Alasdhair aperçut soudain un éclair métallique quand Ailsa tira un *sgian dubh* de sous ses jupes et, en serrant le manche entre ses mains entravées, entreprit de couper les liens de cuir qui lui cisaillaient les poignets. Il se demandait ce que diable elle espérait pouvoir faire avec un couteau contre deux hommes, mais il fallait admettre qu'elle avait de l'audace. Pour un peu, il l'aurait applaudie.

Il se força à attendre tout en surveillant anxieusement les deux hommes, mais ceux-ci ne s'aperçurent de rien. Alasdhair s'accroupit et tira silencieusement sa longue épée de son fourreau avant de dégager sa dague de sa ceinture. Son cœur battait comme un tambour, la rage lui faisait bouillir le sang et lui donnait envie de saigner McNair comme un goret. Il méritait de mourir pour ce qu'il avait fait aujourd'hui. Jamais il ne laisserait un homme traiter Ailsa de la sorte, ni toucher un seul de ses cheveux. Quelque chose de primitif, d'impitoyable, lui fouaillait les entrailles. Il n'avait plus qu'une seule idée, un seul désir : voir Donald McNair étendu sur le sol les bras en croix. Mort.

Au cours de cette longue journée, en dépit de ses bonnes intentions, Ailsa n'avait pu s'empêcher de répondre avec animosité aux railleries de Donald, ce qui avait fini par rendre le dégoût qu'il lui inspirait trop évident pour qu'il l'ignore plus avant.

En conséquence, il lui avait donné une gifle en pleine figure, si fort qu'elle avait cru tout d'abord l'os de sa pommette brisée. La tête lui lançait encore terriblement.

Lors de leur dernière halte au bord d'un ruisseau, elle avait tenté de leur fausser compagnie, mais les deux hommes l'avaient rapidement rattrapée et, par précaution, attachée solidement, ce qui faisait du simple fait de rester en selle une épreuve difficile et douloureuse.

Consciente que c'était là sa dernière occasion de s'enfuir avant qu'ils ne s'arrêtent pour dormir, et encore plus de l'épreuve qu'elle risquait de subir au cours de la nuit, Ailsa était déterminée à tenter le tout pour le tout. Cela dit, seule, et seulement armée d'un petit couteau, elle n'était pas de taille à lutter contre deux hommes dans la force de l'âge, et ses chances de réussir paraissaient bien minces.

Donald avait pris soin de se tenir éloigné des villages où elle aurait pu donner l'alarme ; elle ne pouvait donc compter que sur elle-même. Si elle ne parvenait pas à s'enfuir, elle pourrait sûrement le blesser suffisamment pour le faire réfléchir.

Elle n'avait pas envie de penser à ce qui arriverait sans cela. Elle ne céderait pas, à moins d'y être absolument contrainte. Donald tenait à abuser d'elle, elle n'allait pas lui rendre la tâche facile.

Couper le lien de cuir qui lui serrait les poignets était une tâche bien plus ardue qu'elle ne l'aurait cru, mais elle finit toutefois par se libérer. Elle fit jouer ses doigts que les liens avaient engourdis et serra son *sgian dubh* dans sa main droite, après quoi elle se leva et, poussant un cri qui semblait venir du tréfonds de son âme, se rua sur Donald.

Elle avait beau avoir l'avantage de la surprise, elle n'était clairement pas de taille à affronter le *laird* d'Ardkinglass. Donald poussa un grognement qui devait plus à son déplaisir qu'à la peur et lui donna un coup de poing dans le ventre qui lui coupa le souffle.

Quand elle s'effondra devant lui, il se saisit de son bras qui tenait le couteau et le lui tordit dans le dos, impitoyablement. Ailsa sentit sa vision se brouiller. Elle essayait désespérément de lutter, mais son adversaire lui était infiniment supérieur par la force. Elle allait sombrer dans l'inconscience lorsqu'un guerrier — ou plutôt une vague silhouette vêtue de tartan, cheveux au vent, tout en muscles et arborant une expression de fureur indicible —, surgit du sous-bois comme un démon sortant de l'enfer.

La vision d'Ailsa s'éclaircit d'un coup quand elle rassembla le peu de forces qu'il lui restait. Alasdhair ! Elle n'avait aucune idée de comment il pouvait bien l'avoir retrouvée, mais c'était bien lui, assurément.

Il se jeta d'abord sur le domestique de Donald, qui eut à peine le temps de tirer sa dague avant qu'Alasdhair ne l'atteigne et ne lui plante la sienne proprement dans l'épaule droite, coupant net l'attache du muscle, ce qui le mit instantanément hors d'état de nuire. L'homme lâcha son arme en poussant un hurlement de douleur. Alasdhair le frappa sous le menton avec la cage d'acier qui protégeait la poignée de son épée, l'envoyant au sol, inconscient, en moins de temps qu'il ne fallait pour le dire.

Donald projeta Ailsa à terre en poussant un juron

épouvantable et tira sa grande épée tandis qu'Alasdhair avançait déjà sur lui, l'arme à la main lui aussi.

Les deux hommes se faisaient face au milieu de la petite clairière, uniquement séparés par l'éclat étincelant de l'acier poli.

Ailsa rampa tant bien que mal jusqu'au bord de l'arène improvisée où gisait le palefrenier assommé, cherchant désespérément son souffle, le sang figé par la terreur dans ses veines.

Les deux combattants décrivaient des cercles en s'affrontant du regard. La colère déformait le visage de Donald et le goût du sang luisait dans ses yeux. Par comparaison, celui d'Alasdhair semblait un masque lugubre, pâle et froid, au milieu duquel ses yeux étincelaient comme les deux lames qu'il tenait dans ses mains.

Elle pouvait à peine regarder la scène. Si Alasdhair avait été une fine lame dans sa jeunesse, il n'avait pas l'expérience toute fraîche de Donald. Elle n'arrivait pas à croire qu'il était là. Comment diable avait-il su où la trouver ? Et comment avait-il su qu'elle avait été enlevée de force ? Bien sûr, elle avait été claire avec lui au sujet de son mariage avec Donald. Heureusement, il l'avait crue. Ensuite, son honneur l'avait emporté : il ne devait pas avoir balancé longtemps pour se porter à son secours en l'absence de Calumn. Merci, mon Dieu, merci !

Sans quitter des yeux les deux combattants, Ailsa chercha dans l'herbe le couteau que le serviteur de Donald venait d'y laisser choir. Un grand soulagement lui souleva l'âme quand elle sentit ses doigts se refermer sur la poignée entourée de cuir.

Elle tint l'arme fermement, dans ses deux mains, et se remit sur ses pieds au moment même où l'acier frappait l'acier pour la première fois dans un grand vacarme dont l'écho lugubre résonna sur le loch comme celui d'une cloche.

Ailsa savait pertinemment que la *claymore* requérait énormément d'équilibre de la part de celui qui la maniait. Bien que faisant partie de la famille des épées, il ne fallait pas la confondre avec le fleuret, qui obligeait à se fendre pour porter un coup.

Tout comme le sabre, la *claymore*, avec sa lame étroite à double tranchant, était conçue pour couper la chair et les membres.

Un guerrier expérimenté visait toujours les bras et la tête de son adversaire, et Donald était un combattant doté d'une solide expérience.

Il porta son premier coup très bas, balayant l'air à la hauteur des cuisses d'Alasdhair. Celui-ci fit un bond en arrière, répondant d'un revers porté de haut en bas qui bloqua l'arme de Donald suivi d'un coup d'estoc exactement inverse qui déchira la veste de ce dernier sur la largeur de deux mains.

Les deux hommes décrivaient de grands arcs dans l'air électrique en frappant de toutes leurs forces. Sous l'étoffe trempée de pluie de sa chemise, Ailsa pouvait voir les biceps d'Alasdhair gonfler à chaque mouvement de ses bras. Son *filleadh beg* tressautait derrière lui quand il portait une attaque, le haut de son corps suivant gracieusement le mouvement violent de son bras droit que, bien campé sur ses jambes, il tâchait de maîtriser en faisant contrepoids avec le gauche. Le bruit de l'acier résonnait, renvoyé à travers l'eau paisible du lac par les collines qui s'élevaient en pente douce sur l'autre rive.

Donald porta un coup du tranchant de sa lame en

plein milieu de la poitrine d'Alasdhair, mais le cuir épais de son plastron amortit le coup. Alasdhair fit un bond en arrière, mais son pied glissa sur l'herbe humide et il faillit perdre l'équilibre un instant, se rattrapant au dernier moment pour porter un coup d'estoc en se fendant sous la garde de Donald, droit au cœur.

Si la pointe avait atteint son but, le coup aurait été fatal, mais Donald esquiva en se penchant en arrière avec une rapidité fulgurante, évitant la lame de justesse, avant de trébucher et de tomber à terre. Désespérément, il essaya de frapper encore d'un mouvement circulaire, mais il n'en avait pas la force. Alasdhair se dressa au-dessus de lui, la pointe de son épée pointée vers son cœur. Donald ouvrit de grands yeux devant la mort qui l'attendait, mais l'arme se détourna lentement vers la gauche, lui laissant la vie sauve.

— Maudit chien, jura-t-il entre ses dents, conscient que, par ce geste, Alasdhair Ross ne lui accordait pas sa grâce.

Il voulait le voir blessé, sans doute, mais d'abord et avant tout vivant.

Et couvert de honte.

Donald reprit le combat avec une férocité décuplée. Les deux hommes dégouttaient de sueur, leur haleine formait de petits nuages blancs devant leur bouche dans l'air humide chargé d'humidité.

L'odeur du tartan trempé de pluie, celles du cuir et de l'herbe écrasée sous leurs pas se mêlaient au parfum immédiatement reconnaissable du combat. Un parfum brûlant, rude, viscéral.

Alasdhair était épuisé. Son épaule et son bras droit le faisaient souffrir horriblement. Ses cuisses aussi. La sueur lui coulait dans les yeux, brouillant sa vision, mais il serrait les dents et s'interdisait résolument de penser à quoi que ce soit d'autre que son combat contre McNair. Il avait voulu le tuer, mais dès le premier choc de leurs épées, il avait compris que mourir en combat singulier serait une mort trop honorable pour cet homme. Il serait bien plus difficile pour lui de supporter de vivre après avoir été défait les armes à la main.

Alasdhair secoua la tête pour chasser la sueur qui ruisselait sur ses yeux et se concentra de plus belle.

Le dénouement vint rapidement. Alasdhair frappa haut en visant le cou de Donald, mais la lame de celui-ci bloqua la sienne et le força à baisser la main. Rassemblant toutes ses forces, Alasdhair bondit en avant alors que son adversaire reculait et sa lame entailla la cuisse du *laird* jusqu'à l'os. Une fleur écarlate s'épanouit immédiatement sur le haut-de-chausse de ce dernier, qui s'effondra en poussant un hurlement, laissant tomber sur le sol sa dague et sa lourde épée.

Alasdhair jeta la sienne sur le côté et se précipita vers Ailsa, la poitrine soulevée par les violents efforts qu'il devait faire pour retrouver son souffle.

— Es-tu blessée ? T'a-t-il fait du mal ? s'enquit-il d'une voix pleine d'anxiété en l'aidant à se remettre sur ses pieds et en scrutant son regard d'un œil inquiet. Seigneur Dieu, Ailsa, je t'en supplie, dis-moi que je suis arrivé à temps.

Elle hocha la tête, incapable de prononcer un mot. A présent que son épreuve était terminée, le choc la faisait trembler de tout son corps.

— Qu'est ceci ? demanda Alasdhair en caressant

doucement l'ecchymose qui bleuissait la joue de la jeune femme.

— Rien du tout.

— Ce chien t'a frappée !

— C'est vrai, mais je n'ai rien subi d'autre, je te le promets.

— Dieu soit loué, s'exclama Alasdhair en l'écrasant contre sa poitrine. Dieu soit loué. J'ai cru… en chemin, je n'ai pas cessé un instant de penser que j'arriverais trop tard, et qu'il… Grâce au ciel, tu es sauve !

Il sentait le sang et la sueur. Elle sentait son cœur cogner dans sa poitrine comme un marteau sur une enclume.

— Grâce à toi, murmura Ailsa en fermant les yeux simplement pour savourer le bonheur d'être vivante, d'être saine et sauve, et d'avoir échappé à un sort épouvantable.

Il y eut un moment de silence, puis :

— J'ai cru que j'avais des visions quand tu as surgi de nulle part, juste comme ça, s'exclama-t-elle en partant d'un rire nerveux.

Elle chercha la main d'Alasdhair et la souleva pour la presser contre sa joue.

— Je ne sais pas comment tu as réussi à me retrouver, mais je t'en suis infiniment reconnaissante, et je le resterai éternellement. Merci, Alasdhair, du fond du cœur, merci.

— Ma récompense, c'est d'être arrivé à temps, répondit-il d'un ton bourru.

A présent qu'elle était sauve, l'horreur de ce qui aurait pu advenir s'il avait tardé à la retrouver commençait à s'installer dans son esprit.

Il s'était interdit d'envisager autre chose que le succès

durant sa poursuite frénétique en direction du sud et il ne réalisait que maintenant à quel point tout cela comptait pour lui. Il ne pouvait pas supporter l'idée qu'il puisse arriver malheur à Ailsa. L'imaginer lui soulevait le cœur. Il serra les bras autour d'elle.

Un long cri de douleur s'échappa de la gorge de Donald McNair quand il essaya de s'asseoir.

— Je devrais l'aider, affirma Ailsa à contrecœur en se dégageant de l'étreinte rassurante d'Alasdhair. Je ne voudrais pas que tu aies son sang sur les mains.

— Laisse-moi d'abord l'examiner.

Le *laird* d'Ardkinglass gisait dans l'herbe maculée de boue. Quand Alasdhair mit un genou à terre à côté de lui, il fit un geste désespéré pour essayer de le repousser, mais son vainqueur lui serra les poignets dans l'étau impitoyable de ses mains puissantes et les souleva au-dessus de sa tête.

— Je suis désolé, McNair, mais je n'ai pas l'intention de te permettre de te venger de moi en saignant à mort, annonça Alasdhair d'un ton lugubre. Ailsa, viens ici, prends ton petit couteau et coupe le tissu de ses braies aussi haut que possible, afin que nous puissions examiner cette blessure.

Ailsa s'exécuta d'une main tremblante. La *claymore* avait nettement taillé une plaie profonde en diagonale sur la face antérieure de la cuisse. L'os n'était pas brisé, et elle prit conscience qu'Alasdhair devait avoir fait preuve d'une maîtrise incroyable pour ne pas causer plus de dommage à son adversaire. Du sang coulait doucement de la blessure.

— Le sang ne gicle pas, donc tu n'as pas sectionné l'artère, affirma-t-elle à l'adresse d'Alasdhair, en remerciant le ciel d'avoir assisté Shona McBrayne auprès des malades et des parturientes.

Ce qu'elle avait appris avec elle lui permettrait de rendre à son sauveur un peu de ce qu'elle lui devait en sauvant la vie de Donald. Malgré l'envie qu'elle avait de le voir mort à cette heure, elle savait que sa mort pèserait sur sa conscience plus tard. Elle ne l'avait jamais aimé, mais elle ne pouvait nier avoir prévu de passer le reste de son existence avec lui, et même avoir prononcé un serment à cet effet. Ce n'était pas entièrement la faute de Donald s'il gisait là dans son sang qui rougissait l'herbe. Elle se força à inspecter la blessure de plus près.

— Nous allons avoir besoin de bandages, et de quelque chose pour recoudre la plaie.

Alasdhair était déjà en train d'ôter en hâte son gilet et de passer sa chemise par-dessus sa tête pour y tailler de longues bandelettes à l'aide de sa dague.

— Je vais fouiller les poches de sa selle pour voir s'il y a caché du whisky. Il va en avoir besoin, même s'il ne le mérite pas.

— S'il y a de l'alcool dans ces sacoches, je trouverai sûrement à mieux l'employer qu'en le lui donnant à boire, déclara Ailsa en prenant l'épingle qui retenait son *arisaidh* sur sa poitrine pour la tordre afin d'en faire une aiguille, puis se leva et alla arracher quelques crins de la queue du cheval de Donald.

Quand elle revint, elle avait l'air décidée.

— Tiens-le bien, lança-t-elle à l'adresse d'Alasdhair d'un ton sec en prenant la bouteille qu'il lui tendait pour en verser le contenu sur la plaie.

Donald poussa un hurlement de douleur, mais elle ne

broncha pas. Les dents serrées, elle entreprit de recoudre les deux bords de la blessure.

Alasdhair la regarda faire, inquiet de l'effet que pourrait avoir une tâche aussi éprouvante — il en avait lui-même le cœur soulevé — sur les nerfs déjà bien mal en point de la jeune femme. Dès qu'elle en eut terminé, il la repoussa doucement et s'occupa lui-même de panser la plaie de McNair, ce qu'il fit avec un certain talent, en utilisant les bandelettes qui à peine quelques minutes plus tôt formaient encore le tissu de sa chemise.

A un certain point de l'opération, le *laird* d'Ardkinglass avait perdu connaissance.

— Tu as déjà fait cela auparavant ?, s'étonna Ailsa en regardant Alasdhair éprouver la solidité du bandage qu'il venait de terminer.

Il s'essuya le front d'un revers de la main, laissant une tache sanglante sur sa peau hâlée.

— Tu n'es pas la seule à avoir profité de l'expérience d'une rebouteuse. Mon premier emploi en Amérique, je l'ai trouvé dans une plantation qui employait des esclaves. Une vieille femme, qui était arrivée d'Afrique bien des années plus tôt, m'a enseigné les rudiments de son art. Bien évidemment, elle s'occupait surtout de panser les plaies causées par les coups de fouet sur le dos de ses congénères.

Il disait cela d'une voix pleine d'amertume.

— Voilà. Je crois que ça fera l'affaire.

Quand il reporta son attention sur le domestique de Donald, qui commençait à peine à essayer de se mettre debout en titubant, Ailsa s'assit sur ses talons pour l'observer. Une fine couche de sueur luisait sur son dos et ses cheveux trempés collaient à sa nuque. Il était magnifiquement bien bâti, avec de larges épaules et une taille fine, et malgré la fatigue, il marchait avec la grâce d'un félin. Son *plaid* se balançait lentement dans son dos. Quand il s'arrêta de marcher pour étirer ses bras au-dessus de sa tête et faire jouer ses épaules douloureuses des efforts du combat, Ailsa regarda fascinée les muscles se tendre et se détendre souplement sous sa peau légèrement brunie par le soleil. Quoique... pas entièrement. Elle remarqua de longues lignes de chair plus claire qui se dessinaient sur le fond sombre de son dos. Sur l'ensemble, il n'y en avait que trois dont la surface saillait un peu. C'étaient sûrement des plaies anciennes, ou qu'on avait très bien soignées.

Elle s'approcha de l'endroit où, agenouillé dans l'herbe, il découpait lentement la manche de la veste du palefrenier blessé pour découvrir la plaie.

— Je vais avoir besoin de quelque chose d'autre pour faire un bandage, annonça-t-il en se levant, le front plissé par l'inquiétude.

Sans un mot, Ailsa coupa des bandes de tissu dans sa chemise, ce qui permit à Alasdhair de s'occuper efficacement de son second patient.

— Peux-tu aller chercher mon cheval ? demanda Alasdhair. Il est attaché à un arbre, dans ce bosquet. Je surveille McNair. Pas d'objection ?

Elle hocha la tête, soulagée de ne plus avoir à rester près de Donald, sans parler de le toucher, et se fraya un chemin à travers les fougères tandis qu'Alasdhair se retournait vers son adversaire.

McNair gisait sur le sol, incapable de bouger, et transpirait abondamment. Avec un peu de chance, songea

Alasdhair, il lui faudrait des mois pour récupérer, et cela risquait d'être douloureux.

— Tu vas regretter ce que tu as fait aujourd'hui, lui lança-t-il en se dressant au-dessus de lui et en prenant la pose d'un gladiateur comme pour se moquer. Si jamais tu marches de nouveau, ta claudication te rappellera les méfaits que tu as commis.

— Sale chien, gronda Donald. Tu n'as pas eu le courage de me tuer quand tu le pouvais.

Alasdhair se pencha pour le saisir au collet et le soulever sans ménagement vers lui, de sorte que Donald poussa un hurlement de douleur.

— La mort est trop bonne pour les scélérats comme toi, cracha-t-il avec mépris. Je ne veux pas avoir la tienne sur la conscience.

Il relâcha son étreinte brusquement et McNair retomba lourdement sur l'herbe en poussant un nouveau cri de douleur. Alasdhair tourna les talons et s'éloigna sans se retourner.

— Il va falloir que nous nous arrêtions à Stronmilchan pour envoyer une voiture chercher ces deux-là, annonça Alasdhair quand Ailsa revint avec le cheval. Es-tu en état de voyager ? Tu as l'air épuisée.

La jeune femme esquissa un pâle sourire.

— Je suis seulement un peu secouée, mais ce n'est rien en comparaison de l'état où je me trouverais si tu ne m'avais secourue.

— N'y pense plus.

— C'est ce que j'essaye de faire.

Elle était pâle, ses yeux assombris par la peur semblaient

prêts à quitter leur orbite. En fait, elle n'avait pas vraiment l'air de pouvoir monter à cheval, mais une fois qu'elle fut en selle, elle fit un effort plein de vaillance pour s'y tenir droite et arborer un sourire, si bien qu'Alasdhair en eut le cœur serré.

Il resta près d'elle tout le long du chemin jusqu'à Stronmilchan, où l'auberge n'était qu'un établissement extrêmement sommaire et consistait pour l'essentiel en une salle de distillation dans laquelle on produisait le whisky qu'on y buvait, et une cour qui servait d'écurie comportant en son centre une grange dans laquelle les voyageurs et les pousseurs de bestiaux de passage pouvaient dormir. Alasdhair fit signe à la jeune femme de l'attendre et entra pour demander qu'on dépêche une charrette pour aller chercher les deux blessés. Quand il revint, il leva les yeux au ciel et remarqua que la nuit commençait à tomber.

— La prochaine auberge convenable se trouve à environ dix miles d'ici. J'imagine que tu ne tiens pas à dormir dans ce bouge.

Ailsa secoua la tête en frissonnant.

— Je tiendrai, affirma-t-elle en faisant avancer résolument son cheval sur la route.

Trop épuisée pour faire autre chose que simplement tenir en selle, elle suivit Alasdhair hors du village sans s'apercevoir qu'ils se dirigeaient vers le sud plutôt que vers le nord.

L'auberge du bac du *loch* Awe était un peu mieux équipée que celle qu'ils venaient de quitter. On conduisit

Ailsa dans une petite chambre meublée d'une simple paillasse posée sur un sommier de cordes.

Comme souvent dans ce genre d'établissement, l'aubergiste possédait son propre alambic. Elle se tenait debout au milieu de la pièce presque par miracle quand Alasdhair entra, un verre plein de whisky à la main.

— Je ne bois pas d'alcool, murmura-t-elle en levant la main pour refuser.

— Prends-en un peu. Cela t'aidera à surmonter le choc, répondit-il en la guidant vers le bord du lit pour qu'elle s'y assoie.

— Inutile, je me sens bien, affirma-t-elle alors que tout en elle disait le contraire.

Elle était glacée et ne cessait pas une seconde de trembler des pieds à la tête. D'épouvantables frissons l'agitaient par instants, comme si une main gigantesque la secouait tout entière. La petite gorgée qu'elle but la fit tousser, mais lui réchauffa quelque peu le ventre. Après la seconde, elle sentit les tremblements s'apaiser un peu.

Elle posa le verre.

— Tu te sens mieux ? demanda Alasdhair en la regardant d'un œil inquiet.

— Un peu, merci.

— La femme de l'aubergiste va te faire monter de l'eau chaude.

— Merci, répéta-t-elle. C'est vraiment très gentil, Alasdhair.

— Ce n'est rien.

— Non, ce n'est pas rien. Ce que tu as fait aujourd'hui… c'est tout le contraire.

Elle avala à grand-peine la boule d'angoisse qui obstruait sa gorge et, en se passant la main sur les yeux :

— Si tu n'étais pas arrivé..., souffla-t-elle.

— Mais ça n'a pas été le cas.

— Comment as-tu fait ? Comment as-tu découvert où j'étais et ce qu'il était advenu de moi ?

— Plus tard, répondit-il en fronçant les sourcils. Nous parlerons de tout cela plus tard. Tu es encore trop bouleversée par ton aventure. Il faut que tu te reposes et que tu te calmes.

— Parce que ce que tu as à me dire risque de me bouleverser encore plus ?

— Plus tard, Ailsa, asséna-t-il d'une voix ferme en se levant pour quitter la pièce afin d'éviter qu'elle ne revienne à la charge.

Il allait falloir lui dire quelle part sa mère avait jouée dans son enlèvement. Elle était assez intelligente, de toute façon, pour le comprendre d'elle-même, mais il n'aimait pas l'idée d'avoir à le lui confirmer. Elle en avait assez enduré pour aujourd'hui.

Plus qu'assez, oui ! S'il n'avait pas...

Il se passa la main dans les cheveux et fit jouer les muscles engourdis de ses épaules avant de descendre l'escalier en quête de la salle à manger. Ailsa n'était pas la seule à qui une bonne gorgée de l'eau-de-vie du propriétaire ferait le plus grand bien.

Ce ne fut pas seulement une cruche d'eau chaude, mais un baquet presque assez grand pour servir de baignoire qui arriva dans sa chambre, porté par deux robustes servantes dépêchées par la femme de l'aubergiste.

En remerciant le ciel de ce bonheur inattendu, Ailsa ôta ses vêtements et monta dans le baquet, se savonna des pieds à la tête, se rinça en s'aidant d'un broc d'étain puis se savonna derechef en savourant la caresse de l'eau qu'elle laissait glisser sur sa peau pour la nettoyer de l'horreur des dernières vingt-quatre heures.

Si elle avait jamais eu des doutes à son sujet, la conduite de Donald McNair les avait définitivement dissipés. La simple idée de devoir partager sa couche lui donnait la nausée. Comment avait-elle pu penser une seconde qu'elle serait capable de le supporter ?

En glissant dans l'eau délicieusement chaude, l'idée lui vint à l'esprit, simple, pure et claire comme l'eau d'un torrent de montagne : Alasdhair. C'était l'arrivée d'Alasdhair qui avait tout changé.

Elle l'aimait. Cela semblait si évident, et si naturel.

Elle l'aimait.

— J'aime Alasdhair Ross, murmura-t-elle avec précaution, comme si elle voulait voir comment ces mots résonnaient dans sa bouche.

Ils lui allaient comme un gant. Une lueur qui n'avait rien à voir avec l'eau du bain enveloppa son corps, l'illuminant de l'intérieur.

— Je suis amoureuse d'Alasdhair Ross.

Cela sonnait tellement bien.

Depuis combien de temps ? Comment était-ce arrivé ? Et où ? Cet amour avait-il toujours été là, enfoui en elle depuis six ans ? Mais non, ce qu'elle ressentait aujourd'hui était différent. Très différent, même. Elle l'éprouvait du plus profond de son être, comme s'il s'agissait d'une partie d'elle-même qu'on ne pouvait lui arracher. Une chose élémentaire, et qui ne s'enfuirait pas. Jamais.

Elle l'aimait. Elle était née pour l'aimer. Elle l'aimerait encore sur son lit de mort. Il y avait une certaine ironie à ce que sa mère ait reconnu cet amour avant elle, et que ce soient précisément ses efforts pour la séparer d'Alasdhair qui aient fait remonter ses sentiments pour celui-ci à la surface.

Elle l'aimait. Elle avait envie de lui, passionnément. Elle n'avait jamais rien désiré plus violemment que de faire l'amour avec lui. Elle voulait prendre soin de lui, le protéger, comme il l'avait fait aujourd'hui pour elle. Il avait fait tout ce long chemin pour la sauver. Parce qu'elle comptait pour lui. Son cœur s'accrochait à cette idée. Mais à peine les premières pousses d'espoir émergeaient-elles qu'elle les voyait se faner inexorablement. Elle comptait pour lui, mais il ne pouvait pas, ne pourrait pas l'aimer. Il le lui avait dit dans des termes sans ambiguïté. Il ne manquerait pas de se sentir coupable s'il apprenait les sentiments qu'elle éprouvait pour lui.

Et cela, elle ne pouvait pas le supporter.

Sa lumière intérieure s'évanouissait à mesure qu'elle appréhendait la réalité de la situation, mais la nouveauté de ses sentiments, de même que leur ampleur, interdisait que ces pensées mélancoliques ne prennent le dessus. Pas encore. Elle l'aimait tant. Elle ferma les yeux et s'autorisa à rêver.

Elle dormait presque quand elle entendit quelques petits coups frappés à sa porte. Pensant qu'il devait s'agir de la femme de l'aubergiste qui venait pour faire enlever le baquet, elle se leva, saisit le linge posé sur la table de nuit et cria à la matrone d'entrer. Elle se figea, une jambe au-dessus du bord du baquet. Ce n'était pas la maîtresse des lieux qui se tenait sur le seuil, mais Alasdhair.

— Oh ! s'écria-t-elle en levant l'autre pied hors de l'eau tiède.

Sans trop savoir comment, Alasdhair parvint à se jeter sur elle juste à temps pour l'empêcher de s'effondrer sur le sol quand son pied heurta le bord du baquet. Le linge tomba aux pieds d'Ailsa et il se retrouva avec entre les bras une naïade aussi nue qu'au premier jour, et toute ruisselante d'eau scintillante. Sa réaction fut immédiate. Et très embarrassante.

Précipitamment, il se pencha pour ramasser le linge tombé sur le sol et essaya de le draper autour d'elle sans regarder. Le tissu collait à sa peau. Les mèches diaphanes de ses cheveux mouillés collaient à sa nuque et à ses seins et sa chair à peine sortie de l'eau avait un éclat émouvant. Il la lâcha immédiatement et se tourna vers l'autre côté de la pièce.

— Il y a du ragoût de mouton pour le dîner. L'aubergiste m'assure qu'il est mangeable, annonça-t-il d'une voix étranglée, prenant le temps de s'éclaircir la gorge avant de poursuivre : si tu ne veux pas manger dans la salle commune, je peux t'en faire porter ici.

Serrant le linge autour d'elle, les joues en feu, Ailsa agrippa sa chemise et la passa en hâte par-dessus sa tête.

— Tu peux te retourner à présent, souffla-t-elle. Je suis décente.

Elle n'était pas décente, mais adorable, délicieuse, et ce d'autant plus qu'elle n'en avait strictement aucune idée.

— Veux-tu dîner ? demanda Alasdhair en gardant les yeux rivés sur son visage.

— Je n'ai pas très faim, pour être honnête.

Il avait une tache de sang sur la poitrine. Le sang de Donald. Et d'autres encore, plus petites, sur les mains. Ces mains qui avaient combattu pour elle. Elle avait envie de prendre soin de lui. De l'apaiser, de l'aider à trouver le repos. Elle se sentait rougir, mais elle espérait qu'il mettrait cela sur le compte de l'eau chaude du bain qu'elle venait de prendre.

— Je n'aime pas voir le sang de Donald sur toi, murmura-t-elle. Il y a une bouilloire sur le feu, là-bas. Tu pourrais utiliser l'eau de mon bain.

Alasdhair n'avait pas remarqué les taches. Lui non plus n'aimait pas savoir qu'il portait le sang de McNair sur lui, mais à cette heure, c'était bien le dernier de ses soucis. Il trouvait quasiment impossible de ne pas regarder la chemise d'Ailsa épouser les courbes délicates et voluptueuses de son corps. Et l'idée de partager l'eau de son bain lui semblait terriblement excitante.

Derrière ses paupières closes, il ne cessait de voir des images d'elle toute nue, debout dans le baquet, sa chair laiteuse parcourue de petites rigoles qui glissaient entre ses seins et sur ses fesses rebondies, quelques gouttelettes scintillantes accrochées aux boucles humides qui foisonnaient entre ses jambes. Sous son *plaid*, il se sentait durcir horriblement.

— Alasdhair ?

Il ouvrit les yeux pour la découvrir tout près de lui. Pas assez près. Trop près.

— Je devrais…

Elle avait envie de lui dire. Les mots luttaient en elle, encombrant sa gorge, agaçant ses lèvres. Elle voulait lui dire. L'urgence de ce désir la surprenait elle-même. Elle avait envie de l'embrasser. Envie qu'il la prenne dans ses bras et l'y serre de toutes ses forces. Il la regardait d'un air si étrange. Il devait être si fatigué. Elle n'allait pas lui dire, mais elle pouvait quand même prendre soin de lui.

Sans se donner le temps de réfléchir à l'audace dont elle allait faire montre, elle le poussa doucement vers le baquet de bois.

— Laisse-moi faire, murmura-t-elle en commençant à dénouer les lacets de son plastron de cuir.

— Que fais-tu ? s'inquiéta-t-il. Je peux très bien me débrouiller tout seul.

— Il y a des nœuds. J'ai les doigts plus fins que les tiens, répliqua-t-elle en s'attelant à la tâche.

Quand elle en eut terminé, elle fit glisser le lourd plastron de cuir sur les bras d'Alasdhair et le laissa tomber sur le sol.

Il posa les mains sur ses hanches et les tint bien plaquées comme pour se défendre de lui-même. Si seulement elle voulait bien s'écarter un peu, il parviendrait sans doute à reprendre le contrôle de lui-même.

Mais au lieu de cela, elle tomba à genoux devant lui.

— Ailsa, que diable…

— Je veux simplement faire quelque chose pour toi.

Elle dénoua aussi les lacets de ses bottes, la langue pincée entre ses lèvres tant elle se concentrait, et tira la première, puis la seconde, après quoi elle délaça les bas d'Alasdhair et les fit glisser soigneusement sur ses mollets puissants.

Quand elle se releva, elle vacilla un peu, s'agrippant à Alasdhair pour garder l'équilibre. Il ferma les yeux en exhalant un soupir. Il sentait nettement ses cheveux lui chatouiller la poitrine.

Elle prit l'énorme bouilloire dans l'âtre et ajouta de l'eau chaude à celle de son bain.

— Entre, ordonna-t-elle à Alasdhair en le poussant vers le bord du baquet et en ramassant le linge.

— Que fais-tu ?

Il avait l'air abasourdi. La fatigue, sans doute, songea Ailsa.

— Entre dans l'eau, insista-t-elle d'un ton résolu. Laisse-moi te laver. C'est ma faute si tu es dans cet état.

Elle voulait le laver ? Et lui, Seigneur ! Il avait tellement envie de la laisser faire.

Il parvint à rassembler ce qui lui restait de volonté.

— Je peux me débrouiller.

— Je t'en prie, souffla-t-elle en levant vers lui ses yeux violets, ses lèvres roses et ses boucles dorées. S'il te plaît. Il est si peu de choses que je peux faire pour toi alors que tu en as tant fait pour moi. Permets-moi au moins ça.

Alasdhair prit une longue inspiration. Il suffisait qu'il lui reprenne le linge et lui dise de se retourner. Il ouvrit la bouche pour le lui ordonner mais au lieu de cela se retrouva les pieds dans l'eau du baquet. C'était ce qu'elle voulait. Pour Dieu savait quelle raison, elle semblait y tenir vraiment. Qui était-il pour le lui refuser ? Il suffirait de résister. Il pouvait le faire. Qui croyait-il tromper ?

Dieu qu'il était beau, songea Ailsa en se penchant pour remplir une tasse et lui mouiller les cheveux. Elle n'aurait jamais cru trouver un homme beau un jour, et pourtant, c'était le cas. Le haut de son corps avait la couleur du bronze et, entièrement nu hormis le *plaid* qu'il gardait autour des reins, il semblait encore plus massif et plus grand. Une ecchymose bleuissait sur son épaule, une autre sur ses côtes. Ailsa fit couler de l'eau sur sa nuque et regarda, fascinée, les gouttelettes qui s'accrochaient aux poils de sa poitrine pour glisser ensuite sur son ventre plat, dans son nombril et poursuivre leur course provocante jusqu'en dessous de sa ceinture. Elle lui mouilla le dos ensuite, et les cicatrices blanches qu'elle avait remarquées plus tôt.

— D'où te viennent ces marques ? s'enquit-elle en en suivant le dessin du bout des doigts.

— Je t'ai dit que j'ai travaillé sur une plantation qui employait des esclaves, au début. Disons qu'on a mis fin à mes fonctions d'une manière un peu… violente.

Ailsa considéra les cicatrices avec horreur.

— Veux-tu dire qu'on t'a fouetté ? s'exclama-t-elle, les larmes aux yeux. Qu'avais-tu donc fait pour mériter un châtiment aussi barbare ?

— Le contremaître était extrêmement cruel avec le personnel, et particulièrement les esclaves. Je lui ai tenu tête, aussi a-t-on décidé de faire de mon cas un exemple. Ma punition a fait grande impression, à plus d'un titre. Depuis ce jour, j'ai toujours fait en sorte que ceux qui travaillent pour moi soient bien traités et travaillent dans les meilleures conditions possibles. Allons, donne-moi ce morceau de savon. Laisse-moi faire.

Elle dégagea sa main rapidement.

— Non.

— Ailsa, je ne pense vraiment pas que…

— Alors ne pense pas, et tais-toi, ordonna-t-elle en posant un doigt sur ses lèvres pour lui intimer le silence.

Il devait penser, au contraire. Et se remettre les idées en place, maintenant, avant qu'il ne soit trop tard, mais son esprit refusait de se laisser gendarmer.

Encore sous le choc de l'enlèvement d'Ailsa, et bouleversé par le désir de la protéger qui le submergeait comme une vague énorme dès que l'idée qu'elle puisse être en danger lui venait à l'esprit, il s'effrayait de la force des sentiments qui l'agitaient. Il ne savait trop qu'en faire, ni ce qu'ils signifiaient, car tout en comparaison semblait insignifiant désormais et il ne pouvait plus se leurrer en se répétant qu'ils n'étaient finalement que l'écho lointain d'une toquade adolescente.

Ce tiraillement douloureux, ce déchirement intérieur, cette voix qui lui criait qu'elle était sienne avec une conviction sans cesse grandissante chaque fois qu'il la regardait ou pensait à elle, tout cela n'avait rien à voir avec quelque chose d'aussi insipide qu'un premier amour. Il n'avait tout bonnement jamais rien éprouvé de tel de toute son existence, et il n'était pas certain d'en avoir le désir. La seule chose qu'il savait avec certitude, c'était qu'il fallait l'éradiquer de sa vie, parce que c'était trop douloureux et qu'il ne voulait plus l'endurer.

Oui, il fallait qu'il réfléchisse. Vraiment. Sérieusement. Mais comment faire quand Ailsa était si près, qu'elle sentait si bon, et qu'elle était si adorable, si vulnérable, si douloureusement désirable ?

Il n'avait pas souvenir d'avoir jamais éprouvé quelque chose d'aussi sensuel que la lente caresse du linge sur sa peau, que celle, plus délicate encore, des doigts d'Ailsa repoussant les cheveux humides de son front ou s'appuyant sur ses épaules, son torse ou son dos quand elle cherchait à garder son équilibre en le frottant.

Ses seins le frôlaient à travers le coton humide de sa chemise, conférant à ses mouvements réguliers une charge érotique inouïe.

La douce intimité de la scène, l'odeur de la peau d'Ailsa se mêlant à la sienne, le fait qu'elle utilisait pour lui l'eau dont elle venait de sortir, et le même linge, ne ressemblait à rien de ce qu'il avait pu connaître avec quiconque auparavant.

Elle lui lava les mains, les bras, debout sur la pointe des pieds, lentement, puis passa au torse, aux épaules. Le long de ses bras, de nouveau. Et lui restait parfaitement immobile. Quand elle atteignit son ventre, il sut immédiatement qu'il ne pourrait pas résister beaucoup plus longtemps. La malheureuse venait d'échapper de justesse à un homme qui voulait la séduire, si l'on pouvait appeler ainsi le sort que McNair lui réservait et l'on pouvait parier qu'elle n'avait certainement pas envie de se retrouver en butte aux avances d'un homme à cette heure.

Elle faisait cela par gentillesse, et par obligation, pour payer la dette qu'elle croyait lui devoir, mais elle n'avait aucune idée de l'effet que ce rituel étrange avait sur lui. Strictement aucune. Et il n'était pas question qu'il le lui laisse voir.

— Cela suffit.

Doucement, à contrecœur, mais d'un geste déterminé, il lui prit le linge et le savon des mains.

— Je te remercie, mais je vais me débrouiller tout seul à présent. Tu as l'air épuisée. Tu devrais aller te coucher. Je vais te laisser tranquille dans une minute.

Ailsa hocha la tête et fit ce qu'il lui ordonnait. Elle s'assit sur le bord du lit, une rougeur soudaine colorant ses joues en même temps que son désir luttait contre la gêne que lui causait a posteriori l'audace dont elle venait de faire preuve. Elle ne regrettait rien, pas une seconde, cela dit. Chaque pouce du corps d'Alasdhair qu'elle avait senti sous ses doigts resterait à jamais gravé dans sa mémoire. Comme aurait-elle pu avoir des regrets, puisqu'elle l'aimait ?

Oui, elle l'aimait, elle l'aimait, elle l'aimait. Prononcer ces mots la remplissait de joie. Elle ferma les yeux pour protéger son précieux secret.

Chapitre 8

Quand elle rouvrit les yeux, Alasdhair se tenait au-dessus d'elle, le corps encore luisant de son bain, les cheveux bien lissés en arrière, seulement vêtu de son *plaid* imprégné d'eau.

— Alasdhair, souffla-t-elle, juste pour le plaisir de murmurer son nom.

Quand il s'assit près d'elle, Ailsa remarqua qu'il sentait le savon et la laine mouillée.

— Crois-tu que tu vas t'endormir à présent ?

— Pas encore, je veux savoir comment tu m'as retrouvée.

Il hésita longuement.

— Je te le dirai demain matin, peut-être, quand...

— Non. Je veux savoir, maintenant. Ne t'inquiète pas. J'imagine que ma mère a pris sa part dans cette affaire.

— Elle semble tenir beaucoup à ce que tu épouses Donald McNair.

La bouche d'Ailsa trembla.

— Assez pour ourdir avec lui mon enlèvement, soupira-t-elle en se frottant le front avec le dos de sa main. Quel soin elle prend de moi, vraiment ! Tu sais, l'ironie de la chose, c'est que juste avant que Donald n'entre dans ma chambre comme un soudard, j'étais en train de me reprocher d'avoir été trop dure avec elle.

Elle m'a dit hier soir que, malgré les apparences, elle m'aimait. J'ai pensé que, puisqu'elle était ma mère, elle méritait que je lui donne une dernière chance. J'aurais dû me méfier. Quand Donald a fait irruption dans ma chambre, je me suis dit immédiatement que jamais il n'aurait osé faire une chose pareille sans qu'elle le sache.

— Sa logique est tordue, sans doute, mais je crois vraiment qu'elle a cru agir pour ton bien en hâtant ton mariage avec McNair.

— Comment peux-tu dire une chose pareille ? Elle sait, je le lui ai dit sans ambiguïté, que je ne veux pas épouser Donald. Comment peut-elle penser une seule seconde que me rendre malheureuse pourrait être dans mon intérêt ?

— Je suis désolé, Ailsa, mais j'ignore la réponse à cette question. Je sais, en revanche, qu'elle t'aime. Elle me l'a dit.

— En ces termes-là ?

Elle le regardait de ses grands yeux violets, suspendue à ses lèvres. Cela semblait une chose si naturelle de dire cela, pour une mère. Et pourtant elle ne l'avait jamais fait.

— Oui.

— Crois-tu qu'elle était sincère ?

Alasdhair avait l'impression qu'une main géante lui serrait le cœur. Il ne pouvait supporter de la voir déçue, mais il ne pouvait pas plus accepter de lui mentir.

Selon lui, lady Munro avait eu un comportement impardonnable vis-à-vis de sa fille. Quelles que fussent ses motivations, elle avait conspiré pour que Donald enlève Ailsa et aurait toléré que celle-ci soit mariée de force tout en sachant fort bien quels sentiments elle nourrissait pour ce dernier. Ce n'était pas seulement un geste d'un égoïsme forcené et d'une indélicatesse extrême, mais une démonstration de cruauté inouïe, et il la méprisait pour cela.

Le dire, cependant, et proclamer au grand jour les sentiments que lui inspirait la mère d'Ailsa n'aurait pu que blesser celle-ci, et elle avait assez souffert. Lady Munro avait manifesté certains remords, certes, mais trop peu et surtout trop tard.

Sans compter qu'il avait quasiment dû les lui arracher.

— A sa façon, répondit-il prudemment.

Ailsa se passa la main dans les cheveux pour repousser les mèches qui lui tombaient sur le visage.

— Peut-être. Mais je doute qu'elle reste dans cet état d'esprit très longtemps, surtout quand elle apprendra que ses efforts ont été vains, grâce à toi.

Alasdhair poussa un profond soupir.

— Je pense qu'elle sera simplement soulagée d'apprendre que tu es saine et sauve. Sincèrement, Ailsa, je ne pense pas qu'elle veuille te rendre malheureuse. C'est plutôt qu'elle tient tellement à ce que les choses se fassent comme elle le souhaite qu'elle ne parvient pas à voir au-delà.

— C'est gentil de ta part de dire ça, et je sais que tu le fais pour que je me sente mieux, mais franchement, Alasdhair, c'est inutile.

— As-tu pensé à ce que tu vas faire maintenant ? s'enquit-il.

Ailsa secoua la tête.

— Je ne sais pas. Je préférerais ne pas y penser maintenant, si cela ne te gêne pas. Reste avec moi une minute, et parle-moi de tes plans.

Elle n'avait pas vraiment envie de les connaître, car

ce qu'ils impliquaient risquait fort d'être douloureux, mais si elle restait dans l'incertitude à leur propos, alors elle s'autoriserait à espérer, et ce serait encore plus insupportable.

— Ma mère a glissé dans la conversation qu'elle savait depuis toujours où se trouvait la tienne. Elle m'a dit que tu étais parti à sa recherche.

— C'est exact. Je pensais me rendre à Inveraray — c'est là qu'elle se trouve — après t'avoir fait mes adieux, mais quand je suis arrivé au château et que j'ai appris que tu n'y étais plus, j'ai changé d'avis.

— Inveraray n'est pas si loin d'ici, murmura-t-elle avec un air songeur. Tu dois avoir tant de choses à lui demander.

Alasdhair fronça les sourcils.

— Peut-être. Je veux dire, oui, bien sûr, j'en ai beaucoup. Je me demande seulement si les réponses m'importent encore.

— Pourquoi ne serait-ce plus le cas ?

— Elle a quitté mon père pour un autre homme et m'a abandonné par la même occasion. Elle n'a jamais essayé d'entrer en contact avec moi. Elle devait avoir ses raisons. J'en suis même sûr, mais quelle différence cela fait-il maintenant ?

Ailsa ne put résister à l'envie soudaine qu'elle avait de lui prendre la main.

— Alasdhair, tu ne peux pas renoncer à cette visite à cause de moi, si c'est ce qui te préoccupe. Tu es épuisé, à cause de moi. Demain, tu verras sans doute les choses d'un autre œil. Je peux rentrer facilement à Errin Mhor, tu sais. Je ne voudrais pas que…

— Non. Il n'en est pas question.

— Je suis tout à fait capable…

— Non. Tu ne vas nulle part toute seule.

— Ne me dis pas que tu penses ma mère capable d'ourdir un second enlèvement, s'exclama-t-elle. Même si c'était le cas, Donald n'est vraiment pas en état de songer à se marier.

Alasdhair sourit avant de répondre :

— En effet, McNair ne sera pas capable de mettre un genou à terre avant longtemps. Cela sera un soulagement pour les femmes du comté d'Argyll.

— Ne t'inquiète pas pour moi. Il ne faut pas.

— Je ne peux m'en empêcher.

Soudain, le feu se mit à crépiter dans la cheminée et Alasdhair se retourna pour poser deux blocs de tourbe séchée sur les braises. Dieu que le *plaid* lui allait bien, songea Ailsa en le regardant.

Certains hommes avaient des jambes grêles et chétives, mais les siennes étaient bien formées et solides. Elle n'avait jamais vraiment remarqué auparavant à quel point ce vêtement mettait en valeur le corps d'un homme, pourvu que celui-ci soit bien bâti.

Peu d'hommes pouvaient se vanter d'être aussi beaux qu'Alasdhair lorsqu'il portait la tenue des Highlanders. Aucun, en fait, si elle y songeait un instant. Elle aurait volontiers parié qu'il ne s'en trouvait pas un seul dans toute l'Ecosse pour rivaliser avec lui.

Il abandonna le feu pour revenir vers elle.

— Je devrais te laisser dormir. Tu n'auras pas peur, toute seule ici ?

— Non, tout ira bien, répondit-elle, d'une voix néanmoins incertaine.

Elle n'avait pas envie d'être seule. Ni de penser à ce

qui avait failli lui arriver avec Donald. Et puis, surtout, elle n'avait pas envie qu'Alasdhair la quitte.

— Viens ici, Ailsa, lança-t-il en se penchant pour la prendre dans ses bras et la serrer fort contre sa poitrine. Tu es sauve à présent, je te le promets. Personne ne te fera de mal tant que tu seras avec moi. Ne pleure pas, je t'en supplie. Je ne supporte pas de te voir pleurer.

— Je ne pleure pas.

Elle disait cela d'une voix étouffée, car son visage était pressé contre le torse d'Alasdhair.

Il lui caressa les cheveux. Elle sentait le savon et le soleil. Elle était douce, merveilleusement souple. Et elle se sentait à sa place ainsi lovée entre ses bras.

— Je suis navrée de t'avoir causé autant de soucis, murmura-t-elle, les lèvres pressées contre sa peau.

— Je suis prêt à endurer n'importe quoi pour toi, répondit-il.

En le disant, il sut que c'était vrai, qu'il le pensait pour de bon, de tout son cœur. Elle avait les cheveux secs, à présent. Ils tombaient en une cascade dorée sur sa nuque et son dos. Alasdhair perdit ses doigts dans les boucles légères, suivant leurs volutes jusqu'au bas des reins. L'atmosphère dans la pièce changea d'un coup, si subitement qu'ils se sentirent nerveux l'un et l'autre.

Il la lâcha et recula d'un pas.

— Je devrais partir.

— Non. Reste.

— Il faut que tu dormes, insista-t-il, mais sans bouger.

Alasdhair se rappela soudain l'étrange sensation qu'il avait éprouvée, sur le bateau, quand elle avait posé ses pieds nus sur les siens. C'était la chose la plus érotique qu'il ait jamais ressentie. Sans pouvoir s'en empêcher, il tomba à genoux pour saisir l'un de ses pieds. Il était bien arqué, avec une cheville émouvante. Ses orteils minuscules semblaient insupportablement fragiles dans sa paume. Une tristesse à la fois douce et déchirante, mais aussi une nostalgie affreusement douloureuse le submergeaient si violemment tout à coup qu'il pouvait à peine respirer. C'était comme de voir devant ses yeux, avec une absolue clarté, les images d'un rêve dont il n'aurait gardé aucun souvenir jusque-là.

Il embrassa doucement l'endroit où, sous la peau diaphane de sa cheville, palpitait une veine avant de relâcher son pied, puis tendit les bras vers elle, dans l'unique intention de poser un baiser sur son front. Pour la consoler, la réconforter, lui souhaiter bonne nuit, rien de plus.

Mais elle lui sourit si doucement, ses grands yeux violets luisant d'appréhension, sa peau chatoyant sous la caresse de la lumière vacillante, qu'il fut convaincu soudain que s'il l'embrassait pour de bon, tout s'arrangerait d'un coup et qu'il comprendrait pourquoi son esprit était dans un tel émoi. Et elle serait guérie, elle aussi, de toute la souffrance qu'elle avait subie au cours de cette terrible journée. Oui, son baiser chasserait la douleur et la protégerait. A condition qu'il le lui donne.

Il lui prit la tête entre ses mains et resta ainsi un moment, les yeux plongés dans son regard mauve. A voir la façon dont elle le fixait, il avait l'impression étrange qu'elle voyait tout au fond de son âme, qu'elle aurait pu lui révéler à lui-même son être intime qu'elle seule connaissait. Jamais il n'avait éprouvé une telle tendresse, ni un tel désir forcené de plaire, d'apaiser, de faire plaisir.

— Tu es belle, Ailsa…, murmura-t-il avant de l'embrasser.

Sa bouche était encore plus suave que dans son souvenir. Comme une fleur délicate couverte de rosée et gorgée de nectar. Il lui donna le plus doux des baisers, les doigts perdus dans les boucles blondes qui la couronnaient, puis laissa ses lèvres glisser plus bas, sur son cou gracile, puis vers le lobe de son oreille. Il la sentit frémir sous la caresse tandis que son propre corps réagissait en écho, frissonnant de plaisir. Avec un grognement de fauve il l'entoura de ses bras.

Ailsa ne protesta pas. Elle n'aurait pas pu, d'ailleurs, et si l'idée lui en était venue, elle ne l'aurait pas fait. Ce qu'ils faisaient était parfaitement naturel, parfaitement normal. Elle le pensait avec une conviction qui aurait étonné celle qu'elle était à peine quelques heures plus tôt. A cet instant précis, il n'y avait plus ni passé ni avenir. Il n'y avait plus qu'elle et Alasdhair, celui qu'elle n'avait jamais cessé d'aimer. Elle n'avait plus ni la volonté ni l'énergie de résister, et de toute façon, elle n'en avait aucune envie. Il avait besoin d'elle. Elle le sentait à la façon dont il la touchait, dont il la regardait. Il avait besoin d'elle, et elle lui donnerait tout ce qu'il voudrait, parce qu'elle l'aimait sans réserves.

Ses baisers, ses caresses étaient doux, apaisants, rassurants. Ils demandaient, mais ne prenaient pas. Elle avait l'impression de fondre lentement, telle la neige au printemps sur le flanc des montagnes. Le contact de sa peau incendiait sa chair.

Elle s'agrippait à lui, les doigts perdus dans ses mèches noires, caressant ses épaules puissantes, s'exaltant de sentir sous ses paumes les muscles tendus et fermes jouer comme autant de vagues sur la mer.

Il continuait à l'embrasser doucement. Elle se sentait légère, comme flottant sur un zéphyr et elle aurait voulu que cela dure toujours. Des baisers, des baisers, des baisers, encore et encore. Sur le front, les paupières, le cou, les lèvres de nouveau.

Elle avait l'impression de perdre pied, parce que l'émerveillement la bouleversait, au début, puis parce que son corps réclamait convulsivement qu'il continue, qu'il s'enhardisse.

Elle remarqua à peine le changement qui venait de faire basculer leur étreinte dans quelque chose de plus fort, de plus intense, de plus sombre et de plus voluptueux encore.

Alasdhair l'étendit précautionneusement sur le lit. Elle resta immobile, les yeux grands ouverts, comme une déesse envoyée sur la Terre par quelque généreuse divinité. Il voulait l'adorer, lui rendre un culte. Elle méritait qu'on la vénère, qu'on lui montre à quel point elle était belle, des pieds à la tête.

— Tu es belle, Ailsa, murmura-t-il. Belle et adorable.

Elle se sentait comme dans un rêve, un rêve délicieux.

— Adorable…, répéta-t-elle en l'attirant contre sa poitrine.

Les lacets de sa chemise semblèrent se dénouer d'eux-mêmes. Et quand il prit la pointe durcie de son sein entre ses lèvres, elle se mit à gémir, en une plainte si douce qu'Alasdhair sentit son sang se ruer dans ses veines, incendiant son ventre.

Ses caresses la faisaient ondoyer de plaisir et frissonner. Sa bouche était sur un sein, flattant, mordillant, suscitant des fulgurances voluptueuses qu'elle n'aurait jamais pu imaginer dans ses rêves les plus fous. Elle se sentait à la fois légère comme une plume et tendue comme un arc, brûlante et glacée. Elle ne craignait plus pour elle, et en même temps elle avait l'impression d'être conduite, de force, vers le bord d'un précipice.

La main d'Alasdhair était sur sa cuisse à présent, et caressait sa chair tendre. Il l'embrassa de nouveau tout en laissant courir ses doigts sur ses jambes. Le plaisir d'Ailsa était si intense qu'elle avait l'impression de fondre.

Les lèvres d'Alasdhair quittèrent les siennes pour descendre entre ses seins. Il caressa la courbe de ses hanches, la rondeur soyeuse de son ventre à travers l'étoffe fine de sa chemise. Il changea de position, glissant plus bas pour embrasser sa cheville, son genou, l'intérieur de ses cuisses. Bientôt, il fut entre ses jambes et se mit à la caresser de sa langue, léchant l'endroit le plus intime de son être jusqu'à ce que l'incendie se répande en elle comme une traînée de poudre.

Ailsa était comme une graine palpitante et rose enfouie dans les entrailles de la terre. Les doigts caressants d'Alasdhair l'attiraient vers la surface avec une urgence fébrile. Des aiguilles de plaisir chauffées au rouge explosaient en elle chaque fois qu'ils caressaient l'intérieur de son ventre, la faisant s'épanouir comme un buisson de fougères luxuriantes dans la chaleur humide. La bouche d'Alasdhair insufflait son souffle de vie en elle, et des pétales écarlates se déployaient à chaque mouvement de ses doigts.

Elle se sentait comme suspendue en l'air, et Alasdhair continuait inlassablement à nourrir les flammes qui la consumaient.

Elle entendit un halètement étrange et réalisa vaguement qu'il venait d'elle-même. Un picotement douloureux montait dans les pointes de ses seins. La fleur qui croissait en elle cherchait la lumière, fiévreusement. Des traînées roses et rouges chatoyaient sous ses paupières. La langue d'Alasdhair entra en elle tandis qu'il la retenait de ses mains, à la fois fermement et avec une infinie douceur, et tout d'un seul coup se concentra avec la même intensité qu'un rayon de soleil traversant le verre épais d'une loupe. Son sang lui-même sembla se ruer vers son ventre, comme une marée indomptable, drainant avec lui toute la chaleur du reste de son corps. A la caresse suivante, elle s'arqua sur son lit sans pouvoir se contrôler. Son esprit enregistra surprise et plaisir, si intenses tous les deux que c'en était presque douloureux, et la délivrance survint comme un raz-de-marée de bonheur qui submergeait tout sous ses vagues furieuses.

Alasdhair n'avait jamais rien goûté d'aussi suave. Ni éprouvé un tel plaisir, une telle satisfaction à simplement donner. Sentir les tremblements et les frissons de son orgasme sur ses lèvres lui procurait une joie indicible. Et son désir d'être en elle, profondément enfoui dans l'antre accueillant et soyeux lui fouaillait les reins avec une violence qu'il ne connaissait pas.

Alasdhair posa un baiser langoureux sur le mont de Vénus encore palpitant d'Ailsa. Le souffle court et rauque, le cœur cognant dans sa poitrine avec la même frénésie que les tam-tams des esclaves sur la plantation, il embrassa tendrement le pli délicieux qui s'ouvrait au sommet de chacune des cuisses de la jeune femme, en suivant de sa langue la courbe de chacun. Enfin, il se força à s'asseoir devant elle, le sexe si bandé qu'il en était douloureux.

Ailsa ouvrit les yeux sur un monde embrumé et inondé de plaisir et remarqua aussitôt le rouge sombre qui colorait les joues d'Alasdhair. Ses yeux avaient la teinte de la fumée de tourbe, sa poitrine se soulevait et retombait rapidement, comme s'il venait de courir. Il se pencha sur elle pour l'embrasser sur le front et lui caresser les cheveux.

— Tu es belle…

— Adorable, murmura-t-elle en écho.

Le désir en lui se faisait plus fort, plus violent, plus troublant. Son intensité, sa persistance l'effrayaient, car il ne lui connaissait aucun remède.

— Dors, maintenant, Ailsa.

— Alasdhair.

— Quoi ?

Une léthargie délicieuse l'envahissait doucement. Elle avait l'impression de flotter en l'air, sans pour autant que son corps cesse de peser, d'être ancrée au sol, et pourtant libre comme le vent. Elle se blottit contre lui, savourant son odeur rassurante, comme elle l'avait fait à l'auberge.

— Bonne nuit…

… *mon amour*, ajouta-t-elle en elle-même en glissant ses bras autour de lui.

Alasdhair essaya de s'arracher à elle avec précaution, mais elle protesta en murmurant et comme il n'avait pas besoin qu'elle le persuade beaucoup, il se laissa faire. De cette façon, il pourrait s'assurer de sa sécurité. Et si elle se réveillait au milieu de la nuit, il serait là pour elle.

Il tira les couvertures de laine brute autour d'eux

et, quand Ailsa se lova contre lui, il l'attira contre son flanc en la prenant aux épaules, les yeux rivés sur elle, admirant l'auréole de ses cheveux d'or, la moue sur ses lèvres gonflées des baisers dont il venait de l'étouffer. Bien qu'il n'ait pas lui-même atteint le plaisir, il se sentait comme rassasié, d'une certaine façon.

Il la tint serrée contre lui pendant un long moment, à regarder la lune décrire sa courbe dans le ciel.

De sa vie, jamais il n'avait passé une nuit avec une femme sans dormir à un moment ou un autre. Jamais il n'avait serré sa conquête contre lui pour la soustraire au danger. Ni ressenti ce mélange de tendresse et d'envie de la protéger qu'il éprouvait à cet instant. Ni laissé passer les heures sans exiger d'être satisfait.

Alasdhair finit par s'assoupir pour se réveiller quelques heures plus tard, agité par un désir encore plus incontrôlable que celui qui l'avait submergé la veille.

Il repensa à leurs ébats de la nuit.

Oh, Seigneur!

Après s'être dégagé précautionneusement du délicieux petit paquet qui gisait à côté de lui, Alasdhair passa rapidement ses vêtements et sortit. La brume du matin planait au-dessus du *loch* Awe, projetant ses reflets sinistres sur l'eau noire immobile.

Les collines qui ondoyaient doucement jusqu'à la rive, de l'autre côté du lac, étaient encore brunies du long hiver, bien que la neige eût fondu et qu'on pût apercevoir par endroits des touffes d'ajoncs dorés ondulant dans la brise près de l'eau.

A chaque goulée d'air qu'il prenait, Alasdhair en

sentait la piqûre glacée dans ses poumons. Ceux qui connaissaient les Highlands savaient que c'était un signe qu'ils n'en avaient pas encore fini avec l'hiver. Il avait oublié à quel point l'air ici était pur et vif en comparaison de celui de la Virginie.

En descendant vers le *loch*, il ramassa une pierre plate et la fit ricocher sur les eaux. Elle rebondit cinq, six, sept fois avant de disparaître. Il n'avait pas perdu la main. Avec Calumn, ils passaient des heures à s'amuser ainsi, étant jeunes.

Distrait un instant par ce souvenir, il lança une autre pierre. Ailsa n'avait jamais su comment faire, elle. Les cailloux qu'elle lançait plongeaient chaque fois après le premier ricochet.

Ailsa. Les choses se mettaient en place dans sa tête à mesure qu'il avançait sur la rive du *loch*. Il était revenu ici, dans sa patrie, démêler l'écheveau du passé pour vivre en paix son avenir. Et se débarrasser du fantôme de son premier amour. Et demander des comptes à lord et lady Munro. A sa mère aussi. Pour mettre un terme à son bannissement afin de pouvoir être heureux dans son exil. Et trouver des réponses.

Il en avait trouvé, mais aucune, pas une seule, n'était celle qu'il attendait. Il s'assit sur un tronc d'arbre abattu qui, à en juger par l'état de sa surface, devait être un endroit très prisé par les habitants du cru.

Une partie du problème venait du fait que l'image qu'il avait espéré rendre plus claire s'était révélée être totalement différente de ce à quoi il s'attendait, et que son passé — la source de son être même — n'était pas du tout ce qu'il croyait. Il avait espéré rentrer en Virginie l'âme en paix, et voilà qu'à l'heure où il s'apprêtait à repartir, il ne se reconnaissait plus du tout, comme s'il était devenu un autre homme.

Il laissa son regard errer sur le *loch*. C'était une chose de reconnaître à quel point il avait changé, mais c'en était une autre bien différente d'affronter les conséquences de cette transformation.

Il était tellement habitué à nier la réalité, à se réfugier derrière le rempart de son propre isolement qu'il pensait qu'une fois une brèche ouverte dans celui-ci, tout retour en arrière deviendrait impossible. Il se retrouverait nu, comme à découvert, vulnérable, c'est-à-dire affaibli. Et pourtant, la nuit dernière… n'avait-ce pas été exactement le contraire ? Il avait aperçu quelque chose de si aveuglant qu'il ne s'en était toujours pas remis. Comme une qualité de lumière différente, une plénitude d'une autre nature, d'une autre intensité.

Le bonheur, peut-être ?

L'amour.

— L'amour, dit-il à haute voix, et le mot dans sa bouche lui sembla étrange.

Il était nouveau, inconnu.

L'amour. Il avait grandi en lui depuis ses retrouvailles avec Ailsa. Comme une petite amande qui aurait poussé si vigoureusement au soleil de la présence d'Ailsa qu'il avait voulu l'arracher de peur qu'elle prenne racine. Mais en vain. Elle avait pris racine. Il l'aimait.

Oui, il l'aimait. C'était si simple, et pourtant si loin de ce qu'il avait imaginé. Et le plus étonnant, le plus ahurissant de tout, c'était le soulagement qu'il retirait de ce constat, comme si, venant de se débarrasser de son armure, il s'était aperçu que la guerre était depuis longtemps gagnée. Il ne se sentait pas vulnérable, mais libéré. Le futur exaltant décrit par Ailsa autrefois s'ouvrait devant lui, aussi réel et lumineux que le soleil lui-même.

Oui, il l'aimait. Et elle l'aimait aussi. Forcément. Parce que c'était la seule explication au fait qu'elle se soit donnée à lui la veille. Elle ne l'aurait pas embrassé de nouveau après la première fois, ni n'aurait trouvé le courage de se débarrasser de McNair ou de faire tout ce qu'il avait été trop aveugle ou trop stupide pour voir qu'elle faisait. Il ne pouvait pas y avoir d'autre explication.

Alasdhair se remit sur ses pieds d'un bond. Il avait beaucoup trop attendu pour lui demander d'être sienne, et il ne pouvait plus supporter de différer encore. Elle était sienne, il ne pouvait en être autrement. Il fallait qu'elle le soit. Voilà à quoi avaient servi les six années qui venaient de passer. Et les derniers jours. A remodeler les choses, à les faire mûrir. Elles ne s'étaient pas déroulées comme il fallait, trop tôt ou trop tard chaque fois, mais maintenant, tout se mettait en place à la perfection. Il le fallait, car sans Ailsa, rien n'aurait de sens, jamais, quoi qu'il fasse.

Lady Munro arpentait d'un pas nerveux l'espace confiné de son petit bureau d'Errin Mhor. Elle n'avait quasiment pas dormi, hormis quelques minutes d'un sommeil agité, depuis que Donald avait emmené Ailsa. Ou, pour être plus précis, depuis qu'elle avait permis que McNair enlève sa fille. Et depuis qu'Alasdhair Ross lui avait fait voir en face l'abject échec qu'était sa vie de femme et de mère.

Donald McNair était rentré à Ardkinglass, quoique

le voyage lui eût tant coûté qu'on avait craint au début qu'il ne meure en route de ses blessures.

On savait à présent que même s'il survivait, il serait infirme le restant de ses jours. Certains pensaient que la mort eût été préférable pour un homme fier et viril comme McNair, mais lady Munro n'en faisait pas partie. En fait, elle se moquait qu'il meure ou qu'il survive puisqu'elle n'avait plus aucun espoir de faire de lui son gendre.

Elle avait été folle de rage, au début. Cela lui avait beaucoup coûté, connaissant l'état d'esprit de sa fille quant à son mariage avec Donald, de continuer à en soutenir l'idée, mais l'illusion de sauver sa fille d'elle-même l'avait convaincue de la nécessité d'une telle union. Jusqu'à ce qu'Alasdhair Ross lui fasse comprendre et admettre que loin de la sauver d'elle-même, elle ne faisait que la rendre malheureuse en s'obstinant dans cette croyance.

Alasdhair Ross. Dieu, qu'elle regrettait qu'il soit revenu à Errin Mhor ! Sans ce retour inopportun, Ailsa aurait été en sécurité. Mariée ou non, elle aurait été ici, au château, chez elle, au milieu des siens, et elles auraient pu reprendre les choses du début et repartir du bon pied. Voilà ce qui se serait passé.

Christina Munro pleurait rarement. Trois fois seulement durant son second mariage. La première quand on lui avait arraché Rory le jour de ses noces. Elle entendait encore Munro lui dire que c'était une leçon salutaire pour elle, car elle ne devait aimer que lui, et lui seul. Et elle l'avait fait, ou elle avait essayé de l'aimer aussi fidèlement qu'elle l'avait promis, en dépit de sa cruauté et de tous ses manquements innombrables, quoique bien sûr il ne les ait jamais considérés comme tels puisque tout ce qui se trouvait ou respirait sur ses terres lui appartenait. Y compris les femmes. Surtout les femmes.

Elle l'avait aimé, oui, mais en faisant semblant de n'aimer que lui, comme il l'exigeait, cachant si bien l'amour qu'elle vouait à ses enfants que personne n'aurait pu le soupçonner, surtout pas eux-mêmes, bien qu'il fût réel. Ils étaient comme trois pierres dans son cœur. Trois pierres cachées et prises dans la glace pour que nul n'en devine l'existence. C'était le seul moyen de les protéger.

Même à présent qu'elle était veuve, l'habitude — durement prise au fils des ans — qu'elle avait de ne jamais montrer la moindre émotion semblait presque inébranlable. Mais elle s'en serait départie si Alasdhair n'avait pas réapparu, elle en était certaine.

La deuxième fois, ç'avait été pour la naissance d'Ailsa, et la troisième, pas très longtemps après : le jour, en fait, où lord Munro avait définitivement mis un terme à son espoir d'être un jour réunie avec son fils aîné une fois pour toutes. Jamais plus elle ne s'était permis cette faiblesse depuis. Jusqu'à aujourd'hui.

A présent qu'elle contemplait le désert passé de ses années de mariage et l'avenir aride et sec qui s'ouvrait devant elle avec une certitude aveuglante, les larmes coulaient sur ses joues sans qu'elle puisse les retenir.

Malgré tous ses efforts pour l'en empêcher, Ailsa était partie.

Avec Alasdhair Ross.

Ils allaient partir pour la Virginie, sûrement, et ne jamais revenir à Errin Mhor.

A moins que…

Christina se figea. Avant de partir pour la Virginie, ils devaient aller à Inveraray. Et rencontrer Morna. Elle leur dirait la vérité. Doux Seigneur ! Ailsa penserait que… Oh, mon Dieu ! Elle penserait exactement ce qu'elle-même avait voulu que Ross pense. Tout était sa faute. C'était elle qui l'avait envoyé là-bas. Qui les avait envoyés, tous les deux ! Oh, mon Dieu, non !

— Qu'ai-je fait ? s'écria-t-elle en regardant le portrait de lord Munro, le visage tordu par l'angoisse. Toi ! C'est à cause de toi !

Elle criait d'une voix chargée de haine à présent.

— C'est toi le coupable !

Pendant près de trente ans, elle avait supporté son mari. Trente années de devoir et de loyauté, et voilà comment il la remerciait. Elle avait perdu l'amour de Rory, son premier-né. Calumn, son second enfant, tolérait sa présence, mais ils étaient comme deux étrangers. Quant à Ailsa, la fille pour laquelle elle avait sacrifié tant de choses, faisant tout son possible pour qu'elles restent proches l'une de l'autre, elle allait la perdre bientôt, et pour toujours ! Tout ce qu'elle avait fait, en particulier avec Donald McNair, elle l'avait accompli pour retenir Ailsa, pour nouer avec elle des liens indestructibles, et il avait fallu que ce soit précisément Alasdhair Ross — grands dieux ! — qui lui montre que tout cela, justement, n'avait eu pour effet que de l'éloigner définitivement.

Alasdhair Ross. Qu'il aille au diable ! Il avait eu raison depuis le début. Elle se reprochait de n'avoir pas pris en considération les aspirations de sa fille, ni compris ce qui pouvait la rendre heureuse, aveuglée qu'elle était par son désir de voir enfin ses espoirs exaucés après toutes ces années.

Et Ailsa aussi était dans le vrai, pourquoi le nier encore ? Elle aurait dû avoir assez de force de caractère pour lancer des ponts, bien des années plus tôt, quand le *laird* était devenu, du fait de sa maladie, si entièrement dépendant qu'il avait perdu en même temps toute son emprise sur elle. Elle regrettait amèrement de s'en être abstenue alors. Le mariage de Rory, celui de Calumn, la naissance de sa petite fille, Kirsty, tous ces événements familiaux qui auraient pu être l'occasion de retrouvailles heureuses, elle les avait laissés passer sans rien faire, par couardise, oui, par couardise, et rien d'autre.

C'était une chose, elle le voyait à présent, de rêver d'un jour où elle pourrait enfin jouer son rôle de mère, mais c'en était une autre bien différente de faire face aux conséquences d'une vie d'adulte passée à échouer dans ce rôle en refusant de l'assumer, paralysée par la peur d'être rejetée.

Sa conscience, ou l'embryon de celle-ci, plutôt, avait la dent dure malgré sa jeunesse. De toute façon, les atermoiements n'étaient plus à l'ordre du jour. Si elle n'essayait pas de faire la paix avec Ailsa maintenant, elle ne le ferait jamais. Si elle ne prenait pas des mesures pour lui dire toute la vérité, pour faire pendant à la version mensongère de Morna, Ailsa vivrait le reste de ses jours dans la certitude d'avoir commis un horrible péché.

Lady Munro tourna la tête vers le portrait du *laird* défunt qui la regardait d'un œil torve.

— Je vais lui parler, lui lança-t-elle d'une voix pleine de défi. Je lui dirai tout, et tu ne pourras pas m'en empêcher !

Elle prit sur son bureau le petit couteau Macleod typique des Highlands, puis :

— Tu ne t'en doutais pas, hein ? siffla-t-elle avec un sourire mauvais. Personne ne s'en doutait !

D'un geste assuré, Christina Munro lacéra la toile en diagonale, séparant la tête du *laird* de son corps.

— Adieu, Iain, cracha-t-elle en jetant le couteau sur le bureau avant de tourner le dos au tableau déchiré et de partir à la recherche de son palefrenier.

Ailsa avait dormi tard et se trouvait encore dans son lit quand Alasdhair fit irruption dans la chambre après avoir frappé à la porte. Surprise, elle se redressa précipitamment en serrant les draps sur sa poitrine, les cheveux tout ébouriffés.

— Alasdhair ! Qu'y a-t-il ? s'exclama-t-elle, le rouge lui montant aux joues à l'instant où elle se souvint de la nuit précédente.

Lui aussi avait rougi. Il y avait un air sur son visage qu'elle ne lui connaissait pas encore. Ses yeux brillaient, ses vêtements étaient en désordre, comme s'il venait de les passer en une fraction de seconde.

— Est-il arrivé quelque chose ?

— Non, je veux dire… oui… enfin…

A présent qu'il était devant elle, il comprenait qu'il n'avait pas réfléchi autant qu'il aurait fallu. Comme c'était la première fois, il n'avait strictement aucune idée de la manière dont il fallait s'y prendre. Pis encore : dans le peu de temps qu'il lui avait fallu pour arriver jusqu'ici, un peu de ses certitudes quant aux sentiments qu'Ailsa nourrissait à son égard semblaient s'être dissipées. Et si, finalement, elle ne l'aimait pas ? Ou, plus grave encore, et si, alors qu'elle s'apprêtait à l'aimer de nouveau, il en avait fait suffisamment pour l'en dissuader ? Pourquoi diable s'était-il montré si opposé au mariage ? Et à l'amour ? Il n'arrivait plus à s'en souvenir.

— Ailsa.

Etant jeune, il se souvenait d'avoir été impulsif, mais il devait son succès dans les affaires à sa capacité à réfléchir et à planifier soigneusement les choses. Et voilà qu'il se trouvait devant elle, au moment de faire la plus importante déclaration de sa vie, totalement muet et incapable de prononcer les paroles qui, à peine une minute plus tôt, lui semblaient encore parfaitement simples et évidentes. C'était comme d'essayer d'attraper des plumes dans une tornade.

— Ailsa.

Elle répondit avec un sourire incertain.

— Oui. Qu'y a-t-il ?

Alasdhair prit une longue inspiration.

— Ailsa… Je t'aime !

Elle le regarda, abasourdie, refusant de croire ce qu'elle venait d'entendre. Alasdhair, lui, semblait comme frappé par la foudre. Après un moment, il fit un bruit étrange, quelque chose entre le rire et le coassement, et, prenant conscience qu'il se trouvait encore sur le seuil de la pièce, ferma la porte et s'avança vers le lit.

— Pardonne-moi.

— Tu l'as dit sans le penser ?

— Non. Si ! Bien sûr que je le pense. Je suis simplement désolé que ce soit sorti comme ça.

Il lui prit la main et la frotta doucement contre sa joue avant de la relâcher.

— Je n'ai encore jamais été dans cette situation. Je ne sais pas comment faire.

— Comment faire quoi ?

— Comment demander à une femme si elle veut vous épouser.

— Oh…

Les yeux d'Ailsa s'écarquillèrent de surprise. Elle porta la main à son cœur comme si elle voulait empêcher son cœur de sauter hors de sa poitrine.

Alasdhair prit une nouvelle inspiration et vint s'asseoir à côté d'elle sur le lit, puis lui prit la main et la serra très fort entre les siennes.

— Je t'aime, Ailsa. Tu dois penser que je suis fou, car c'est ce que je pense de moi-même pour n'avoir pas compris plus tôt que je t'aimais. J'ai continué de penser que cela passerait, même si je ne savais pas trop de quoi il s'agissait. Je crois que je ne voulais pas que ce soit ça. Pour moi, vois-tu, tomber amoureux a toujours été un signe de faiblesse, et je n'ai jamais eu de difficulté à m'en garder. Je croyais que je n'avais besoin de personne, que je ne voulais partager ma vie avec personne. Je croyais être plus fort en restant seul. Plus en sécurité. J'ai cru toutes sortes de choses qui ne rimaient à rien simplement parce que la vérité me faisait peur. Mais c'est fini. Je t'aime, Ailsa. Purement et simplement, je t'aime.

— Oh ! Alasdhair !

Elle ne pouvait parler tant l'émotion lui serrait la gorge. C'était le plus beau, le plus parfait moment de sa vie et elle ne trouvait pas les mots pour exprimer ce qu'elle avait à dire. Bientôt, cependant, ils lui vinrent tout naturellement, sans qu'elle ait à faire le moindre effort :

— Oh, Alasdhair, je t'aime tant !

Le sourire qu'il lui adressa s'enroula autour de son cœur comme un lierre.

— Ailsa. Oh, mon Dieu, Ailsa, si tu savais combien…

— Oh ! mais je le sais, je le sais ! répondit-elle en se jetant dans ses bras.

Les mots étaient inutiles désormais, car ils parlaient avec leurs lèvres, leurs mains, leur corps. Ils échangèrent des baisers fiévreux, brûlants, totalement différents de ceux qu'ils s'étaient donnés jusque-là. La passion s'embrasait entre eux comme un éclair traversant le ciel, dardant ses bras innombrables jusque dans leurs veines, de sorte qu'ils avaient réellement l'impression d'être en feu l'un et l'autre. Ils déchirèrent fébrilement boutons, boutonnières, rubans et lacets pour se toucher enfin, chacun cherchant la peau douce, ardente et fébrile de l'autre sans que leurs lèvres jamais ne se séparent, si furieusement pressées en une interminable étreinte qu'ils n'auraient su dire qui embrassait qui.

Alasdhair jeta son gilet sur le sol et la chemise qu'il venait de négocier longuement avec l'aubergiste rejoignit bientôt le premier vêtement. Ailsa soupira de plaisir, ravie que son désir longtemps différé de le toucher soit enfin exaucé. Elle déploya ses mains sur le faisceau de cicatrices qui parcouraient le dos de son amant, palpant de ses paumes ouvertes les muscles fermes de ses épaules, ses pectoraux ombrés d'un voile sombre, la courbe qui de ses côtes plongeait vers le ventre plat magnifiquement dessiné.

La nuit précédente, elle avait flotté sur un nuage de délices jusqu'à l'extase. Ce matin, elle se sentait près de s'embraser de désir tant elle brûlait intensément, férocement, à l'intérieur.

Sa passion était brute, animale. Elle n'aurait jamais cru qu'un sentiment aussi élémentaire soit possible, sans parler de l'éprouver elle-même ! Elle avait envie de rester prostrée, immobile, et qu'il la prenne, la possède, la fasse sienne, envie que leurs corps se joignent et s'unissent. Elle voulait lui appartenir. Le lécher, le mordre, le mordiller, l'embrasser. Elle maugréait sourdement contre l'étroitesse de sa chemise — le seul vêtement qu'elle portât. Elle aurait voulu être totalement nue, n'être plus qu'un être de chair sur lequel il aurait imprimé sa marque pour annoncer qu'elle était sienne à jamais.

Alasdhair lui aussi semblait pris dans un maelstrom d'émotions incontrôlables. Il jeta ses bottes et ses hauts-de-chausses sans même arracher ses lèvres à celles d'Ailsa, les doigts affairés sur les lacets qui retenaient encore la chemise de celle-ci, pesta abominablement quand il s'aperçut qu'ils s'étaient emmêlés avant de recourir à la force brute pour déchirer le tissu de coton blanc, juste assez pour découvrir ses seins. Il les prit dans ses mains et en pressa la pointe entre le pouce et l'index, arrachant à Ailsa des gémissements qui redoublèrent quand il mit fin à sa caresse.

Il se pencha sur elle pour embrasser le premier, puis le second, laissant sa langue errer sur le globe d'abord, la pointe ensuite. La tête renversée en arrière, elle poussait de petits hoquets de plaisir extatiques.

Doucement, il la repoussa sur le lit et lui écarta les jambes, puis glissa les mains le long de ses cuisses, pétrissant la chair tendre, tout en haut. Ses cheveux couvraient son visage délicieux et elle avait les joues rouges, les lèvres gonflées de leurs baisers. Ses yeux violets perçaient à peine derrière ses paupières lourdes. Une légère rougeur ombrait ses seins lourds, se mêlant au lait de sa peau. Ses cuisses avaient la pâleur lisse de la crème et son sexe le rose d'une fleur naissante.

Alasdhair sentait le sien se tendre, le sang s'y ruer avec fureur. Une tension soudaine au creux de son ventre lui donnait envie de la pénétrer sans attendre, mais au lieu de cela, ce fut sa langue qu'il plongea en elle, enveloppant de sa bouche la délicieuse moiteur qui s'offrait à lui. Ailsa serra les jambes autour de lui, l'enivrant des parfums capiteux de sa féminité. Il chercha un instant le petit bouton de chair gonflée qui attendait sa caresse. Un coup de langue arracha des gémissements chavirés à la jeune femme, puis un autre.

Il n'y eut ni tressaillements avant-coureurs, ni flottement, rien de la langueur de la nuit passée, rien qu'un mur de flammes se dressant soudain, si brûlant qu'il en semblait presque glacé, en même temps que quelque chose au fond d'elle, quelque chose d'élémentaire et d'infiniment puissant se contractait. Elle cria le nom d'Alasdhair. Les doigts crispés dans ses cheveux, elle le suppliait, l'implorait.

Mais de quoi, elle n'aurait su le dire.

Il dénoua la ceinture de son *plaid*, et le dernier vêtement qu'il portait encore glissa sur le sol. Entièrement nu, il s'installa entre les jambes ouvertes d'Ailsa, le sexe dressé. Il avait envie qu'elle le touche à son tour. Satisfait, il remarqua qu'elle le regardait en ouvrant de grands yeux et ressentit une bouffée de mâle fierté à l'idée qu'elle le trouvait à son goût. Il voulait qu'elle le touche, en effet, mais pas maintenant. Ils auraient tout le temps pour ça, plus tard. Pour l'heure, il avait envie d'être en elle. Cela faisait trop longtemps qu'il prenait son mal en patience. Il ne pouvait pas attendre plus longtemps.

Tendrement, bien que faire les choses avec lenteur lui

coûtât beaucoup, il posa un baiser sur les lèvres d'Ailsa, en lui écartant les jambes encore un peu.

— Ailsa, murmura-t-il en la faisant basculer, répétant ce mot d'une voix altérée par le manque de souffle quand la pointe de son membre rencontra la moiteur brûlante du sexe de la jeune femme. Oh, Ailsa !

Alors, lentement, infiniment lentement, commença le voyage vers l'extase.

Elle s'agrippa à ses épaules, les yeux rivés sur son visage quand il entra en elle, éberluée de vivre ces instants uniques, bouleversée que cela semble si parfaitement naturel et secouée par l'incroyable plaisir qu'elle y trouvait.

Insensiblement, avec d'infinies précautions, il poussa sur ses reins. Elle s'ouvrait à lui à mesure qu'il s'enfonçait plus profond dans son ventre, mais une douleur aussi vive que brève la fit tressaillir avant de disparaître aussitôt.

— Pardon, souffla Alasdhair en s'obligeant à attendre bien qu'il eût l'impression d'être suspendu au-dessus du vide.

Il l'embrassa, plongeant sa langue en elle et décrivant de petits cercles avec le bout de celle-ci, ce qui sembla avoir pour effet de la détendre et de l'ouvrir à lui encore plus. Il entra alors dans un nouveau monde, une nouvelle réalité.

C'était un endroit trop chaud, trop sombre, trop étroit, trop humide, trop tout pour lui permettre de faire autre chose qu'y plonger avec toute la vigueur de ses reins et en sortir pour y plonger de nouveau.

La douleur semblait un écho. A chaque coup de reins d'Alasdhair, elle ressentait un grand frisson passer sur elle, suivi d'une vague inégale. Ses yeux se fermèrent d'eux-mêmes, comme pour lui permettre de mieux sentir encore ce qui lui arrivait. La douleur s'apaisait à chaque seconde qui passait. Elle discernait quelque chose sur l'horizon qu'elle devait à tout prix atteindre. Quelque chose qui rendrait la douleur acceptable.

Alasdhair se contenait avec difficulté tant la puissance du plaisir qu'il ressentait était intense. Il voulait qu'Ailsa plonge avec lui dans l'extase, qu'ils jouissent ensemble afin de ne plus faire qu'un. Et tout à coup, les muscles d'Ailsa se tendirent tandis qu'il laissait échapper un cri rauque et s'abandonnait aux vagues interminables de l'orgasme.

Ailsa murmura quelque chose à son oreille. Son nom. D'autres l'avaient fait avant elle, mais aucune de cette façon, au point qu'il redoubla ses coups de boutoir en la dévorant de baisers avides.

Lorsqu'il posa les yeux sur son visage, il vit que des larmes de joie coulaient sur les joues d'Ailsa qui était toujours agrippée à ses bras. Le monde entier semblait avoir trouvé sa place, tout était rentré dans l'ordre.

— Ailsa, souffla-t-il avec la tendresse de celui qui vient de faire sienne celle qu'il aime depuis longtemps, en repoussant doucement les cheveux qui encombraient son front radieux. Je t'aime, Ailsa Munro.

Elle se blottit contre lui. Ses cils luisaient de larmes de joie et de soulagement, mais elle ne fit aucun geste pour essayer de les retenir. C'était pour cela qu'elle était venue au monde. Pour cet homme, cette union, cette chose qui existait entre eux, bien au-delà du plaisir et à laquelle elle ne pouvait donner un nom.

— Moi aussi, je t'aime, murmura-t-elle en posant un baiser langoureux et repu sur les lèvres de son amant.

Chapitre 9

— Je donnerais cher pour pouvoir rester ici toute la journée, mais je crains qu'il nous faille partir, murmura Alasdhair un peu plus tard.

Son souffle lui chatouillait l'oreille et sa chaleur contre sa cuisse lui mettait le sang en ébullition, comme si un flot de miel brûlant avait couru dans ses veines, soudain. Elle soupira.

— Le faut-il vraiment ? demanda-t-elle en soulevant la tête du creux de son épaule où elle était blottie.

Il arborait un chaud sourire, mais ses yeux qui évoquaient la fumée de la tourbe semblaient quelque peu inquiets, ce qui lui parut presque rassurant.

— Oui, il le faut.

C'était dit avec une expression pleine de tendresse sur laquelle elle ne se trompait pas.

— Tu ne regrettes pas ce que nous avons fait, au moins ?

— A ton avis ? répondit-elle.

— Je pense qu'il n'y a qu'une seule chose qui pourrait me rendre plus heureux que je ne le suis à présent.

— Et quoi donc ?

— Que tu acceptes de devenir ma femme. Accepte, Ailsa, et je jure que je serai le plus heureux des hommes. Et je promets de faire de toi la plus heureuse des femmes.

Quelques larmes roulèrent de ses cils sur ses joues avant qu'Ailsa ne réponde :

— Oui, j'accepte.

— Dis-le encore.

— Oui, oui, oui, j'accepte ! s'exclama-t-elle en se pendant à son cou.

Alasdhair l'embrassa en prenant son temps. Sans s'arracher à ses lèvres, il roula sur le lit en l'entraînant avec lui et l'installa à cheval sur lui. Elle sentait son sexe gonflé palpiter contre elle et les frémissements intenses de son propre corps répondant en écho du plus profond de son être. Il la souleva en la prenant par la taille et la posa délicatement sur son sexe dressé.

— Je suis choquée, monsieur Ross. Si je ne vous connaissais pas, je dirais que vous êtes insatiable.

— Eh bien, miss Munro, répondit-il, le souffle un peu court, le visage rougi par le désir, tandis qu'il l'installait sur lui en la caressant doucement. Vous apprendrez vite que, quand il s'agit de vous, je le suis.

Il faisait déjà grand jour quand ils commencèrent à s'habiller. La brume s'était levée, laissant la place à une journée de printemps radieuse. De petits nuages cotonneux constellaient le ciel bleu pâle comme autant de moutons fraîchement lavés sautillant joyeusement par-dessus le disque crémeux du soleil.

— J'ai décidé qu'il valait mieux que tu viennes avec moi à Inveraray, annonça Alasdhair. Même si cela ne revêt plus la même importance que je le pensais il y a peu, j'ai besoin de voir ma mère pour clore ce chapitre de ma vie avant que nous commencions à écrire les suivants tous les deux.

— Je suis si heureuse de t'entendre dire ça, s'enthousiasma Ailsa. Si tu n'y allais pas, tu le regretterais.

— Ensuite, il va falloir que nous retournions à Errin Mhor.

Le sourire s'effaça sur le visage de la jeune femme.

— Vraiment ?

— Tu le sais bien. Nous ne pouvons pas simplement embarquer pour la Virginie sans voir ta mère au moins une fois.

— Pourquoi pas, Alasdhair ? Elle n'a pas fait mystère de ce qu'elle pensait. Pourquoi lui donnerions-nous l'occasion de s'exprimer de nouveau ?

— Nous ferions une bonne action.

— Une bonne action ? s'exclama Ailsa, sidérée. En était-ce une, il y a six ans, quand elle nous a si honteusement menti ? En était-ce une quand elle a incité Donald McNair à m'enlever alors qu'elle savait que je ne voulais pas l'épouser ?

— N'as-tu pas envie de te marier dans le château d'Errin Mhor ?

Elle leva les yeux vers lui, les lèvres tremblantes.

— Bien sûr que si, mais pas si cela signifie qu'il faut encore que je me batte avec ma mère. Je t'en supplie, Alasdhair, je n'ai pas envie de parler de cela maintenant. Je préfère même ne pas y penser.

Il pinça les lèvres.

— Errin Mhor est ton foyer, Ailsa, et c'est encore la terre de mes ancêtres. Je viens à peine de voir enfin mon bannissement levé et je n'ai pas l'intention de laisser la présence de ta mère nous empêcher d'y retourner si nous en avons le désir.

— Nous serons chez nous en Virginie.

— Sans doute, mais ce ne sera jamais notre terre. Fais-moi confiance là-dessus, Ailsa. Je sais de quoi je parle.

— Je n'ai vraiment pas envie de parler de ça maintenant.

— A ta guise, mais tu sais que j'ai raison. Tu regretteras ta décision, Ailsa, et je ne veux pas que tu aies des regrets quand tu seras si loin de ton pays que tu ne pourras plus rien y faire.

— Je n'aurai pas de regrets.

— Je veux que tu y réfléchisses très sérieusement avant de prendre une décision. Nous en reparlerons plus tard.

Ils traversèrent le *loch* Awe à bord du petit bac derrière lequel ils avaient attaché leurs montures, puis empruntèrent la route sur la route creusée par le pas des troupeaux innombrables qui traçait son sillon en direction d'Inveraray, en prenant leur temps pour le plaisir de musarder ensemble, partageant leurs rires et leurs souvenirs entrecoupés de moments de silences durant lesquels ils se contentaient de se regarder l'un l'autre avant de s'embrasser en se murmurant des je t'aime à n'en plus finir.

En fin d'après-midi, ils rencontrèrent un batelier qui offrit de les emmener, pour une somme modique, voir un endroit magnifique situé sur l'un des îlots du loch.

— Qu'en dis-tu ? s'enquit Alasdhair.

Ailsa acquiesça du chef avec enthousiasme.

Avec un grand rire, Alasdhair lança quelques pièces au batelier.

— Inutile de nous accompagner. Nous nous débrouillerons très bien tout seuls. Nous te ramènerons ton bateau sans encombres, ne t'inquiète pas, l'ami.

Ailsa était assise à la proue, ses longs cheveux brillant dans le soleil. En la regardant, Alasdhair sentit un petit pincement au cœur. L'amour qu'il éprouvait pour elle était si violent, si fort, qu'il n'arrivait pas à comprendre qu'il lui ait fallu tant de temps pour s'en rendre compte.

Bien qu'il détestât gâcher ces moments précieux, il se força à aborder de nouveau le sujet de la mère d'Ailsa.

— Tu sais que je ne veux que ton bonheur, Ailsa, n'est-ce pas ?

Alertée par le ton sérieux qu'il prenait pour dire cela, elle se redressa.

— Où veux-tu en venir ?

— Que nous le voulions ou non, nos parents sont la chair et le sang dont nous sommes issus. Quoi qu'elle ait fait, lady Munro n'en reste pas moins ta mère. Et quelque véhémence que tu mettes à t'en défendre, son avis ne t'est nullement indifférent, je le sais. Si tu le désires, nous trouverons un moyen de réparer les choses entre vous.

— Je ne vois pas comment ce serait possible.

— Aucune importance. Si tu en as le désir, nous trouverons un moyen. Seul ton bonheur compte pour moi.

— Je ne pourrais pas être plus heureuse, Alasdhair, répondit la jeune femme avant de le rejoindre — en prenant grand soin de ne pas faire tanguer le bateau — sur la planche qui servait de siège et en se blottissant contre lui.

— Ne parlons pas de ça maintenant, veux-tu ?

Alasdhair lui posa un baiser sur le front.

— Tu ne peux pas différer sans cesse. La Virginie est très loin d'ici et tu pourrais ne pas revoir ta mère avant des années. Serais-tu heureuse si tu l'abandonnais sans même lui dire au revoir ? Allons, Ailsa, tu oublies que j'ai vécu ça moi-même. Je sais à quel point ces choses-là peuvent vous ronger de l'intérieur.

Ailsa blottit son visage contre le torse d'Alasdhair que sa chemise laissait voir juste au-dessus de l'encolure. Sa peau hâlée avait le goût du sel.

— Ailsa !, insista-t-il en lui relevant le menton avec un doigt. Cesse d'éviter la question. Tu crains qu'elle ne parvienne à gâcher ce qu'il y a entre nous, mais tu as tort. Notre amour est parfait. Nous sommes intouchables et elle ne peut rien faire contre nous. Je t'aime. Tu m'aimes aussi. Elle ne va pas changer ça, si ?

— Non, bien sûr que non.

— Alors, quel risque y a-t-il à tenter de faire la paix avec elle ? Pourquoi faudrait-il que tu regrettes éternellement de ne pas avoir essayé ? Nous allons commencer une nouvelle vie, prendre un nouveau départ, cela ne vaut-il pas la peine de faire table rase du passé avant de partir ?

— Tu as fait beaucoup de chemin, Alasdhair Ross.

— C'est justement pour cela que je sais que j'ai raison.

— Je le sais, admit Ailsa en soupirant, mais cela ne signifie pas pour autant que je doive sauter de joie à l'idée de revoir ma mère.

— En ce cas fais-le en pensant à ce qui viendra ensuite. Pense à nos noces.

— Nos noces, répéta-t-elle avec un pâle sourire.

— Donc, c'est décidé. Nous retournerons à Errin

Mhor pour voir lady Munro après que j'aurai retrouvé ma mère. Nous pourrons alors discuter des préparatifs avec Calumn. Crois-tu qu'il sera surpris ?

— Absolument, et même plus que cela. Je doute que ce soit le cas de Maddie, en revanche.

— Que veux-tu dire ?

— Tu ne peux pas comprendre. Disons que c'est l'intuition féminine.

— Il faudra peut-être que je t'abandonne pendant une semaine avant les noces. J'ai d'importantes affaires à traiter à Glasgow. Elles sont vitales pour mon commerce et je ne puis les négliger plus longtemps. Il y a un marchand du nom de Cunningham avec qui je suis très impatient de m'associer.

— Cunningham ? répéta Ailsa. C'est le nom de Jessica, la femme de mon frère Rory. Elle vient d'une famille de marchands. Ils l'ont déshéritée quand elle a épousé Rory, ce qui explique que je n'en aie jamais rencontré aucun, mais je crois bien que son père s'appelle George. Crois-tu qu'il puisse s'agir de la même famille ?

— On le dirait bien. George Cunningham est l'un des plus gros négociants en tabac de Glasgow. Ils ont des entrepôts tout le long de la baie de Chesapeake. C'est là que se trouvent les ports de la Virginie et du Maryland.

— Je n'en avais aucune idée. Jessica ne parle pas d'eux très souvent. Ainsi, tu comptes t'associer avec son père ?

— Peut-être, si les termes du contrat m'agréent. C'est aussi l'un des très rares marchands qui n'emploie pas d'esclaves sur les plantations qui fournissent ses entrepôts en Amérique.

— Je suis très impatiente de tout apprendre sur le sujet.

— J'en suis ravi, s'esclaffa Alasdhair. Mais tu

risques de trouver cela un peu moins intéressant que tu ne l'imagines.

— Je parle sérieusement. Je n'ai pas l'intention d'être comme ces femmes qui ignorent tout des affaires de leur mari.

— Et je ne veux pas, moi, être comme ces époux qui passent tout leur temps à gérer leurs affaires et n'en ont jamais à consacrer à leur femme. En fait, j'ai bien l'impression que je risque de devenir un de ces maris qui sont si fous de leur épouse qu'ils n'ont plus de temps pour leur négoce !

Ayant dit cela, il lui donna un baiser. Ses lèvres avaient le goût du sel. Il l'embrassa langoureusement, lentement, savourant la façon dont elle se lovait contre lui, dont sa bouche plaquée contre la sienne épousait les contours de celle-ci, dont sa langue se mêlait à la sienne en un ballet follement excitant. En s'émerveillant aussi de la violence de la passion qui les consumait tous les deux, au point qu'ils s'agrippaient l'un à l'autre comme s'ils craignaient qu'elle ne les expédie ensemble dans une autre dimension.

Le bateau tanguait au rythme de leurs mouvements, à mesure qu'ils cherchaient à se rapprocher toujours plus, leurs corps impatients réclamant de nouvelles étreintes, peau contre peau, chair contre chair, caresse pour caresse, baiser pour baiser, comme s'il en avait toujours été ainsi entre eux.

Ailsa poussait des soupirs de plaisir tandis qu'Alasdhair lui caressait les seins à travers l'étoffe fine de son corsage. Les pointes gonflées de ceux-ci frottant sur le tissu lui donnaient des frissons à la fois délicieux et douloureusement frustrants. Elle tira la chemise de son amant hors de ses braies pour pouvoir savourer de sa main la fermeté de ses flancs, de son torse, plongeant plus bas sur son ventre plat pour s'extasier des contractions de ses muscles, des petits grondements qu'il poussait, de son souffle de plus en plus court, des battements affolés de son cœur cognant dans sa poitrine, et jouir de sa propre excitation à l'idée qu'elle était la cause de tout cet émoi.

— Nous allons finir par couler si nous n'y prenons garde, observa-t-elle en partant d'un petit rire clair quand le bateau se mit à tanguer dangereusement. Le batelier ne serait sans doute pas content. Je ne crois pas que nous pouvons…

— Oh ! Mais si, tu vas voir, coupa-t-il en glissant la main sous les jupons de la jeune femme.

Ellc poussa un petit cri de surprise quand elle sentit les doigts d'Alasdhair caresser son sexe au moment même où il dardait sa langue en elle en un baiser si fougueux qu'elle en eut la tête chavirée.

— Oh ! je t'en supplie, ne t'arrête pas ! s'exclama-t-elle frénétiquement quand il s'arracha à elle et que ses doigts se figèrent.

— Je n'en ai pas l'intention, murmura-t-il d'une voix rauque, la poitrine agitée de mouvements rapides.

Il tomba à genoux au milieu du bateau, l'entraînant avec lui, la fit pivoter sur elle-même pour l'appuyer à la petite planche transversale qu'ils venaient de quitter, puis entra en elle par-derrière d'une seule poussée infiniment lente, infiniment longue et infiniment exquise. Ils se balancèrent d'avant en arrière dans une harmonie de mouvements parfaite entre eux-mêmes et avec le bateau.

Ce va-et-vient merveilleux exaltait Ailsa, elle se sentait

plus serrée à chaque coup de reins. Quand finalement il entendit le petit cri qu'elle poussa, il s'enfonça en elle avec une vigueur décuplée et s'abandonna à l'orgasme en prononçant son nom encore et encore tandis que le petit bateau tanguait sur les eaux silencieuses du *loch*.

Aucun son ne troublait l'air tranquille hormis le clapotis des vagues sur la coque et le cri d'un busard planant au-dessus d'eux en longs cercles concentriques.

Sur le reste du trajet vers Inveraray, le lendemain, Alasdhair se fit de plus en plus silencieux et sombre. Dès que le village fut en vue, il fit s'arrêter son cheval. Il semblait nerveux. Cela n'avait sans doute pas autant d'importance qu'elle aurait pu le croire auparavant, mais ce n'était sûrement pas anodin. Elle avait eu raison. En fait, quand il s'agissait de lui, elle avait toujours raison.

Cela faisait presque vingt ans depuis la dernière fois qu'il avait vu sa mère. Vingt années pendant lesquelles il était devenu un homme, abandonné par sa mère et privé de son père par les circonstances. Sans amour. Il pensait s'être habitué à tout cela, y être devenu indifférent à mesure que son installation en Amérique prenait la forme d'une réussite spectaculaire.

En revenant sur la terre de sa jeunesse, il avait été contraint de reconnaître qu'en fait, il n'était habitué à rien. Il n'aimait pas l'admettre, pas plus qu'Ailsa aimait admettre le fait que sa mère, lady Munro, avait encore le pouvoir de lui faire beaucoup de mal.

Ils s'étaient beaucoup menti à eux-mêmes, tous les deux.

Se débarrasser de ses fantômes se révélait être une expérience très difficile et douloureuse émotionnellement.

En vérité, Alasdhair n'avait pas prévu qu'Ailsa pourrait le bouleverser à ce point. Les barrières qu'il pensait avoir érigées autour de lui et qu'il croyait aussi indestructibles que les fortifications du premier château du duc d'Argyll étaient sérieusement érodées à présent.

Cette rencontre avec sa mère lui tenait à cœur. Il avait envie d'entendre ce qu'elle avait à dire, et quant à ce qu'il éprouvait vis-à-vis d'elle, c'était tout sauf de l'indifférence. Les énigmes du passé demeuraient inexpliquées et jamais il n'aurait cru qu'en dévider l'écheveau puisse être aussi gratifiant, pas plus qu'il n'aurait pu rêver rentrer en Virginie avec Ailsa à son bras. L'amour qu'il lui vouait le convainquait de sa capacité à affronter les révélations de sa mère concernant son passé, quelles qu'elles puissent être.

Mais cet amour même le rendait vulnérable aux émotions que la vérité risquait de susciter en lui.

Pendant quelques instants, il fut tenté de rebrousser chemin et de quitter cet endroit à jamais. Il était heureux désormais. Merveilleusement heureux, et pour la première fois de sa vie. Rien ne pouvait salir ou détruire un tel bonheur, il en était persuadé. Mais peut-être ne fallait-il pas tenter le diable ?

A côté de lui, Ailsa repoussait une mèche de cheveux dorés qui, comme bien souvent, venait de s'échapper de sous l'épingle censée la retenir. Cette journée au grand air avait coloré d'un rose discret son visage et fait ressortir les taches de rousseur qui constellaient le haut de son nez. La vitalité qui avait toujours été sa qualité principale et qu'il avait crue disparue à jamais semblait lui être revenue au cours des deux jours précédents, quand bien même elle fronçait les sourcils à cet instant même.

— Es-tu sûr d'être prêt pour affronter cette épreuve ? s'enquit-elle.

— Autant que je le serai jamais, répondit-il.

— Il est naturel que tu hésites, Alasdhair. Malgré le temps qui a passé, elle est toujours ta mère et ce qu'elle te dira ne peut pas être anodin, quelques efforts que tu puisses faire pour t'en convaincre.

— Tu parles avec ton cœur, commenta-t-il en tendant la main à la jeune femme. Tu as raison, j'attache beaucoup d'importance à ce qu'elle pourra me dire. Plus peut-être que cela n'en mérite, en fait.

Le petit village de pêcheurs d'Inveraray était perché sur les rives du *loch* Fyne dont la longue surface resplendissait sous les rayons du soleil. On y distinguait des maisons de grande taille, traditionnelles du pays, dans lesquelles le bétail partageait l'espace avec les occupants, et d'autres plus petites comportant une étable séparée. Toutes avaient des toits de chaume. Chacune possédait son propre jardin où l'on cultivait presque exclusivement des choux. Quelques bateaux de pêche gisaient sur l'étroite grève de sable. La petite église se dressait sur un promontoire à la sortie du village, exactement à l'opposé de la taverne, dont on devinait l'activité au fait que ses murs ne comptaient aucune fenêtre.

Derrière le village, sur une petite éminence, les fondations du nouveau château du duc d'Argyll étaient en construction. L'histoire du bâtiment, bien que récente, présentait déjà des époques distinctes car les travaux avaient commencé trente ans plus tôt pendant le règne du précédent duc et sous les ordres de M. Vanbrugh, l'architecte à qui l'on devait les magnifiques châteaux de Howard et de Blenheim.

C'était désormais M. Adam qui dirigeait la construction, quoique l'on ne vît des travaux actuels que les quatre immenses excavations destinées à abriter les fondations des tours et le chemin tracé entre le chantier et la rive du *loch* pour le transport des matériaux.

Un grand nombre de charpentiers et de maçons s'activaient sur le site, la plupart étrangers à la région et amenés sur les lieux par l'architecte.

Deux femmes se tenaient l'une à côté de l'autre sur la berge du *loch*, occupées à tricoter tranquillement la laine qu'elles cachaient dans une poche formée par les plis de leur *arisaidh*. Leurs doigts travaillaient avec une célérité admirable, mais leurs yeux restaient, eux, fixés sur le *loch*, attendant sans doute qu'apparaisse au loin sur l'horizon la silhouette d'un bateau de pêche.

Une vache meugla dans l'une des étables adossées aux maisons tandis que dans un des jardinets, quelques poulets efflanqués grattaient la terre nue.

Sur le perron d'une grande maison était assise une femme tenant son ouvrage sur ses genoux tandis qu'un chien prenait le soleil à ses pieds. Elle leva la tête en entendant le pas des chevaux et la broderie tomba à ses pieds sans qu'apparemment elle s'en aperçoive ou s'en préoccupe.

Quand Ailsa tourna la tête vers Alasdhair, l'expression qu'elle lut sur son visage lui suffit pour comprendre.

— C'est ma mère, souffla-t-il d'une voix d'où toute émotion semblait s'être retirée.

Morna Ross avait des cheveux noirs aux reflets bleutés, comme l'aile d'un corbeau, et pas la moindre trace de cheveux gris ou presque, bien qu'elle fût plus âgée que lady Munro de cinq ans. Elle avait des yeux sombres dont la teinte évoquait le chocolat, des traits forts et marqués. La ressemblance avec son fils était remarquable, songea Ailsa en guidant d'une main tremblante son cheval vers un poteau où l'attacher. Elle se sentait nerveuse, non pas pour elle-même, mais pour Alasdhair.

Elle sentait bien, à la façon dont il se tenait, à quel point il était nerveux lui aussi. Elle avait envie de lui prendre la main, de courir vers Morna Ross et de la supplier de le ménager. Si elle avait pu endurer cette épreuve à sa place, elle l'aurait fait volontiers. Mais c'était impossible et elle connaissait la fierté d'Alasdhair. Il lui en aurait terriblement voulu d'attirer l'attention sur sa nervosité.

Elle se sentait de plus en plus tendue elle-même. A en avoir la nausée.

Morna Ross restait immobile, telle une statue. C'était une femme remarquable et elle devait avoir été fort belle dans sa jeunesse. Pendant un long moment, la mère et le fils se firent face en silence.

— Alasdhair ?

Sa voix était si faible que le vent l'aurait emportée s'il avait soufflé.

— Alasdhair… Est-il possible que ce soit vraiment toi ? murmura-t-elle en faisant un pas hésitant vers son fils, les mains tendues comme pour supplier le ciel. Alasdhair !

Sa voix s'était brisée, soudain.

— Mère !

— C'est toi ! s'exclama Morna Ross en secouant la

tête comme si elle ne pouvait en croire ses yeux. Cela fait vingt ans, mais je t'aurais reconnu n'importe où.

— Moi aussi, répondit Alasdhair d'un ton sans aménité.

A présent qu'il se trouvait enfin en face d'elle, il ne trouvait rien à lui dire. Il ne ressentait rien non plus, sinon une indifférence glaciale.

— On m'a dit que tu étais parti loin d'ici, lança-t-elle en le regardant fixement comme s'il s'agissait d'une apparition. Que tu t'étais enfui, en Amérique, d'après ce que j'ai entendu.

— En Virginic.

— En Virginie ?

Ce mot sonnait étrangement dans sa bouche. Elle secoua la tête.

— Et t'a-t-elle bien traité, cette Virginie ?

— Assez bien, oui.

— Tu as l'air d'aller bien, en effet. Je…

Elle secoua la tête de nouveau et se passa la main sur les yeux.

— Je suis désolée. Je ne m'attendais pas à… C'est la surprise… Je ne m'attendais pas à te revoir, jamais. Je n'arrive pas à croire… après tout ce temps…

Sa voix se perdit dans le silence tandis qu'elle retournait sur son perron.

— Ne vous évanouissez pas au moment de me revoir, gronda Alasdhair en la retenant par le bras.

— Non, donne-moi quelques secondes, plaida Morna en reprenant son souffle. Cela va passer. Viens ici. Laisse-moi te regarder.

Luttant désespérément pour se donner une contenance, elle s'essuya les yeux avec le bord de son tablier et fit un pas en arrière pour mieux admirer son fils.

— Que tu es grand, et comme tu as le cheveu noir ! C'est de moi que tu tiens ça.

Elle fit mine de lui toucher les cheveux, mais il recula et elle arrêta son geste.

— Pourquoi es-tu venu jusqu'ici, Alasdhair ? Et pourquoi maintenant ?

— J'ai besoin de connaître la vérité.

— La vérité ? s'exclama Morna. Je doute qu'une telle chose existe encore vraiment. A quoi bon remuer les cendres depuis longtemps éteintes ? Je l'ai fait moi-même bien souvent et, crois-moi, il n'en sort jamais rien de bon. Regarde-toi. Tu es devenu un homme et tu t'es bâti une vie très loin d'ici. Te voir m'a fait plus de bien au cœur que je n'en mérite, Alasdhair. Je n'ai jamais voulu qu'une chose, mon fils : que tu sois heureux. Il n'y a rien à gagner à remuer le passé. Je t'en supplie, laissons-le où il est.

— C'est pour en parler que je suis venu ici, précisément, répliqua Alasdhair d'un ton plein d'impatience.

— Ce que tu ne vois pas, c'est qu'il y a plusieurs versions de la vérité, et qu'elles sont toutes honteuses. Je t'en supplie…

— Je veux savoir.

Morna poussa un profond soupir.

— Très bien, concéda-t-elle. Si tu n'en démords pas, je me dois de te satisfaire. Mais tu ferais bien d'entrer.

Elle s'effaça devant son fils pour le laisser passer et celui-ci fit un signe de tête à l'adresse d'Ailsa, qui se tenait un peu à l'écart depuis le début de leur échange, à moitié cachée par les chevaux.

— Mère, voici…

Le visage de Morna, qui était déjà très pâle, prit soudain une teinte grisâtre. Elle porta la main à son cœur.

— Miséricorde !

— Qu'y a-t-il donc, au nom du ciel ?, s'enquit Alasdhair, surpris.

— Que fait-elle ici ?

— C'est Ailsa Munro, mère.

L'intéressée fit un pas en avant et s'inclina légèrement devant la mère de son amant. Morna la regardait, le visage figé par l'horreur.

— Miséricorde, souffla-t-elle de nouveau. Ce doit être vous qu'elle attendait.

— Qui cela ?

— Votre mère. Enfin, je suppose qu'elle est votre mère. Je veux dire… lady Munro, balbutia Morna, visiblement troublée. Vous lui ressemblez d'une façon proprement étonnante. Que faites-vous ici ?

Ailsa jeta un regard désespéré en direction d'Alasdhair.

— Je pense qu'il vaudrait mieux que vous parliez seule à seul tous les deux. Je vais mener les chevaux à l'écurie de la taverne.

— Non, répondit Alasdhair en secouant la tête. Tu vas rester ici avec moi. Je veux que tu entendes ce qu'elle a à dire.

Il laissa passer un instant de silence, puis reprit, en se tournant vers sa mère cette fois :

— Cette conversation intéresse aussi Ailsa. Je t'expliquerai plus tard.

Tant qu'il n'avait pas entendu le reste de l'histoire et jugé par lui-même quel impact elle pourrait avoir, il n'avait pas l'intention de dévoiler son amour à sa mère. C'était une chose bien trop précieuse pour lui.

— C'est toi qui décides, mon fils, acquiesça Morna d'un ton résigné. De toute façon, je suppose que je ferais aussi bien de lever le voile des mensonges que la mère de cette jeune femme a pu répandre.

— Que voulez-vous dire ? s'exclama Ailsa, surprise par cette assertion inattendue. Qu'est-ce que ma mère a à voir dans cette affaire ?

Alasdhair se rappela soudain les paroles de lady Munro désignant Morna comme la cause de tout. Une prémonition inquiétante le poussa à attirer la jeune femme à côté de lui.

— Peut-être vaudrait-il mieux que tu…

— Non, refusa-t-elle. Si je suis impliquée de près ou de loin dans l'histoire que va nous raconter ta mère, je veux l'entendre. Allons, Alasdhair, tu peux voir par toi-même à quel point elle est bouleversée par tout ça. Finissons-en.

A contrecœur, il la laissa passer devant lui pour entrer dans la maison. Décidément, les choses ne se passaient pas du tout comme il l'avait prévu.

Lui qui croyait que cette rencontre l'émouvrait au plus haut point ! Depuis quelques secondes, un sentiment étrange de danger qu'il ne parvenait pas à déchiffrer s'était emparé de lui. Sa mère semblait étrangement peu disposée à parler alors qu'il avait pensé qu'elle serait impatiente de s'expliquer, et cette réticence lui semblait incompréhensible.

A l'intérieur, la grande maison était divisée en deux parties, celle où vivaient les animaux se trouvant au fond du grand espace, surmontée d'un second niveau qui formait un grenier. Un feu de tourbe brûlait au milieu de la partie réservée aux hommes, et les volutes de fumée qui en montaient paresseusement sortaient du toit par un trou pratiqué dans le chaume et servant de cheminée. Un lit couvert d'un matelas de paille occupait l'un des coins de la pièce. Sur la table se trouvaient les ingrédients d'un ragoût et au-dessus du feu, posée sur un trépied noirci de fumée, bouillottait doucement une marmite dont s'exhalaient d'appétissantes vapeurs.

Quatre chaises de bois étaient disposées autour de la table. Un *aumrie*, coffre de bois traditionnel dans lequel on serrait le linge, se trouvait sous l'unique fenêtre sans vitre dont les volets étaient encore ouverts. Un tapis de chiffons, un couvre-lit fait de chutes de tissu cousues ensemble disposé sur le lit, une couverture en tricot soigneusement pliée sur le dessus de l'*aumrie* ainsi que le châle de laine de Morna jeté sur le dossier d'une chaise étaient les seuls éléments de confort visibles dans cette maison propre mais spartiate.

Alasdhair pensa immédiatement aux meubles élégants quoique simples de sa propre maison, dans sa plantation de Virginie, et même au confort de celle de son enfance, choqué de constater dans quelle misère vivait sa mère par comparaison.

— Ma demeure est simple, je sais, commenta Morna, visiblement gênée, en tirant des chaises et en invitant ses hôtes à s'approcher.

Les deux jeunes gens prirent place l'un à côté de l'autre et Morna s'assit en face de son fils, les mains serrées très fort sous le couvert de son tablier.

— Je ne sais par où commencer, affirma-t-elle en en tirant une main hors de sa cachette pour s'essuyer les yeux avant de la remettre à sa place. Peut-être, si vous pouviez me dire ce que vous savez, pourrais-je comprendre ce que vous attendez de moi.

— On m'a dit que vous vous étiez enfuie avec un autre homme. Je n'ai jamais compris comment vous aviez pu abandonner mon père aussi cruellement, en sachant ce que cela allait lui faire. Vous n'avez jamais essayé de reprendre contact avec nous, pas même quand il est mort. Et vous m'avez abandonné moi aussi. Je pensais que le pourquoi de tout ça n'avait plus d'importance : j'ai eu vingt ans pour m'habituer, mais aujourd'hui, j'ai besoin de savoir.

— Tu es revenu d'Amérique uniquement pour me voir ?

— Non. Pas au début, du moins. Depuis que je suis ici, cependant, toutes mes certitudes ont volé en éclats. Je pense que je vous dois d'écouter vos explications.

Morna fit la moue en hochant la tête en silence. Elle semblait avoir recouvré sa contenance, quoique la façon dont elle se tenait sur son siège, raide comme la justice, montrât sans détours les efforts que cela lui coûtait. Elle semblait incapable de regarder Alasdhair en face, mais lui jetait de fréquents regards en coin, comme si elle craignait de le faire disparaître en gardant les yeux sur lui plus longtemps qu'une seconde.

Ailsa regardait la scène, perplexe. Elle aussi se sentait tendue. Elle avait terriblement peur de ce qui allait se passer. Pas pour elle-même, non, car elle ne pensait pas que Morna puisse lui apprendre quelque chose qu'elle ignorât, mais pour Alasdhair. Elle priait le ciel que quels que soient les secrets que la mère de celui-ci détenait, ils ne soient pas plus honteux que ceux qu'elle avait déjà imaginés.

Morna regardait dans le vide par-delà l'épaule de son fils.

— Je suis arrivée à Errin Mhor en qualité de femme de chambre, en partie pour payer une dette ancienne contractée par mon père. Peu de temps après, Munro épousa Christina Macleod et moi ton père, qui se trouvait être l'intendant du *laird*. C'était d'ailleurs ce dernier qui avait décidé de cette union, comme le voulait la coutume, mais nous étions raisonnablement heureux.

Elle s'interrompit pour dénouer sa pelote de laine tombée de sa poche et qui s'était enroulée autour du pied de la chaise. Quand elle se rassit, elle avait les joues un peu plus roses.

— C'était l'anniversaire du *laird*. Lady Munro était grosse et ils n'avaient pas assez de domestiques pour le *ceilidh* qu'ils organisaient en l'honneur du maître des lieux, aussi Alec m'envoya-t-il au château pour prêter la main. J'étais allée chercher une bouteille du whisky préféré de Munro. Il voulait que je la lui apporte dans la bibliothèque. Quand j'ai frappé à la porte, il m'a crié d'entrer. Il était seul. Jamais je n'avais pensé... je ne voulais pas... je ne serais pas entrée si j'avais su...

Les yeux de Morna étaient gonflés de larmes retenues. Les yeux rivés sur elle, Ailsa craignait soudain d'entendre ce que la vieille femme avait à dire. En regardant Alasdhair, elle remarqua sur son visage la même angoisse. Sa première impulsion fut de fuir la pièce, la maison, le village, en plaquant ses mains sur ses oreilles pour ne pas entendre la suite du récit, mais elle savait que si elle le faisait, Alasdhair s'accuserait d'avoir été à l'origine de son chagrin. Il fallait qu'elle tienne bon, pour lui.

Les mains de Morna tremblaient convulsivement malgré tous les efforts qu'elle faisait pour se contrôler. Elle parlait plus vite à présent, pour en finir.

— Il a abusé de moi. Je n'ai pas eu le temps de l'en empêcher, car il s'est jeté sur moi avant que je puisse m'échapper.

— L'ignoble pourceau, il vous a violée !

Morna devint écarlate.

— Il était le *laird*. Tu ne peux pas comprendre comment les choses se passaient à l'époque, Alasdhair. La plupart des gens diraient qu'il avait le droit de faire ce qu'il a fait. Je n'aurais pas dû l'approcher. J'aurais dû être plus prudente.

— Pour l'amour du ciel, vous parlez comme si c'était votre faute !

— Ça l'était, d'une certaine façon. J'aurais dû me méfier.

— Il vous a prise contre votre volonté, vous, une femme mariée.

— C'est vrai, mais il ne voyait pas les choses de cette façon, et la plupart des gens pensaient comme lui. J'avais le choix : soit je criais, soit je fermais les yeux et le laissais faire. J'ai pensé que si je causais un scandale, cela rendrait les choses très difficiles pour Alec, c'est pourquoi je l'ai laissé en finir. Je n'aurais pas dû, Seigneur, non, je n'aurais pas dû, car elle est entrée et nous a trouvés.

Ailsa pouvait à peine parler, mais il le fallait.

— Ma mère ?

— Lady Munro. Elle est devenue pâle comme un linge. J'ai bien cru qu'elle allait s'évanouir, et pourtant Dieu sait que ç'aurait été incongru. Elle s'en est prise à moi. Elle devait savoir comment les choses s'étaient passées, mais j'imagine qu'elle ne pouvait vider sa colère sur le *laird*, aussi est-ce sur moi qu'elle l'a déversée. Elle m'a accusée, et lui l'a soutenue — Dieu fasse qu'il pourrisse en enfer ! Jusqu'à ce qu'elle exige que je sois punie, s'entend. De cela, il n'a pas voulu et lui a ri au nez quand elle lui a demandé de me chasser d'Errin Mhor. Mais plus il refusait de céder, plus sa rage augmentait. Elle faisait des crises de nerfs épouvantables et disait que cela ne pouvait que faire du mal à l'enfant qu'elle portait. Evidemment, comme vous pouvez vous en douter, cette fable a emporté la décision du *laird*. Elle voulait me voir bannie, et il a fini par accepter, à condition que je sois seule à partir. Alec était un trop bon intendant pour qu'il doive s'en passer pour une histoire de jupons. Et bien sûr, il n'était pas question une seconde qu'il me laisse partir avec toi, Alasdhair. C'était un porc pervers, mais plus je le suppliais de me laisser t'emmener, plus il freinait des quatre fers.

— Et donc vous êtes partie.

— J'ai été bannie.

— Apparemment, le *laird* avait un faible pour ce châtiment, commenta Alasdhair avec une ironie pleine d'amertume.

— C'était son droit, et quoi que tu en penses, Alasdhair, c'était en partie ma faute. Si je n'avais pas essayé de lui faire porter l'entière responsabilité, si je n'avais pas cherché à me trouver des excuses, si je m'étais tenue tranquille, peut-être lady Munro aurait-elle permis que la chose soit oubliée et rien de tout cela ne serait arrivé. Ton père serait peut-être encore vivant, je ne t'aurais pas perdu. Pendant des années, j'ai remué mes souvenirs en cherchant un moyen de défaire ce qui était fait et que je ne pouvais pas changer. Mais j'ai vite compris que la seule façon de supporter mon passé était de ne plus y penser. Jamais.

— Et mon père ? Qu'a-t-il eu à dire dans tout ça ? insista Alasdhair d'une voix dans laquelle on ne décelait aucune émotion, quand bien même il serrait furieusement les poings sur les accoudoirs de son fauteuil.

— Alec n'a pas eu plus de choix que moi. Les choses se sont faites sans qu'il le sache. Je n'ai pas eu le droit de lui dire au revoir. C'est la règle pour ceux qui sont bannis, et je n'ai pas osé l'enfreindre, par peur des représailles qui n'auraient pas manqué de s'abattre sur vous deux.

— Je suis on ne peut mieux informé des règles des Munro en matière de bannissement, observa Alasdhair avec amertume. Ainsi, il n'y a jamais eu d'autre homme ?

Morna eut un rire méprisant.

— Non. Il n'y en a jamais eu qu'un seul.

— Pourquoi n'avez-vous pas essayé de me voir ? Pourquoi ne pas avoir tenté de me dire la vérité ?

— La vérité, tu n'as que ce mot à la bouche. Je te l'ai dit, Alasdhair, la vérité n'existe pas. Je n'ai pas essayé de te voir parce que je ne pensais pas en avoir le droit, surtout après la mort de ton père. J'étais clairement désignée comme l'unique responsable de tout ce gâchis. La honte et la culpabilité sont deux choses affreuses. Te voir aujourd'hui me rend si heureuse ! Tu ne peux l'imaginer. Cela me suffit. Si tu peux trouver au fond de ton cœur la force de me pardonner, je pourrai mourir en paix.

— Il n'y a rien à pardonner, déclara Alasdhair.

Mais il n'y avait pas beaucoup de clémence dans ses

paroles, et quand bien même il ne parlait pas à la légère en les prononçant, il ne parvenait pas à en éprouver la promesse. Il aurait aimé en être capable, mais ne pouvait pas s'empêcher de penser que Morna ne lui livrait qu'une partie de la vérité.

— Rien de ce qui est arrivé ne peut vous être imputé, asséna-t-il, cherchant manifestement à se rassurer lui-même.

Morna secoua la tête.

— C'est gentil à toi de le dire, mais ce n'est pas vrai. Je t'ai toujours aimé, néanmoins, Alasdhair. Je t'ai porté dans mon cœur pendant ces vingt années et j'ai pensé à toi chaque jour que Dieu faisait.

Il avait ce qu'il était venu chercher, songeait Ailsa en l'observant du coin de l'œil. A présent qu'il savait avoir toujours été aimé, il pouvait sûrement trouver au fond de son cœur la force de faire le premier pas. Mais il restait dans son fauteuil, obstinément, une ride soucieuse au milieu du front.

— Quand mon père est mort, pourquoi n'êtes-vous pas revenue me chercher ? Si vous m'aimiez autant que vous le dites, vous vous êtes sûrement inquiétée de ce qu'il allait advenir de moi, non ? Je n'avais pas d'autre famille à Errin Mhor.

Morna changea de position sur sa chaise d'un air gêné.

— Je savais que le *laird* prendrait soin de toi.

— Comment auriez-vous pu le savoir ? J'étais le fils de son intendant, et rien de plus. Vous avez dit vous-même que lady Munro avait juré de vous voir chassée de chez elle. Pourquoi auriez-vous pu croire qu'elle serait disposée à m'accueillir sous son toit dans de pareilles circonstances ?

— Je savais que le *laird* ferait son devoir envers toi.

— Son devoir ? Quel devoir ?

L'appréhension qui le tenaillait depuis des heures se faisait de plus en plus oppressante, comme si les eaux noires et glacées du *loch* le submergeaient lentement. Morna refusait toujours de le regarder dans les yeux.

— Mère ? Quel devoir imposait à lord Munro de faire de moi son pupille, alors que la solution la plus évidente aurait été de me renvoyer auprès de vous ? Il savait où vous trouver.

— Crois-moi, Alasdhair, il est des choses qu'il vaut mieux laisser où elles sont.

Il hésitait. Peut-être avait-elle raison, mais bien qu'une partie de lui l'exhortât à la prudence, l'autre, plus forte, prenait le dessus inexorablement.

— Vous me cachez quelque chose, mère. Je veux savoir quoi.

Les yeux de Morna passèrent rapidement de son fils à la jeune femme, puis à son fils de nouveau.

— Peut-être, si tu demandais à cette demoiselle de sortir…, répondit-elle d'une voix hésitante.

Alasdhair secoua la tête et prit la main de la jeune femme dans la sienne.

— Quoi que vous ayez à dire, elle a le droit de l'entendre, car nous allons nous marier.

L'effet qu'eurent ces mots sur sa mère fut tout à fait surprenant : Morna se leva de sa chaise, les mains plaquées sur sa poitrine. Son visage déjà pâle prit une teinte grise effrayante.

— Non ! Oh Seigneur, Dieu, non ! s'exclama-t-elle en s'agrippant au bord de la table pour garder l'équilibre. Tu ne dois pas épouser la fille de Munro !

Alasdhair repoussa son fauteuil si violemment que celui-ci tomba sur le sol.

— Assez ! Si vous répétez cela, nous ne nous reverrons jamais ! J'aime Ailsa de toute mon âme. Quelque prévention que vous puissiez avoir contre sa famille, et Dieu sait qu'ils vous ont donné cent fois de quoi en avoir beaucoup, je vous demande de les garder pour vous.

— Alasdhair, je t'en supplie, intervint Ailsa, totalement abasourdie par le tour que la conversation venait de prendre. Il est parfaitement compréhensible que…

— Non ! coupa-t-il en l'attirant fermement vers lui et en passant le bras autour de ses épaules. Tu vas être ma femme. Si ma propre mère ne peut pas te traiter avec le respect qui t'est dû, alors elle ne mérite pas d'être ma mère.

Les genoux de Morna refusèrent de la soutenir plus longtemps. Elle tituba jusqu'à sa chaise en repoussant l'aide que lui offrait Ailsa d'un large geste de la main.

— Il ne s'agit pas de vous, petite, expliqua-t-elle d'une voix que le manque de souffle rendait rude à l'oreille. Je te le jure, Alasdhair, ce n'est pas en elle que réside le problème.

Elle prit une longue et déchirante inspiration avant de conclure :

— C'est en toi-même.

— Que voulez-vous dire ?

— Ton père…

— Eh bien ?

— Alec n'est pas ton vrai père. Il ne pouvait pas avoir d'enfants. C'est l'une des raisons pour lesquelles il a consenti à notre mariage : pour avoir un fils dont il pourrait prétendre être le père.

Morna passa sa langue sur ses lèvres sèches et se força à affronter le regard accusateur de son fils. Cela lui brisait le cœur de voir l'ombre de la douleur en voiler l'éclat.

— Ainsi, il y avait bien un autre homme, et depuis le début, de surcroît. Vous vous êtes enfuie avec lui, n'est-ce pas ? Est-il mon père ?

— Il n'y a pas, et il n'y a jamais eu d'autre homme, Alasdhair.

Il avait l'air abasourdi par ces mots.

— Mais alors, qui… qui est mon père ?

La réponse, quand elle vint enfin, fut prononcée d'une voix si faible qu'on pouvait à peine l'entendre.

— Lord Munro.

Quoi ?

— Lord Munro est ton père.

Chapitre 10

— Non !

— Si. J'en suis navrée, mais c'est la vérité, asséna Morna en baissant la tête. Cette fameuse nuit, lors du *ceilidh*, ce n'était pas la première fois que le *laird* parvenait à ses fins avec moi. Quand je suis arrivée au château pour la première fois, il… il… c'était sa façon d'imprimer sa marque, vois-tu.

— Non !

Le hurlement d'Alasdhair semblait celui d'un lion blessé.

— Non ! Ce n'est pas possible.

— Je suis désolée, mais tu voulais connaître la vérité.

— Vous dites que je suis le bâtard de lord Munro ? Mais cela signifie que…

Du coin de l'œil, Alasdhair vit le visage d'Ailsa perdre ses couleurs d'un coup, si vite qu'on aurait cru que le sang s'en était retiré en l'espace d'une seconde. Une impulsion soudaine le poussa vers elle. Il voulait lui prendre la main et fuir, fuir très vite et très loin.

Elle bondit sur ses pieds et se précipita sur lui.

— Alasdhair ? souffla-t-elle d'une voix ténue, l'air abasourdi, les yeux fous, implorants.

Il avait le cœur brisé de la voir ainsi.

— Ailsa…

Il l'attira contre lui, sentit ses formes douloureusement familières se lover contre lui, épousant si parfaitement son corps qu'on les aurait jurées dessinées pour s'y accorder

— Vous mentez ! affirma-t-il avec conviction.

— Pardonnez-moi, répondit Morna d'un ton lamentable.

Elle voyait bien à présent, à la façon dont la jeune femme s'agrippait à son fils, ce qui lui avait échappé jusque-là : ils avaient commis le péché le plus abominable. Et par sa faute, parce qu'elle avait caché la vérité.

— Pardonnez-moi, souffla-t-elle, assommée, car il n'y avait rien d'autre à dire. Tu ne peux imaginer à quel point j'aimerais pouvoir changer les choses, Alasdhair, mais je n'en ai pas le pouvoir. Pour quelle autre raison crois-tu que le *laird* t'aurait si volontiers accueilli sous son toit ?

Ailsa tremblait contre lui sans pouvoir se contrôler à présent.

— Alasdhair ?

Ailsa essaya d'accrocher son regard, mais il tourna la tête et ce fut ce geste, cette fuite, cet évitement de ses yeux couleur de fumée, ces yeux qui l'avaient regardée avec tant de sincérité, de loyauté et d'amour à peine quelques heures plus tôt, ce fut ce geste qui lui fit réaliser toute l'horreur de ce qu'impliquait pour eux le cataclysme que Morna venait de déclencher.

Quelques heures plus tôt, le monde semblait avoir été fait pour eux. Et c'était elle qui avait insisté pour qu'ils viennent ici. Si elle s'était tue, ils seraient rentrés à Errin Mhor au lieu de venir à Inveraray. Si seulement elle avait pu revenir en arrière, et dévider le temps comme on fait d'une tapisserie pour revenir au point manqué. Si seulement elle avait pu remettre les fils en place et leur imposer à partir de là un dessin différent. Si seulement…

Alasdhair lui aussi commençait à trembler, car le monde sous ses pieds semblait se dérober.

— Pourquoi ne l'as-tu pas dit ? Pourquoi personne ne m'en a-t-il informé ? Pourquoi… ?

— J'ai pensé qu'il valait mieux garder le silence, répondit Morna. Personne d'autre ne savait, hormis Alec, pas même lady Munro. Pourquoi t'aurais-je imposé d'être un bâtard quand Alec était disposé à t'appeler son fils ? Quand il est mort, j'ai eu tellement honte, je me suis sentie si coupable d'avoir hâté sa mort que je n'ai jamais pensé à te prévenir. Je te croyais en Amérique.

Alasdhair repoussa doucement Ailsa. Assommée, celle-ci resta immobile, tanguant un peu sur ses jambes, l'esprit figé sur une seule pensée : si seulement elle avait pu faire que le monde revienne en arrière, juste quelques heures.

Mais elle ne savait que trop bien que les « si seulement » ne servaient à rien. Jamais. Il lui semblait que désormais ils ne pourraient plus vivre leur vie que sur le mode du « si seulement ». L'horreur de ce qu'elle avait fait avec Alasdhair ne lui apparaissait pas encore pleinement et les mots de crime et de péché ne lui venaient pas encore à l'esprit. Si seulement, si seulement… Voilà tout ce qu'elle pensait. Elle répétait son nom comme un agonisant appelant l'être cher depuis son lit de mort.

Elle se tourna vers lui, tendit la main vers lui, mais il se refusa, et ce fut la fin. La fin de tout. La fin d'eux deux. Et elle souhaita de tout son cœur et de toute son âme, en ces minutes atroces, que ce soit aussi la sienne. Pour toujours et à jamais.

— Je suis désolée, répéta Morna comme une antienne. Jamais il ne m'est venu à l'idée que tu… toi et la fille du *laird*… jamais je n'ai imaginé que vous pourriez un jour… Munro ne l'aurait pas permis.

— Il ne l'a pas permis, en effet. « Ailsa est la dernière personne sur laquelle tu devrais avoir de telles visées », voilà ce qu'il m'a dit il y a six ans.

— Il y a six ans ?

— Quand Ailsa et moi avons… cela faisait longtemps que nous avions des sentiments l'un pour l'autre, expliqua Alasdhair d'une voix brisée.

Il avait l'impression de se dissoudre, littéralement. Un silence de mort emplissait la bâtisse. Au-dehors, le soleil brillait encore, les oiseaux chantaient encore, les pêcheurs pêchaient et les ouvriers poursuivaient leur labeur sur le chantier du nouveau château du duc d'Argyll. Au-dehors, le monde continuait sa course impassible. Au-dedans, l'ombre s'étendait.

Morna, à court d'excuses et de contrition, enfouit son visage dans son tablier et pleura des larmes amères en silence.

Alasdhair resta immobile, les yeux vitreux, luttant pour redonner un peu de logique et de sens à tous ces faits qui n'en avaient aucun. Un sens qui n'aurait pas détruit tout ce à quoi il tenait. Qui n'aurait pas anéanti ce qu'il avait de plus cher.

Le cœur d'Ailsa battait de plus en plus vite. Son souffle était court, rauque. Son esprit battait la campagne. Elle ne pensait plus, ou simplement par couleurs. L'argent éclatant de l'avenir qu'elle s'était imaginé avec Alasdhair. Le carmin sombre et profond de leurs nuits d'amour. L'or ardent de l'amour qu'elle lui vouait. Elle essayait de les retenir dans son cœur, de les protéger de l'ombre qui rôdait autour d'eux et menaçait de les envelopper tous dans sa noirceur atroce. Les péchés de son père.

Le père d'Alasdhair.

— Non !

Désespérément, elle essaya de le toucher. Seuls quelques pouces de plancher les séparaient, mais un précipice aurait pu tout aussi bien ouvrir entre eux son abîme insondable. Le sol se dérobait sous ses pas, tremblant et tressautant comme si une tempête bouillait dans les entrailles de la terre. Si elle parvenait à le toucher, tout irait bien. S'il levait les yeux sur elle, si elle pouvait seulement voir l'amour qu'il éprouvait pour elle, tout irait bien. Rien de tout cela n'était vrai. C'était impossible.

— Non !

Elle tendit la main vers lui, mais il recula hors de portée. Un grondement sourd résonna dans ses oreilles et la fit tanguer sur ses jambes.

— Alasdhair, dis-moi que ce n'est pas vrai.

La pièce se mit à tourner, Ailsa sentit ses jambes la trahir, mais juste avant qu'elle ne tombe, Alasdhair la rattrapa et la tint serrée contre sa poitrine, si fort que c'en était douloureux, mais d'une douleur qu'elle accueillit avec bonheur, car au moins elle était dans ses bras.

— Alasdhair, souffla-t-elle en se blottissant contre lui.

Elle savoura un instant son odeur douloureusement familière, l'esprit tout empli de couleurs turgescentes, puis sombra dans une inconscience miséricordieuse en s'évanouissant dans ses bras d'un seul coup.

Alasdhair la posa avec précaution sur le lit. Penché sur elle, il repoussa les cheveux qui encombraient son visage et posa un baiser sur sa joue glacée.

— Veillez sur elle, ordonna-t-il d'un ton sec à l'adresse de Morna, qui se tenait auprès de lui comme un fantôme.

— Où vas-tu ?

— En enfer, aboya-t-il en sortant de la maison.

Il marcha pendant des heures. Sans savoir où il allait. D'ailleurs, il s'en moquait. Il marcha le long des rives du *loch* Fyne, jusqu'à la lisière des arbres, puis dans la forêt dont les ténèbres s'accordaient totalement à son état d'esprit.

Il trébucha sur les racines des pins qui se déployaient comme les membres fossilisés d'une armée de vieilles femmes sur la terre rare.

Il traversa de grandes gerbes d'eau, sans se soucier de l'humidité et du froid, et des torrents bouillonnants gonflés par la fonte des neiges.

Il piétina des tapis de fougères dévidant leurs crosses argentées, des jonchées de jacinthes, des bois aux tiges d'un vert éclatant, et les feuilles mordorées des primevères agonisantes. Il manqua de tomber quand son pied s'enfonça dans le terrier d'un lapin, effrayant une biche qui surgit affolée d'un bosquet et s'enfuit avec la grâce d'une danseuse. Les branches basses des arbres se prenaient dans ses cheveux volant au vent, les ajoncs dans les plis de son *plaid*.

Il courut sans cesse, à perdre haleine, tombant dans une sorte de transe à mi-chemin entre le conscient et l'inconscient, insensible à tout, dans un monde gris et crépusculaire où son péché rôdait comme une hydre maléfique tapie dans les profondeurs de son âme.

Finalement, il s'arrêta quand il comprit, d'un coup,

la futilité de sa fuite. Il fallait qu'il affronte la dure réalité du destin qui les attendait : ils ne vivraient jamais ensemble. Il ne pourrait pas arracher Ailsa de son cœur et de sa mémoire, et l'aurait-il pu qu'il ne l'aurait pas voulu, mais il devait la tenir à jamais à l'écart de sa vie.

Rassemblant toute la résolution dont il était capable, le cœur lourd, il fit demi-tour. Lentement, comme un homme avançant vers le gibet, il refit en sens inverse le trajet qui l'avait amené jusque-là, en suivant instinctivement le même chemin qu'il avait choisi sans même s'en rendre compte. On aurait dit un homme poussant lui-même sa propre charrette de condamné à mort, et avançant inexorablement vers sa propre destruction.

Dans la maison de Morna, la pâle créature qui avait été Ailsa, jadis, reprenait lentement conscience. Elle avait l'air d'un spectre et avait l'impression d'être une *will-o'-the-wisp*, une de ces légendaires créatures des marais faites de fumée dont le destin était de jeter des sorts aux hommes.

Elle n'avait pas de mots pour exprimer ce qu'elle ressentait, pas même pour elle-même. Elle aurait voulu se terrer dans un endroit sombre comme une biche blessée, et passer ainsi le reste de la veillée funèbre solitaire que serait sa vie désormais.

Si elle ne pouvait avoir Alasdhair, et elle ne le pouvait pas, alors elle n'aurait rien, ni personne.

Quand bien même elle voyait que Morna souffrait affreusement elle aussi, elle n'avait rien à lui offrir pour la réconforter.

Elle avait pitié d'elle d'une façon qui n'avait rien à voir

avec ce qu'elle éprouvait pour elle-même. Sa douleur était trop grande pour que la simple pitié puisse suffire, et son crime, qu'elle avait commis dans la plus totale innocence, trop énorme pour ne pas totalement envahir son esprit de sa présence délétère.

Elle finirait par en réaliser toute l'horreur à un moment ou à un autre, et peut-être avec cette révélation viendraient la repentance et le remords. Mais pour l'heure, la seule façon qu'elle avait de faire face à la vérité consistait à simplement refuser de la voir.

Tout en elle était figé, sauf son amour pour Alasdhair. Il continuait de brûler fiévreusement, fièrement, comme si son cœur se mettait à l'épreuve. Elle savait que c'était mal, mais elle n'y pouvait rien.

Pas maintenant.

Pas encore.

En luttant pour se remettre sur ses pieds, elle frôla le bras tendu de Morna et secoua la tête pour refuser l'aide que celle-ci lui offrait, car elle avait la gorge si serrée qu'elle ne pouvait prononcer une parole. Elle rassembla son *arisaidh* autour d'elle, ouvrit la porte de la maison et respira une longue goulée d'air frais. Il fallait qu'elle le trouve. Quand elle le saurait sain et sauf, elle partirait. Mais d'abord, elle devait le trouver.

Elle descendait le chemin qui menait à la berge lorsqu'une main la saisit, l'arrêtant net. Une main familière.

— Alasdhair.

— Ailsa.

Ils se regardèrent l'un l'autre fixement pendant de longues secondes. Le monde avait changé du tout au tout et pourtant, tout semblait comme avant.

— J'ai cru que tu étais parti, murmura-t-elle d'une voix faible et sans relief.

— Je le serai bientôt, répondit-il.

La sienne sonnait comme celle d'un homme à la torture.

— Alasdhair, je…

— Non, tais-toi.

— Si j'avais su, je n'aurais pas…

— Ailsa, coupa-t-il, d'une voix plus douce cette fois. Cela n'aurait rien changé à la vérité.

— Ta mère a raison, répondit-elle d'un ton plein d'amertume. La vérité n'existe pas.

— Non, tu te trompes. La vérité, c'est ce qu'on ressent au fond de soi, dans son cœur. Je t'aime, Ailsa. Tu fais partie de moi. Tu es faite pour moi, et sans toi, je ne serai jamais complètement moi-même. Cet amour-là n'est pas un péché, jamais je ne croirai une chose pareille. Je t'aime, et quand bien même c'est une profanation, une abomination dont je ne peux même pas prononcer le nom, je continuerai à t'aimer toujours. Si c'est un péché, alors je le commettrai jusqu'à mon dernier souffle, en pensée sinon en actes. Cette séparation que nous devons nous imposer n'est pas la fin de notre amour. Je te garde en mon cœur. Et même si de savoir que je ne sentirai plus jamais tes lèvres sur ma bouche ni ta main dans la mienne m'est une douleur pire que la mort, mon amour est assez fort pour la transcender.

— Oh, Alasdhair ! répondit Ailsa d'une voix brisée. Moi aussi je t'ai rivé au cœur. Et pour toujours, je te le jure.

— Je le sais, Ailsa, et cela me suffit, affirma-t-il d'un ton farouche en luttant de toutes ses forces pour ne pas la prendre dans ses bras. Cela me suffit. Cela me suffira.

Il répétait cette phrase pour s'en convaincre, mais il n'en croyait pas un mot.

Ils étaient trop noyés dans leur propre malheur, trop occupés à s'imaginer la souffrance abominable qui les attendait pour remarquer sa présence avant qu'elle n'arrive tout près d'eux.

L'affreux voyage qu'ils savaient devoir entreprendre et qui les mènerait du bonheur d'être ensemble au malheur d'être séparés à jamais s'étendait devant eux.

Ayant laissé le cheval à la taverne, elle arriva à pied, entièrement vêtue de noir, ses cheveux blonds que les années n'avaient pas réussi à faner cachés sous sa coiffe de veuve.

Ce fut Ailsa qui la vit la première. Elle sursauta devant la silhouette immobile qui la regardait fixement d'une façon qui lui rappela l'expression des femmes d'Errin Mhor scrutant la mer quand la flottille des bateaux portant leurs maris tardait à rentrer au port.

Elles restaient plantées sur la jetée exactement comme elle à présent, immobiles telles des statues, pétrifiées entre la joie et le chagrin jusqu'à ce que chaque bateau soit rentré et que chaque homme ait été vu sain et sauf.

— Mère, s'exclama Ailsa d'une voix blanche. Je ne comprends pas. Que faites-vous ici, pour l'amour du ciel ?

— Ailsa…

Confrontée à sa fille et déconcertée par l'abominable chagrin qu'elle lisait sur son visage adoré, l'ampleur de la tâche qui l'attendait donnait le vertige à Christina Munro. Paralysée par la peur de l'échec ou, pire, la perspective d'être rejetée tout de go par sa fille, elle fit quelques pas hésitants en direction de celle-ci avant de s'arrêter. Une mère normale aurait pris son enfant dans ses bras, mais lady Munro savait qu'elle était aussi peu une mère ordinaire qu'il était possible de l'être.

— Ailsa, je… j'espérais te trouver ici. Il faut que je te parle. Que je t'explique. C'est très important.

— Quoi que vous ayez à me dire, il est trop tard, à présent, répondit sèchement la jeune femme.

En regardant sa fille, et en s'émerveillant une fois encore de la teinte violette de ses yeux, lady Munro sentit le désespoir la submerger.

— Tu ne comprends pas. Je voulais te voir, te dire… je veux réparer…

Elle souriait tant bien que mal, en s'efforçant d'avoir l'air engageant.

— Réparer ? Personne ne peut réparer. Rien ne sera plus jamais comme avant. C'est fini.

Lady Munro remarqua pour la première fois les traits tirés de sa fille, et ses yeux exorbités saillant de son visage d'un blanc de craie.

— On jurerait que tu viens de voir un fantôme.

— C'est bien le cas, répondit Ailsa. Un fantôme qui me hantera jusqu'à la fin de mes jours.

Christina avait l'impression que le peu de sang qui courait encore dans ses veines s'y figeait peu à peu.

— C'est Morna. Tu lui as parlé. Elle t'a dit…

Elle saisit sa fille par le bras avant de poursuivre, d'une voix qui montait à chaque seconde un peu plus :

— Ce n'est pas ce que tu crois. Ce que ton père a fait… ce n'est qu'une partie de l'histoire. Je t'en prie, Ailsa, laisse-moi t'expliquer…

— Expliquer quoi ? Comment pourriez-vous changer

le fait que mon père est aussi celui d'Alasdhair ? s'écria Ailsa, hystérique. Je suppose que vous le saviez, mère, n'est-ce pas ? Et je suppose aussi que c'est la raison pour laquelle vous haïssiez tant Alasdhair. Parce qu'il était le fruit du droit de cuissage de mon père.

— Ailsa, ce n'est pas…

— Au diable le *laird* et ses péchés ! intervint Alasdhair d'une voix forte. J'en ai assez d'entendre parler de lui. Et que faites-vous du péché par omission, milady ? Pourquoi ne m'avez-vous rien dit ? Je ne comprends pas pourquoi vous n'en avez rien fait avant que nous… Oh ! Seigneur ! Avez-vous la moindre idée du malheur que cette nouvelle nous a causé, à moi et à votre propre fille ?

Lady Munro serra les mains fébrilement pour les empêcher de trembler, puis s'éclaircit la voix et se força à regarder sa fille. Son Ailsa. Son Ailsa adorée.

— Ce n'est pas ce que tu crois.

— Comment ? Et que diable croyez-vous que c'est, alors ? rétorqua Alasdhair d'un air dégoûté. Voulez-vous dire que ma mère s'est trompée sur l'identité de celui qui a mis cette graine dans son ventre ?

— Non, ce n'est pas ce que je veux dire.

— Mais alors, mère, que voulez-vous dire au juste ?

Lady Munro releva la tête pour affronter le regard de sa fille.

— Lord Munro est le père d'Alasdhair, c'est vrai, mais il n'est pas le tien.

Le monde sembla arrêter un instant sa course. La tension faisait vibrer l'air. Alasdhair et Ailsa ne pouvaient prononcer une parole, trop effrayés pour en croire leurs oreilles, trop terrifiés à l'idée de découvrir que ces paroles étaient encore un mensonge.

Ce fut lady Munro qui brisa le silence la première.

— C'est vrai, je le jure, affirma-t-elle d'une voix tremblante.

— Mais pourquoi ? Comment ? Qui ? demanda Ailsa. Je ne comprends pas. Pourquoi ne m'avoir rien dit ? Pourquoi, pendant toutes ces années, m'avoir laissée croire que… pourquoi ?

— Oh, Ailsa ! Pourquoi ? J'avais toutes les raisons du monde pour ne pas te le dire.

— Mais…, insista la jeune femme en se prenant la tête à deux mains pour combattre le vertige qui la saisissait.

Alasdhair dut lutter contre lui-même désespérément pour intervenir à son tour :

— Pas ici. Il faut que… non, pas ici. Rentrons dans la maison de ma mère.

— Jamais Morna Ross n'acceptera que je franchisse le seuil de sa maison.

— Si ce que vous dites est vrai, elle vous accueillera à bras ouverts.

— Je vous le jure, affirma lady Munro avec ferveur. Je vous promets que c'est la vérité. Tu n'es pas du même sang que ma fille, Alasdhair.

Dans le regard qu'échangèrent les deux jeunes gens luisait une vague lueur d'espoir, vacillant comme la flamme d'une bougie essayant vaillamment de brûler dans le vent.

Ils se regardèrent, le cœur rempli d'espérance, et détournèrent les yeux presque aussitôt, de peur de tenter le destin. Quand ils se dirigèrent tous trois vers la maison, le ciel parsemé de nuages blancs du petit matin avait cédé la place à un azur pâle dans lequel le soleil luisait faiblement.

Morna Ross les attendait sur le seuil de sa maison, les bras croisés bien serrés sur sa poitrine.

— Eh bien ! Si je m'attendais à ça ! A quoi dois-je ce plaisir douteux ?

— Mère, lui lança Alasdhair en la faisant entrer dans la maison, lady Munro a des nouvelles extraordinaires à nous annoncer qui pourraient bien remettre tout en place. Installons-nous à l'intérieur, s'il vous plaît.

Morna obtempéra et alla s'asseoir de l'autre côté de la table, exactement en face de lady Munro. Les deux femmes s'observèrent longuement, comme de vieux adversaires se préparant pour une bataille qu'aucune n'appelait de ses vœux.

Ailsa et Alasdhair étaient assis l'un à côté de l'autre, de telle sorte qu'ils ressentaient plutôt qu'ils ne voyaient les nuances des émotions qui s'exprimaient sur leurs visages. Ils ne se touchaient pas, mais malgré cela, leurs corps cherchaient à se rapprocher l'un de l'autre, attirés par quelque force invisible comme celle qui pousse les aiguilles d'une boussole à toujours pointer vers le nord.

Ils attendirent en retenant leur souffle que les explications de lady Munro les libèrent, craignant encore d'avoir, par quelque rouerie du destin, mal interprété ses paroles, et que cette erreur funeste les condamne à jamais.

Les longs doigts fins de lady Munro jouaient nerveusement avec la dentelle délicate de son mouchoir.

— Je n'ai jamais voulu que ton bonheur, déclara-t-elle abruptement en se tournant vers sa fille. Je sais que tu ne le crois pas, mais c'est la vérité. C'est tout ce que j'ai jamais désiré.

— En ce cas, aidez-moi, Mère, je vous en supplie,

car la seule chose qui puisse me rendre heureuse, c'est d'être avec Alasdhair.

Christina Munro hocha la tête. Un petit morceau de dentelle s'arracha du mouchoir de coton fin avec un bruit sec.

— Oui. Oui, je le vois à présent. Je regrette seulement qu'il m'ait fallu tant de temps pour m'en apercevoir.

Elle hocha la tête de nouveau. Un silence tendu comme une voile dans la brise envahit la pièce. Elle ferma les yeux au moment où le passé, continent sur lequel, pour se protéger, elle n'avait jamais posé le pied, s'offrait à ses yeux comme une terre oubliée dont les contours lui auraient été familiers, mais que le temps aurait trop changée pour qu'elle la reconnaisse. Cela dura un moment, puis, prenant une longue inspiration, elle rouvrit les yeux avant de prendre enfin la parole :

— J'ai beaucoup aimé mon premier mari, affirma-t-elle en regardant uniquement sa fille, poursuivant d'une voix dure : sa mort m'a anéantie. Nous n'étions pas mariés depuis longtemps et j'étais très jeune. J'avais à peine dix-huit ans et mon premier-né, Rory, n'était âgé que de quelques mois.

Elle commença à se balancer d'avant en arrière sur son fauteuil, puis reprit :

— Vois-tu, Ailsa, je peux prononcer son nom, mais je trouve… enfin, l'expérience m'a appris qu'il ne vaut mieux pas. Quand on ne peut guérir une blessure, il vaut mieux ne pas la gratter.

Elle hésita un peu avant de reprendre son récit.

— J'ai été veuve quelques mois, jusqu'à ce que le clan ne me marie à Munro. Mon garçon n'avait pas un an quand ils me l'ont arraché des bras. Je ne le savais pas, vois-tu. Personne ne m'avait dit que cela faisait partie du contrat de mariage. Rory étant l'héritier de Heronsay, les Macleod voulaient le prendre sous leur aile et mon nouvel époux ne voulait pas d'un coucou Macleod dans son nid. J'ignorais absolument tout de ces choses.

Ailsa la regardait comme si elle la voyait pour la première fois de sa vie. Elle semblait avoir pris de l'âge ces derniers jours, non point sur le visage, mais dans son allure. Son dos roide et droit s'arquait à présent et on voyait bien, à sa façon de se tenir tassée sur elle-même, qu'elle luttait pour ne pas s'effondrer. En fait, elle faisait pitié. Et c'était assurément la toute première fois qu'Ailsa ressentait cette émotion pour sa mère.

Ses doigts déchiraient la dentelle par à-coups.

— Cela m'a brisé le cœur de laisser Rory à Heronsay. Le soir de nos noces, le *laird* m'a promis que le jour où je lui donnerais un fils, il permettrait que mon premier-né vienne vivre avec nous. J'ai cru qu'il était sincère.

Elle pinça les lèvres avant de poursuivre :

— Mais quand j'ai mis Calumn au monde, il m'a simplement ri au nez. J'aurais mon fils, m'a-t-il dit, quand j'aurais un deuxième enfant. Un de plus que je n'en avais donné à Macleod. Aussi l'ai-je admis de nouveau dans mon lit et ai-je enduré ses privautés, quand bien même je savais que c'était un menteur. Que pouvais-je faire d'autre ?

Lady Munro se tourna brièvement vers Morna.

— Quand il s'agit du bien-être de nos enfants, nous sommes prêtes à supporter beaucoup de choses.

Morna haussa légèrement les épaules en signe d'acquiescement, mais garda le silence.

— J'ai essayé, mais en pure perte, reprit la mère

d'Ailsa. Et après quatre ans, j'étais prête à abandonner tout espoir. Je ne croyais plus vraiment qu'il me laisserait avoir Rory près de moi un jour. Tu ne vas pas me croire — d'ailleurs, pourquoi le ferais-tu après la façon dont je t'ai traitée ? — mais ce que je désirais vraiment, c'était d'avoir une fille.

Elle se tut de nouveau, le temps pour Ailsa de s'étonner qu'une légère rougeur vienne colorer ses joues.

— Continuez, l'exhorta-t-elle, inquiète de savoir ce qu'elle allait dire ensuite.

— Je n'y aurais pas pensé si les circonstances ne s'étaient pas mises de la partie, affirma lady Munro.

Les mots lui venaient tous en même temps à présent, tellement elle avait envie d'en finir avec la partie la plus honteuse de son récit.

— Le *laird* était absent d'Errin Mhor, pour des affaires concernant le clan. Cela faisait deux mois qu'il était parti et il rendait visite à des cousins dans les Iles Hébrides. Neil Murray était un de mes amours de jeunesse. A la mort du père de Rory, il avait demandé ma main, mais malgré sa naissance et le fait qu'il ne me déplaisait pas, loin de là, il n'avait pas la fortune ni les terres du *laird* d'Errin Mhor, aussi son offre fut-elle rejetée.

Ces révélations ressemblaient si peu à ce à quoi Ailsa s'attendait qu'elle en resta bouche bée de surprise. Elle fit mine de parler, mais le bras d'Alasdhair la retint.

— Attends, prononça-t-il sans émettre aucun son, craignant que lady Munro ne parle plus si elle était interrompue.

— Il est arrivé à Errin Mhor avec un message de la part de mon époux, déclara cette dernière en rougissant franchement cette fois-ci. Il est resté sept jours et sept nuits et nous… il est venu dans mon lit chaque soir. J'étais seule, désespérée, et il s'est montré tendre avec moi, ce que Munro n'avait jamais fait. Cela a fait remonter en moi le souvenir de jours meilleurs. Je sais que ce n'est pas une excuse. Quand finalement il a quitté Errin Mhor, je me suis doutée que je portais peut-être son enfant. Quand mon époux est rentré, trois semaines plus tard, mes soupçons s'étaient confirmés. Je sais que j'ai mal agi en lui mentant, même s'il m'avait trompée de son côté, mais c'est pourtant ce que j'ai fait. J'ai fait en sorte qu'il n'ait aucune raison de douter de moi et j'ai eu de la chance, car personne ne s'est avisé de se demander pourquoi tu étais née quelques semaines en avance. Calumn lui aussi était arrivé un peu vite. J'ai eu de la chance et j'ai pris mes précautions. Personne n'a jamais su, pas même Neil. Jusqu'à aujourd'hui, j'ai été la seule à porter ce secret.

— Etes-vous certaine de ce que vous dites, mère ? demanda Ailsa d'une voix pleine d'espoir et d'impatience, en s'avançant sur son siège. Etes-vous totalement sûre, sans l'ombre d'un doute, de l'identité de mon père ?

— Oui, j'en suis absolument certaine, je te le promets. J'ai compté les jours sans me tromper, crois-moi, mais de toute façon, il y a autre chose, si tu as besoin d'une preuve supplémentaire. Regarde tes mains.

Ailsa s'exécuta, étalant ses mains sur le dessus de la table.

— Que dois-je regarder ?

— Regarde, souffla lady Munro en faisant de même. Le majeur et l'annulaire. Chez la plupart des gens, ils sont de tailles différentes, mais les tiens sont rigoureusement de la même longueur. C'est une bizarrerie que Neil m'a fait remarquer. Tous les gens de sa famille ont la même.

Ailsa examina ses mains en fronçant les sourcils, surprise de constater que sa mère disait la vérité, et encore plus de réaliser qu'elle ne s'était jamais aperçue de la chose.

— Est-ce vraiment si inhabituel ?

Lady Munro acquiesça en hochant la tête. Alasdhair et Morna regardèrent leurs mains et firent de même.

— C'est vrai, observa la seconde en regardant celles de la jeune femme avec intérêt. Je n'ai jamais vu ça auparavant, sur personne.

— Donc je ne peux pas être une Munro, commenta Ailsa lentement.

— Non, répondit lady Munro d'une voix tendue.

Morna prit la parole pour la première fois depuis qu'ils étaient revenus dans la maison, avec quelque chose qui ressemblait à de l'admiration dans le ton de sa voix :

— Vous avez fait entrer le coucou dans le nid du *laird*.

— En effet, admit la mère d'Ailsa en soutenant le regard de Morna, plus impassible qu'une statue, ses doigts enfin apaisés ne triturant plus la dentelle de son mouchoir.

Chaque mot qu'elle prononçait semblait une pierre pointue qu'on lui arrachait, si douloureusement qu'il n'était pas permis de douter de leur véracité.

— Quand je vous ai trouvée avec lui, cette fameuse nuit, j'étais furieuse qu'il puisse faire si facilement et avec tant de nonchalance ce qui m'avait coûté si cher. Ce n'était pas votre faute, je le sais, mais je ne voyais pas les choses de cette façon à l'époque. Si cela peut vous consoler, sachez qu'il m'a punie moi aussi, pour me faire payer la honte qu'il avait ressentie d'être découvert. Ce que je vous ai fait m'a été fait à mon tour et votre fils a pris la place du mien au château.

— Ce n'est pas du tout la même chose, protesta Morna d'une voix forte.

— Je ne prétends pas que c'est le cas, tempéra Christina. Ni que je n'ai commis aucun péché. Je veux simplement expliquer ce qui s'est passé. Et puis de toute façon, ce n'est pas votre pardon que je suis venue chercher en venant ici, mais celui de ma fille.

Elle se tourna vers Ailsa de nouveau, les yeux humides des larmes qu'elle retenait à grand-peine.

— Je ne t'en ai que plus aimée pour celle que tu étais, ma fille, et pour celle que tu n'étais pas, mais le *laird* passait avant tout, vois-tu, aussi ai-je pris grand soin de ne jamais lui laisser voir les sentiments que j'avais pour toi. Mais tu as raison. J'ai eu du temps, plus qu'assez, pour changer les choses entre nous, et je ne l'ai pas fait. J'ai eu peur de le faire, parce que le mal que je t'ai infligé, je ne pouvais pas le regarder en face. C'était trop dur. Je t'ai toujours aimée, Ailsa, quand bien même je ne te l'ai jamais montré. Je suis venue te dire que quelle que soit la vie que tu choisirais, tu aurais ma bénédiction. Pourras-tu jamais trouver dans ton cœur la force de me pardonner ?

— *Màthair !*

Sans se soucier des larmes qui coulaient sur ses joues, Ailsa se leva, se jeta à genoux devant sa mère et, lui serrant les genoux entre ses bras, y posa la tête, éperdue de bonheur.

— Je n'ai jamais été aussi heureuse de toute ma vie d'apprendre que l'homme que je croyais être mon père ne l'était pas. Car cela signifie que je peux obtenir ce qui est le plus cher à mon cœur, c'est-à-dire vivre avec Alasdhair. Rien que pour cela, je peux vous pardonner tout ce que vous avez fait.

D'un geste hésitant, Christina toucha les boucles soyeuses de sa fille du bout des doigts.

— Je n'ai jamais cherché qu'à te protéger. J'étais persuadée que personne ne pouvait le faire à ma place. Je me trompais et j'en suis désolée. Si tu veux épouser Alasdhair Ross, alors c'est ce que je veux moi aussi.

Alasdhair aida Ailsa à se lever d'une main ferme et la serra si fort entre ses bras qu'elle ne pouvait plus respirer, quand bien même ils trouvaient tous les deux qu'ils n'étaient pas encore assez proches l'un de l'autre.

— Jurez-vous que ce que vous venez de nous raconter est la vérité vraie ? demanda-t-il en regardant lady Munro d'un œil sévère.

— Je le jure.

Il y avait une certaine ironie à ce que ce soit justement la femme qui avait fait le plus pour les éloigner l'un de l'autre qui vienne aujourd'hui briser ce qui semblait un obstacle insurmontable à leur bonheur. Mais comme Ailsa désormais, Alasdhair ne se souciait plus guère d'autre chose que du fait que plus rien ne s'opposait à ce qu'ils soient ensemble.

— Merci, lança-t-il à lady Munro. Je considère donc que votre fille a votre bénédiction, c'est bien ça ?

— Je la lui donne de tout mon cœur, répondit celle-ci.

Morna se leva elle aussi.

— Eh bien, dit-elle en fixant l'autre femme d'un

œil peu amène. Je n'irai pas jusqu'à dire que je vous ai pardonnée, mais j'ai pitié de vous, Christina Munro, et puisqu'il semble que nous allons être parentes par alliance, je ferai de mon mieux pour oublier vos pires péchés.

Lady Munro se mit debout à son tour.

— Il est tard, vous avez sûrement besoin d'être seuls, et je suis épuisée. Aussi, si vous le voulez bien, vais-je rentrer à l'auberge prendre un peu de repos.

Ailsa se dégagea du bras d'Alasdhair pour donner à sa mère un baiser hésitant sur la joue et fut récompensée d'une étreinte violente avant que Christina ne s'enfuie de la pièce en se cachant les yeux de sa main levée.

— Je ferais bien de la suivre et de m'assurer que tout va bien, déclara Morna. Ç'a été une rude journée pour nous tous, pour sûr.

Quand ils furent enfin seuls, Alasdhair prit Ailsa par les épaules et la guida hors de la maison en direction des rives du *loch*.

Il faisait déjà presque nuit et la pleine lune brillait haut dans le ciel, un peu voilée par ce qu'il restait de bruine. Il la fit se tourner vers lui et lui prit le visage entre les mains, savourant autant qu'il pouvait sa beauté admirable.

Pendant de longues minutes, ils se regardèrent en silence, les yeux violets de l'une répondant au brun profond des yeux de l'autre, l'horreur des dernières heures s'évanouissant graduellement dans leur mémoire tandis que la lueur rougeoyante de leur amour irradiait leurs corps.

— Je t'aime, affirma Alasdhair d'une voix rauque en approchant ses lèvres si près qu'elles frôlèrent la bouche de la jeune femme. Je t'aime, je t'aime, je t'aime. Jamais je ne me lasserai de le dire, jamais je ne cesserai de remercier le ciel de me permettre de le faire.

— Moi aussi je t'aime, Alasdhair, murmura-t-elle. Et plus encore à chaque minute qui passe.

Il l'attira plus près. Ses courbes ravissantes pressées contre lui épousaient merveilleusement son corps ferme et solide. Elle sentait le soleil et la mer. Ailsa.

Il ferma les yeux et s'abreuva d'elle, de sa présence, et le soulagement céda lentement la place au désir à mesure que les horreurs de la journée qui s'achevait commençaient à se dissiper.

Enfin, il l'embrassa, vidant son cœur en elle en un baiser inouï, l'enveloppant dans le baume de son amour, les liant tous les deux d'une façon qui les persuadait sans aucun doute possible qu'ils étaient bien les deux moitiés d'un seul être. Un baiser dont on aurait dit qu'ils l'avaient attendu toute leur vie. Une proclamation. Un serment.

— Je t'aime, Alasdhair. Je t'aime tant, répéta Ailsa en lui prenant la main pour la frotter contre sa joue. La voilà notre table rase, n'est-ce pas ? Cela ne te gêne pas que je ne sois pas celle que tu croyais ?

Il éclata de rire.

— Non. Tu es exactement celle que je croyais. La seule chose qui m'inquiète, c'est que tu sois gênée, toi, pour la même raison.

— Tu es toi, Alasdhair, c'est-à-dire exactement celui que je croyais que tu étais. N'est-ce pas amusant de penser que tu es venu de Virginie pour trouver des réponses et que tu ne posais même pas les bonnes questions ?

— Je n'en ai qu'une seule à l'esprit, et c'est de savoir quand nous nous marierons.

— Bientôt. Dès que nous pourrons publier les bans.

Ailsa soupira de contentement et se blottit encore plus entre les bras rassurants d'Alasdhair.

— Je n'arrive pas à croire que tout cela est vrai, ajouta-t-elle.

— Et tu me promets que tu n'as aucun regret, Ailsa ? Tu penses vraiment ce que tu dis quand tu affirmes que tu veux vraiment quitter l'Angleterre pour aller vivre avec moi en Virginie ?

— C'est toi que je veux vraiment. Si je peux t'avoir, toi, rien d'autre n'a d'importance.

Elle se mit sur la pointe des pieds pour l'embrasser, puis :

— Je veux un monde nouveau, celui-ci est trop vieux.

— Alors tu auras le Nouveau Monde. Et ton nom ?

— Je ne sais pas, répondit-elle en plissant le front. Il faut dire la vérité à Calumn, ce ne serait pas juste de la lui cacher, mais je doute fort qu'il ait envie de la rendre publique. Pour ce qui me concerne, je serai Ailsa Ross, et c'est tout ce qui compte.

Alasdhair l'embrassa encore, langoureusement cette fois, et doucement, savourant ses lèvres pleines, et de la main ses formes voluptueuses.

— En ce cas, si ma mère est heureuse de garder un secret et que c'est aussi le cas de la tienne, je ne vois pas ce qui nous oblige à proclamer la vérité au monde entier. Sommes-nous d'accord ?

— Oui, répondit Ailsa, en l'attirant plus près de ses lèvres. Et maintenant, pouvons-vous parler d'autre chose que de nos mères, s'il te plaît ?

Il ne résista pas.

— Ne parlons plus du tout, murmura-t-il.

Il l'embrassa encore, et encore, ne s'arrêtant enfin que lorsque, rassasiée, elle s'endormit contre lui, le corps et l'âme chavirés de bonheur.

Chapitre 11

Alasdhair et Ailsa devaient se marier sous leur nom de baptême. Après de longues réflexions, Morna et Christina s'étaient accordées à penser qu'il vaudrait mieux garder la vérité sous le boisseau, à condition, cela allait sans dire, que Calumn soit du même avis lui aussi.

Alasdhair avait insisté pour expliquer toute l'affaire à son ami lui-même, jugeant, à juste titre, que ce dernier préférerait entendre de sa bouche les faits bruts plutôt que d'avoir à écouter les réactions de deux femmes qui rivaliseraient de zèle dans l'émotion.

Calumn l'écouta en effet, de plus en plus étonné à mesure qu'Alasdhair avançait dans son récit, mais dès que ce dernier en eut terminé, il secoua la tête d'un air résigné.

— Mon père a pris la précaution de se délivrer du fardeau de ses péchés avant de mourir, affirma-t-il avec une grimace de déplaisir. Sa religion ne requiert pas de confession, mais il a choisi de me charger, moi, son fils aîné, du poids de ses fautes les plus viles, pour le cas où certains de ceux qui ont eu à en pâtir s'aviseraient de demander réparation. Il a été habile jusqu'au bout, le vieux bouc ! Tu n'as pas idée de la noirceur de son âme, Alasdhair, mais je ne le crois pourtant pas capable d'avoir sciemment commis un tel forfait. J'imagine qu'abuser de ta mère et lui faire un enfant a dû lui sembler être plus un devoir qu'un péché. J'en suis navré, sincèrement, Alasdhair.

— Tu n'y es pour rien.

— Non, mais c'est un déshonneur dont j'ai hérité, que je le veuille ou non.

— Pas à mes yeux en tout cas. Réalises-tu que tout cela signifie que nous sommes frères, toi et moi ?

Le visage de Calumn s'éclaira tout d'un coup.

— Par tout ce qui m'est sacré, c'est vrai ! s'exclama-t-il en prenant la main de son ami. Je sais que c'est un peu tard, mais sois le bienvenu dans notre famille, mon frère.

— Mieux vaut tard que jamais, commenta Alasdhair en éclatant de rire.

Le matin de leurs noces, Ailsa découvrit à son réveil que le destin leur avait réservé une belle journée. Bien sûr, elle l'aurait trouvée merveilleuse quand bien même le ciel aurait déversé sur eux des trombes d'eau glacée, car le soleil semblait briller directement dans son cœur depuis quelques jours.

Bien qu'elle eût reçu l'ordre de se cantonner strictement à sa chambre durant toute la matinée, elle était bien trop excitée pour rester au lit, aussi s'était-elle enveloppée d'une couverture avant d'aller se percher sur le banc installé sous la fenêtre.

Au-dehors, elle pouvait voir la flottille de pêche déployée sur la mer, au-delà du Collier, comme un gigantesque filet. Les bancs de harengs venaient d'arriver dans les eaux d'Errin Mhor. Ces petites créatures argentées n'approchaient les côtes que quelques semaines par an, mais elles arrivaient par myriades. Avant une heure, toutes les femmes des villages alentour se retrouveraient sur le port d'Errin Mhor, les doigts entourés de bandelettes de coton, prêtes à vider et à saler les poissons à mesure qu'ils seraient déchargés sur le quai. La précieuse récolte serait ensuite rangée soigneusement en couches régulières dans des tonneaux de bois, afin de pourvoir chaque foyer de provisions vitales en vue du long hiver.

Sur la lande, la pénible tâche consistant à couper les mottes de tourbe avait déjà commencé. Dans le grand jardin enclos attenant aux cuisines du château, on s'apprêtait à repiquer les légumes d'été.

Madeleine avait commencé à faire des expériences avec d'étranges spécimens qu'elle se faisait envoyer depuis la ferme de son père, en France, malgré l'absence totale d'encouragements à ce sujet de la part de lady Munro, comme de bien entendu.

La nouvelle orangerie, que Calumn avait fait construire pour elle, était remplie de caisses contenant d'étranges semis et toutes sortes de plants.

Agneaux et chevreaux étaient nés pour la plupart et les vaches commenceraient bientôt à mettre bas à leur tour, sans oublier que la vague des naissances du début de l'été allait elle aussi débuter incessamment. Cela ferait une autre récolte bienvenue, semée, elle, au cours des longues nuits d'automne. C'était un cycle si familier qu'Ailsa le voyait comme une immense tapisserie ronde, comme une roue impassible et insensible aux aléas du temps.

La vie à Errin Mhor se répétait d'année en année, avec la lenteur inexorable de la marche des saisons.

— Et très bientôt, je vais partir pour un monde

nouveau dont j'ignore totalement le rythme des saisons, se dit-elle à elle-même en regardant dans le vide par-delà la fenêtre. De l'autre côté de l'océan, pour un nouveau départ. Avec mon mari, Alasdhair.

Une chaleur désormais familière envahissait son ventre chaque fois qu'elle pensait à lui.

— Mon mari, murmura-t-elle de nouveau comme pour goûter ce mot sur sa langue.

Son visage s'adoucit, transformé par la tendresse. Les six semaines précédentes avaient beau avoir passé à une vitesse fulgurante — elle en gardait un souvenir vague, comme embrumé par l'activité constante et débridée qu'elle y avait déployée — entre la préparation de son trousseau et de l'impressionnante collection d'objets qu'une jeune mariée devait apporter en dot, l'organisation des noces proprement dites et les adieux qu'il fallait faire aux séjours familiers de son enfance.

Alasdhair, lui, avait passé le plus clair de son temps à traiter ses affaires à Glasgow, sans pour autant être absent une seule fois au temple — comme l'exigeaient la coutume et les prescriptions de l'Eglise — lors des trois dimanches suivant la publication des bans.

— Cela m'aide à ne pas me jeter sur toi avant nos noces, avait-il murmuré à son oreille avant de partir vers le sud, ce qui, pour Ailsa, faisait un piètre motif de consolation.

Elle avait terriblement envie de ses caresses et, malgré son impatience d'être enfin au jour dit et de savourer les célébrations de leur mariage, elle avait bien du mal à penser à autre chose qu'à leur première nuit d'amour en tant que mari et femme.

Un coup frappé à sa porte annonça l'arrivée de sa collation du matin. Madeleine et lady Munro, qui formaient désormais la plus inattendue des alliances, conspiraient pour faire en sorte qu'elle reste soigneusement cachée jusqu'au moment de partir à l'église.

Les invités arrivaient de partout depuis plusieurs jours déjà. Morna Ross avait de bonne grâce accepté l'invitation à assister aux épousailles de son fils, mais avait refusé en revanche d'être hébergée au château, préférant s'installer chez les Sinclair, où elle passait de longues heures avec son amie Mhairi à se souvenir du bon vieux temps et à s'informer des derniers commérages.

Le château était rempli jusqu'au moindre recoin de visiteurs, parmi lesquels nombre d'amis et de relations que lady Munro connaissait depuis son enfance, et dont ni Ailsa ni Calumn n'avaient jamais soupçonné l'existence.

Le mariage de sa fille, une visite trop longtemps différée à son fils Rory, qui n'avait pas laissé d'être très surpris de la chose, et à sa famille à Heronsay, de même que l'arrivée imminente d'un second premier-né dans la famille, avaient redonné à la veuve comme une nouvelle jeunesse.

Il eût été très exagéré de dire qu'elle était devenue une femme enjouée, mais on avait pu observer sur son visage l'ombre d'un sourire en de multiples occasions — au moins cinq en tout cas — et une fois, elle avait ri franchement, ce qui n'avait pas manqué d'étonner passablement les témoins de la scène.

Elle devenait graduellement plus douce, plus aimable, songea Ailsa en s'en émerveillant lorsqu'elle s'aperçut que sa mère, loin de tripoter ses cheveux comme à son habitude, voulait au lieu de cela lui donner simplement un baiser sur la joue. Elle fondait, finalement, comme un glaçon au faîte d'un toit sous les premiers rayons du soleil, au printemps.

Dans la matinée, Ailsa prit un bain et se lava les cheveux en essayant de se calmer un peu. Toutefois, le vacarme produit par le flot constant des invités et des domestiques montant et descendant les escaliers, les portes qui claquaient, le grincement des meubles qu'on déplaçait d'une pièce à l'autre et, par-dessus tout ça, comme un bruit de fond permanent, le murmure étouffé des conversations et des rires, la rendaient impatiente de voir la cérémonie commencer aussi tôt que possible.

La pendule semblait égrener les secondes de plus en plus lentement, les minutes semblaient devenir des heures. Quand elle commença finalement à s'habiller, elle avait l'impression d'avoir attendu pendant une éternité, seule dans sa chambre, ce moment inoubliable qu'allait être son mariage avec l'homme qu'elle aimait.

Madeleine et sa mère l'aidèrent à mettre la dernière main aux préparatifs. Elle était vêtue de bleu et argent, couleurs de la constance et de la fidélité, réparties en rayures symétriques sur sa robe, qu'elle portait par-dessus un jupon de soie bleu ciel. Des rubans argentés retenaient ses bas, des épingles d'argent ses cheveux et elle plaça une pièce du même métal dans sa chaussure gauche après avoir pris soin d'enfiler la droite la première.

Bien qu'elle ne fût pas spécialement superstitieuse d'ordinaire, ni encline à respecter servilement les traditions, elle ne voulait pas prendre le risque que quelque chose se passe mal, ni laisser quelque place que ce soit au hasard, au point qu'elle avait autorisé sa mère à placer un drap sur le miroir de sa chambre de peur d'y voir, par malheur comme par hasard, son reflet. Les perles, parce qu'elles ressemblaient à des larmes, étaient considérées comme des porte-malheur et par conséquent bannies, mais au moment où elles s'apprêtaient à partir, sa mère lui présenta un pendentif d'or absolument exquis de délicatesse et le lui accrocha autour du cou.

— Il appartenait à ma propre mère, expliqua-t-elle. Je l'ai porté moi-même le jour de mon premier mariage, quand j'ai épousé le père de Rory, mais pas lors du second.

Elle donna à Ailsa un autre baiser sur la joue — un deuxième en si peu de temps, c'était plus que du jamais vu — et alla même jusqu'à serrer celle-ci dans ses bras.

— Mon premier mariage a été heureux, et je suis sûre que le tien va l'être aussi.

— Merci, mère, répondit Ailsa en tâtant le bijou du bout des doigts, touchée jusqu'au tréfonds de l'âme.

— Et ceci est pour vous, de la part de Calumn et de moi-même, intervint Madeleine en passant un bracelet autour du poignet d'Ailsa. Les saphirs représentent la mer et les petits diamants le sable. Ainsi, vous n'oublierez pas Errin Mhor et votre famille.

— Vous allez me manquer.

— Tu seras bien trop occupée avec ta nouvelle vie pour t'inquiéter de nous, répondit lady Munro. De toute façon, j'ai largement de quoi m'occuper ici. D'abord, il y a Rory et sa famille dont je n'ai pas encore vraiment fait la connaissance, et puis Maddie, ici présente, qui va me donner un nouveau petit-fils, à moins que ce ne soit une nouvelle petite-fille.

Elle regarda sa belle-fille en souriant d'un air affable.

— Allons, allons, pas de larmes le jour de tes noces, s'exclama-t-elle en essuyant doucement les yeux d'Ailsa avec son mouchoir. Montre-toi un peu, et laisse-nous te regarder. Tu es parfaite.

Elle hocha la tête d'un air nonchalant, mais Ailsa ne put s'empêcher de remarquer qu'elle pressait discrètement le petit morceau d'étoffe sur ses paupières elle aussi.

Les deux femmes sortirent pour la laisser descendre l'escalier toute seule. Elle s'arrêta en haut de celui-ci pour contempler la grande salle, décorée pour l'occasion à l'aide d'innombrables morceaux de tulle et de bouquets de fleurs des champs accrochés un peu partout.

Calumn l'attendait au pied de l'escalier, portant la tenue de cérémonie traditionnelle des Highlanders, prêt à faire avec elle le chemin jusqu'à l'église dans laquelle tout le monde les attendait.

Elle prit son bras, en remerciant le ciel de sa présence rassurante, car elle commençait sérieusement à sentir ses jambes flageoler et son cœur battait la chamade. Elle n'arrivait plus à penser à autre chose qu'au fait que dans quelques minutes, elle se retrouverait au pied de l'autel. Alasdhair y serait, lui aussi, et le prêtre les unirait comme mari et femme, pour toujours. Faisant d'eux du même coup une nouvelle entité à partir de deux êtres différents.

Plus tard, elle ne se souviendrait plus d'avoir marché sur ce chemin qu'elle avait emprunté des milliers de fois. Les portes de l'église étaient grandes ouvertes. Ceux qui étaient arrivés trop tard pour trouver un siège s'agglutinaient près de l'entrée, sur les bords du chemin, dans le passage, souriant et criant leurs vœux de bonheur aux mariés, mais Ailsa ne voyait qu'une masse confuse.

— Es-tu certaine que tu veux aller jusqu'au bout ? s'enquit Calumn d'une voix douce.

Elle répondit d'un sourire si franc et si sûr qu'il éclata de rire et l'embrassa sur la joue.

— Le devoir m'oblige à te poser la question, mais je reconnais cet air sur ton visage, répondit-il en lui donnant le bras. Tu en es sûre, et pas qu'un peu, ça se voit.

— Comment me trouves-tu ? demanda-t-elle d'une voix nerveuse.

— Radieuse, petite sœur, et je suis diablement fier d'avoir l'honneur de te mener à l'autel. Quant à Alasdhair, c'est le plus heureux des hommes.

Il lui serra la main pour la rassurer.

— Allons viens, il est temps de te marier.

Et là-dessus, ils entrèrent lentement dans l'église.

Ailsa n'avait d'yeux que pour une seule personne. De toute façon, les choses se passaient toujours de la même façon : si Alasdhair était présent, il n'y avait que lui. Et pour le coup, il était là à l'attendre, comme il le lui avait promis.

Son visage arborait une expression touchante d'inquiétude mêlée d'impatience. Elle prit une longue inspiration et s'avança d'un pas confiant et gracieux jusqu'à lui, les yeux rivés sur les siens, les lèvres figées sur un demi-sourire — car il n'eût pas été convenable de sourire à pleines dents dans des circonstances aussi solennelles.

Comme Calumn, Alasdhair portait la grande tenue des Highlanders, composée entre autres d'un *plaid* tissé spécialement pour lui par Mhairi Sinclair. La boucle de sa ceinture, forgée par Hamish, portait les armes des

Ross. Son manteau taillé dans un tissu d'un bleu sombre, était plutôt court et bien ajusté sur son torse puissant et ses larges épaules. Son *filleadh mòr* était tenu par une épingle ouvragée en argent surmontée d'un gros saphir, dont une réplique plus petite scintillait au milieu de sa cravate. Il avait les cheveux lisses et soigneusement noués sur la nuque.

Son visage, son visage adoré, prit l'expression la plus douce et la plus tendre quand il regarda Ailsa faire ses derniers pas sous le nom de Munro. Quand elle arriva à sa hauteur, Alasdhair lui prit la main, posa un petit baiser sur sa paume et l'attira aussi près de lui que la décence et les traditions le permettaient.

Ils prononcèrent leurs vœux, non pas en regardant le prêtre, mais en se faisant face l'un à l'autre. Pour dire la vérité, l'homme d'église se sentit presque de trop tout du long et il fut grandement choqué pas le baiser qui suivit la conclusion de la cérémonie.

La coutume voulait que les mariés se donnent un petit baiser sur la joue. Quant à s'embrasser sur les lèvres, on tolérait un frôlement, mais rien de plus. Ce dont il fut le témoin, en revanche, dépassait les bornes. Disons, par discrétion, qu'il fut soulagé quand les vivats et les applaudissements de la foule rappelèrent opportunément aux mariés qu'ils se trouvaient dans un lieu saint.

Plus tard, on rapporta que jamais mariés n'avaient prononcé leur serment avec autant de sincérité, quoique certains affirmèrent qu'Ailsa aurait dû faire montre d'un peu plus de retenue, comme il sied à une femme. On dit aussi qu'il ne s'était jamais trouvé couple plus gracieux pour honorer de sa présence l'église d'Errin Mhor, ce qui fut âprement discuté par ceux qui avaient eu la chance d'assister au mariage de Calumn et Madeleine.

Certaines rumeurs firent état du fait que lady Munro aurait versé une larme à cette occasion, mais aucune preuve formelle de la chose ne fut jamais apportée par ceux qui s'en faisaient les tenants.

Personne, en revanche, ne discuta le charme touchant de la cérémonie et tous s'accordèrent pour proclamer qu'on ne pouvait douter un instant de l'amour radieux que les deux jeunes gens éprouvaient l'un pour l'autre.

Une fois la cérémonie officielle terminée, tout le monde, hormis les deux mariés eux-mêmes, attendit avec impatience que les festivités commencent au château d'Errin Mhor, aussi tôt du moins que l'étiquette le permettrait.

Calumn lança la chaussure, symbole de la responsabilité qu'il transmettait au marié de veiller sur sa sœur. Tout un chacun applaudit en criant à tue-tête et Ailsa et Alasdhair menèrent la longue et extrêmement bruyante procession jusqu'au château.

Là, ils présidèrent le banquet, forcés d'écouter moult discours dans lesquels on leur souhaitait bonheur et prospérité, en se tenant la main tout du long et en se sentant coupables d'avoir envie d'être enfin seuls.

— Je reconnais cet air sur le visage d'Ailsa, souffla Jessica Macleod, la femme de Rory, à l'oreille de Madeleine, en tournant les yeux vers sa nouvelle belle-sœur.

— Moi aussi, pouffa Madeleine. C'est la honte d'avoir envie de fuir son propre banquet de noces. Je me souviens très bien du mien… Combien de temps croyez-vous qu'ils attendront avant de tenter une sortie discrète ?

— Autant que vous-même en votre temps, répondit Jessica, taquine.

— Oh ! Je croyais que personne n'avait remarqué, affirma Madeleine en rougissant.

— Ne vous inquiétez pas, Rory et moi avons fait la même chose, répondit Jessica.

Elle hocha la tête en direction de lady Munro, qui surveillait toujours sa fille de son œil d'aigle.

— Si nous pouvions distraire notre belle-mère ne serait-ce qu'un instant, nous rendrions un fier service à Ailsa.

— Tina !

Une voix râpeuse venait de leur parvenir par-dessus la mêlée.

— Oh, mon Dieu, c'est Angus McAngus ! s'exclama Madeleine dès qu'elle eut repéré la masse de cheveux en bataille d'un roux délavé de l'intéressé, de l'autre côté de la pièce. Je ne l'ai pas vu depuis avant mon mariage, mais je me souviens très bien qu'il m'avait dit avoir eu le béguin pour lady Munro avant qu'elle n'épouse le père de Calumn.

Les deux femmes s'avancèrent discrètement, impatientes de voir comment leur belle-mère si collet monté réagirait devant l'homme qu'elles comptaient lui présenter.

Angus McAngus était un Celte typique, courtaud et mince. Il devait même faire quelques pouces de moins que lady Munro. Ses cheveux striés de blanc avaient la couleur de la rouille, mais il sembla à Madeleine qu'il avait fait un effort particulier en songeant à lady Munro, car bien qu'ils ressemblassent encore à un nid d'oiseaux, ils étaient coiffés, et sa barbe d'ordinaire broussailleuse avait été taillée. Avec une épée à deux mains sans doute, mais taillée tout de même.

— Christina ! éructa-t-il avec un sourire coquin. Tu n'as pas changé d'un pouce. Toujours aussi jolie. Tu es un vrai régal pour les yeux.

— Milord, répondit lady Munro en s'inclinant avec raideur devant McAngus.

— Allons donc. Tu m'as toujours appelé Gussie, comme moi je t'appelais Tina.

Madeleine et Jessica se regardèrent estomaquées.

— Cela fait bien longtemps qu'on ne m'a pas appelée Tina, répliqua Christina d'un ton glacial.

N'importe quel autre homme aurait lâché sa main et se serait confondu en excuses, mais McAngus était, semble-t-il, taillé dans un autre bois.

— C'est parce que tu n'as encore trouvé personne pour me remplacer dans ton cœur, gloussa-t-il. Ah, Tina, nous avons fait un sacré bout de chemin séparément, toi et moi, mais le destin t'a ramenée à moi, veuve, et enfin libre. Je ne mâcherai pas mes mots. Je suis bien seul et mon lit est froid. J'ai besoin de toi pour le réchauffer. Qu'en dis-tu ?

— Serait-ce une demande en mariage, Angus McAngus ? s'enquit lady Munro d'une voix aussi glacée que les bourrasques de janvier. Si c'est le cas, la réponse est non.

— Allons, allons, Tina, tu n'as pas assez réfléchi à la chose. Ta fille va bientôt te remplir la maison de marmots et avant qu'il soit longtemps, tu te retrouveras grand-mère et ta vie sera un désert. Je sais que ton homme était une fripouille à sang-froid. Que Dieu ait pitié de son âme. Ce qu'il te faut à présent, c'est vivre ta vie.

— Fadaises ! Je suis bien trop vieille pour penser à me marier. Et toi aussi, Angus.

L'autre gloussa de plus belle.

— Tu es dans la fleur de l'âge, au contraire, Tina, et quant à moi, tu sais ce que dit le proverbe.

Le vieux *laird* tapota son *sporran*, un sourire lubrique sur les lèvres.

— Plus le cerf est vieux, plus la corne est dure.

Jessica parvint à étouffer le rire ébahi qui montait dans sa gorge, mais Madeleine n'y parvint pas, même si elle essaya sans grand succès de maquiller ses gloussements en une quinte de toux.

Son époux plaqua la main sur sa bouche et la chaleur familière qu'elle sentit sur ses lèvres eut pour effet immédiat de la détourner de la scène qui se jouait devant eux. En fait, elle aurait volontiers profité de l'embarras de lady Munro pour entraîner son mari avec elle à l'étage, car elle le trouvait parfaitement irrésistible quand il portait le *plaid,* sans compter qu'ils n'avaient pas été seuls depuis ce qui semblait des jours, à cause des préparatifs du mariage et…

Mais Calumn refusa de se laisser tirer par la manche.

— Plus tard, mon amour. Nous ne pouvons pas tous nous esquiver de la sorte, et puis, malgré le désir que j'en ai, je pense qu'il serait juste de laisser Alasdhair et Ailsa partir les premiers. C'est leur mariage après tout.

Pendant qu'il parlait, Madeleine remarqua du coin de l'œil le couple des mariés quittant sans se faire remarquer la grande salle par une porte dérobée.

— Notre propre nuit de noces, vous vous souvenez ? murmura-t-elle à l'oreille de Calumn en se dressant sur la pointe des pieds.

Il passa un bras autour de la taille de sa femme et posa la main sur son ventre rebondi.

— Je vous aime, Madeleine Munro.

— Moi aussi, mon *laird*, moi aussi je vous aime.

— Peut-être pourrions-nous juste…

Juste à cet instant, le claquement sonore de la main de lady Munro frappant la joue d'Angus McAngus les fit tous se retourner comme un seul homme. Il y eut un silence stupéfait, puis McAngus éclata de rire.

— J'ai dans l'idée de te débarrasser de ta mère, Munro, lança-t-il à l'adresse de Calumn, ajoutant avec un clin d'œil égrillard : c'est dans les vieux cuirs qu'on fait les meilleures selles.

Ils avaient choisi de passer leur nuit de noces dans l'intimité toute relative d'une maison attenante aux écuries, que Calumn faisait rénover pour y loger l'intendante des jardins de Madeleine, une Française qui n'était pas encore arrivée de sa Bretagne natale.

C'était une demeure très simple, avec deux chambres séparées par une cloison de bois, mais Calumn y avait fait installer une cheminée et vitrer les deux petites fenêtres. Le feu était allumé quand ils arrivèrent et une petite lampe à huile donnait un peu de lumière. Ailsa pensa que ce devait être une délicate attention de Madeleine. Elle avait remarqué le clin d'œil complice de sa belle-sœur au moment où elle s'esquivait avec Alasdhair.

Ailsa était nerveuse. Alors qu'elle se tournait vers son mari pour se rassurer un peu, il la souleva et la porta par-dessus le seuil de la maison en riant. Il ferma du pied la porte et se dirigea directement vers la chambre à coucher. La lampe et le feu projetaient dans la pièce une lumière orangée et chaude.

Il y avait des fleurs partout. Madeleine devait avoir écumé tous les environs d'Errin Mhor pour en trouver de telles quantités. Même les couvertures du lit sur lequel Alasdhair la déposa étaient couvertes de pétales. Ailsa ne doutait pas un instant de trouver en dessous une petite branche de saule, que l'on cachait classiquement dans le lit pour assurer la fertilité au jeune couple. Les femmes du village, Shona MacBrayne en tête, lui avaient déjà offert la poupée de chiffons et le pot de sel traditionnels, qui étaient réputés avoir le même effet.

Allongée sur le lit, elle regarda Alasdhair dégrafer l'épingle qui retenait son *filleadh mòr* et se défaire rapidement de ses bottes et de ses hauts-de-chausses. C'étaient là des gestes tout à fait anodins, mais à la fois terriblement intimes. Ils étaient mari et femme. Elle n'arrivait pas à le croire. Quand il se tourna vers elle et lui sourit, de ce sourire qui donnait à ses yeux la couleur de la fumée de tourbe, elle se sentit fondre à l'intérieur.

— Je t'aime, Ailsa Ross, souffla-t-il en la rejoignant sur le lit.

— Et moi aussi je t'aime, de tout mon cœur, répondit-elle en écho.

— Ces dernières années sans toi m'ont semblé des siècles, affirma-t-il en ôtant une par une les innombrables épingles qui avaient miraculeusement retenu les cheveux d'Ailsa toute la journée. Tu n'as pas idée de combien j'ai attendu ce moment.

— Oh, mais si, répondit-elle avec un sourire timide. Si, je m'en doute.

Il passa les doigts dans ses cheveux pour les faire

retomber sur son dos, puis prit son visage entre ses mains. Quand elle souleva la tête vers lui, il l'embrassa. Une douce chaleur se répandit alors dans ses veines comme un flot de soleil liquide. En soupirant, elle lui rendit son baiser et se laissa aller entre ses bras. Si forts. Si familiers. Ses bras qui la tiendraient serrée et la protégeraient pour le restant de ses jours.

— Fais-moi l'amour, Alasdhair, souffla-t-elle en passant les bras autour de son cou et en l'attirant contre elle.

— J'en ai bien l'intention, répondit-il.

Ce qu'il fit, en commençant par lui ôter ses vêtements un à un et en posant des baisers sur chaque pouce de peau qu'il découvrait, jusqu'à ce qu'elle finisse par se sentir totalement embrasée. Ses bas furent les derniers à glisser sur sa chair et quand ils eurent rejoint le reste de ses atours sur le sol, elle gisait, totalement nue, follement excitée, exaltée par la façon dont les yeux d'Alasdhair la dévoraient.

— Tu es si belle, murmura-t-il. Je ne peux pas croire que tu es mienne.

Il gisait sur le côté et lui caressait doucement les seins, le ventre. Sa main glissa sur les cuisses fuselées d'Ailsa, puis s'aventura plus haut, là où elle se consumait, avant de remonter en une esquive insoutenable et de la caresser et la caresser encore jusqu'à ce qu'elle ne soit plus qu'une pelote de nerfs à vif réclamant d'être soulagés, une boule de feu exigeant d'être éteinte. Elle n'arrivait pas à comprendre comment elle avait pu prier le ciel de lui ôter ses formes, pas quand il la regardait de cette façon. Pas quand il la touchait de cette façon. Elles étaient faites pour lui. Pour son plaisir.

Elle gémit de plaisir quand il glissa de nouveau ses doigts entre ses cuisses et, lui saisissant le poignet :

— Déshabille-toi, Alasdhair, je veux te voir nu moi aussi, souffla-t-elle.

Il sourit et se débarrassa de ses vêtements bien plus vite qu'elle n'aurait pu le faire elle-même. Quand il fut entièrement nu devant elle, elle s'assit sur le lit, le souffle coupé par sa mâle beauté. Elle avait la tête à hauteur de son ventre et elle voulait le caresser comme il l'avait fait. Découvrir son corps comme il découvrait le sien. Partager.

Elle se dressa sur le lit et tendit la main vers lui, frôlant avec audace ses fesses et ses flancs du bout des doigts, puis la peau plus fine de ses cuisses et, enfin, son sexe dressé.

Alasdhair gémit sourdement.

— Montre-moi, murmura-t-elle.

— Tu me tortures, Ailsa, répondit-il en tordant la bouche, mais il ne pouvait plus résister tant sa main brûlante sur lui le rendait fou.

Au point qu'il ne pouvait plus penser à rien d'autre qu'à faire ce qu'elle lui demandait.

Sans qu'elle s'y attende, il la prit par la taille et l'entraîna avec lui sur le lit, de sorte qu'elle était sur lui à présent, ses seins gonflés palpitant de plaisir chaque fois que leurs pointes dressées labouraient la peau de son amant.

Il gémit de nouveau, à moitié assis pour pouvoir l'embrasser et perdre ses doigts dans la cascade de cheveux d'or qui se déployait autour d'elle avant de l'attirer plus près encore et de s'emparer de sa bouche en prenant son temps, les menant tous deux vers une incandescence de plus en plus insupportable. Ils avaient le reste de leur vie pour se savourer mutuellement, mais à présent, il avait envie d'être en elle. Il essaya de la faire rouler sur le dos, mais elle avait d'autres idées en tête.

Elle se déroba à son étreinte et glissa le long de son corps, peau contre peau, pour s'agenouiller entre ses jambes et repaître ses yeux du spectacle de son membre. De sa forme, de sa longueur, de son poids. Emerveillée, elle le toucha, laissant courir ses doigts sur lui, le caressant doucement avant de le prendre dans sa main, chaque geste attirant plus de sang en lui à tel point qu'il se demandait s'il pourrait supporter cela bien longtemps avant d'exploser.

Elle enroula ses doigts fermement autour de lui et commença à le caresser. Alasdhair se mit à soupirer plus fort en donnant des coups de reins. Elle se souvenait d'avoir eu cette réaction quand il la touchait et accentua sa caresse, terriblement excitée de constater le plaisir qu'elle pouvait lui procurer et savourant de le sentir palpiter dans le creux de sa main. Elle le caressa encore, puis se pencha sur lui pour le toucher du bout de la langue. Il avait un goût brûlant et enivrant à la fois. Elle avait envie de le sentir en elle. Mais elle voulait aussi continuer à le toucher. Elle voulait les deux à la fois.

Emu par le plaisir et la concentration qu'il lisait sur le visage d'Ailsa, émerveillé de constater à quel point cela l'émouvait de le toucher, malgré la totale inexpérience qu'elle avait de la chose, Alasdhair se sentait plus excité qu'il ne l'avait jamais été de sa vie. Mais il avait besoin d'être en elle, de toute urgence. Il l'attira contre lui de sorte que son sexe vînt se nicher naturellement entre les jambes de sa femme.

Ailsa se tordit de plaisir. Quand elle se pencha pour l'embrasser, il agrippa ses fesses et la fit basculer légèrement de telle sorte que son membre vint la caresser furtivement avant de glisser en elle. Elle l'embrassa avec fougue en même temps qu'il la remplissait et, presque aussitôt, elle sentit la tension monter en elle comme se tend un ressort.

Il l'embrassait avec fougue, avec passion. Fort. Puis il la fit se redresser au-dessus de lui, de sorte que son sexe pénétra d'un coup plus profondément en elle. Désormais, quand elle bougeait, le ventre d'Alasdhair frottait contre le bouton frémissant niché à l'orée de son sexe. Encouragée par lui, elle se souleva puis se laissa retomber sur lui en fermant les yeux, se projetant ensuite vers l'avant en gémissant de plaisir.

Alasdhair glissa la main entre eux pour la caresser et il suffit d'un seul frôlement de ses doigts pour qu'elle lâche prise et soit emportée dans un tourbillon insensé, la tête rejetée en arrière, balbutiant son nom d'une voix chavirée. D'un coup, il s'agrippa à elle comme un noyé et elle le sentit se cabrer follement, pour finalement exploser incroyablement fort en elle en poussant des soupirs qui faisaient écho aux siens. Elle l'entendit répéter son nom, puis s'effondra sur sa poitrine trempée de sueur, s'agrippant à lui à son tour, émerveillée par le fait de savoir enfin ce que c'était que de ne faire plus qu'un avec un homme.

C'était faire montre d'une impolitesse et d'une ingratitude insignes envers leurs invités, sans doute, mais ils n'avaient vraiment aucune envie de retourner prendre part à la fête. Blottis dans les bras l'un de l'autre, ils n'avaient qu'une envie : rester ainsi pour l'éternité. Ce fut Alasdhair qui bougea le premier, embrassant Ailsa sur la tête avant de la forcer doucement à se redresser sur le lit.

— Nous avons le reste de notre vie pour être ensemble, affirma-t-il quand elle protesta. Nous devrions vraiment retourner là-bas.

Ils se rhabillèrent lentement, en s'embrassant et en se caressant encore et en se murmurant des choses tendres. Tandis qu'elle bataillait avec les lacets de sa robe, Alasdhair se pencha sur elle pour épingler une broche juste au-dessus de son sein droit. C'était une Luckenbooth d'or figurant deux cœurs entrelacés, surmontés d'un chardon et d'une couronne.

— C'est un cadeau, pour marquer le jour de notre mariage, annonça-t-il en l'embrassant dans le cou. Je vous adore, madame Ross. Je t'ai dit que nous étions naïfs, il y a six ans, et que l'amour ne changeait rien dans le monde réel, mais je me trompais, parce que l'amour change tout. En tout cas, il m'a changé, moi, entièrement.

— Et moi aussi, approuva Ailsa avec un beau sourire. J'aime que tu m'appelles madame Ross. C'est tellement agréable à l'oreille.

— Ça me plaît à moi aussi, renchérit Alasdhair en l'enveloppant de ses bras et en l'embrassant avec fougue. Vous avez fait de moi le plus heureux des hommes, Ailsa Ross.

— Alors, nous sommes un couple parfaitement assorti, répondit-elle en frottant sa joue contre la poitrine de son homme et en s'enivrant de son odeur, qui semblait flotter sur lui à cet endroit précis. Parce que, moi, je suis la plus heureuse des femmes.

— En ce cas, nous devrions retourner au banquet et nous attacher à répandre ce bonheur autour de nous.

Ce qu'ils firent. Finalement.

Un jour, et pour toujours. C'était un serment solennel. L'éternité commençait ce jour-là.

À découvrir ce mois-ci

6 nouveaux romans dans la collection

Les Historiques

LA PROMESSE DU HIGHLANDER
de Marguerite Kaye - n°572
Ecosse, 1748. Et si, après toutes ces années, il était de retour pour la reconquérir ?... Alors qu'elle observe Alasdhair, son séduisant Highlander, au milieu du groupe de convives, Ailsa se sent défaillir. Combien de fois a-t-elle rêvé de ces retrouvailles depuis la disparition d'Alasdhair, six ans plus tôt ? Combien de fois a-t-elle imaginé qu'il reviendrait lui expliquer les raisons de son départ ? Aujourd'hui, Ailsa croyait avoir renoncé à ses rêves de jeune fille. Trop d'années se sont écoulées, trop de mensonges ont été prononcés. Et puis, elle est promise à un laird, un homme de son rang. Pourtant, elle ne peut ignorer la lueur d'espoir qui s'allume en elle lorsqu'elle croise le regard de feu de l'irrésistible Alasdhair…

AMOUREUSE D'UN VIKING
de Joanna Fulford - n°573
Angleterre, 995. Depuis la disparition de son époux, Anwyn ne cesse de repousser les avances du cruel Ingvar, qui rêve de mettre la main sur ses terres. Pour elle, il n'est pas question de subir un autre mariage forcé ni d'imposer l'autorité d'un tyran à son fils ! Hélas, comment résister à l'assaut d'Ingvar avec si peu d'hommes au château ? Il faut trouver des renforts… Aussi Anwyn voit comme un signe l'arrivée d'une bande de Vikings sur son domaine : si elle parvient à faire de ces barbares ses alliés, alors – enfin ! – elle pourra vivre en paix avec son enfant. Et qu'importe le prix que ce pacte lui coûtera ! Du moins le croit-elle. Jusqu'à ce qu'elle se retrouve face au chef des Vikings, un homme ténébreux au captivant regard azur…

UNION SOUS CONTRAT

de Deborah Hale - n°574

Angleterre, 1824. Pour protéger son neveu orphelin, Artemis est prête à tout, y compris à affronter le puissant Hadrian Northmore, qui réclame la garde de l'enfant. Il a beau être l'oncle du petit, Artemis refuse de lui abandonner son neveu bien-aimé. Car les Northmore ont prouvé qu'ils étaient indignes de confiance ! N'est-ce pas le frère débauché de Hadrian qui a séduit sa sœur cadette ? Mais alors qu'Artemis se prépare à une violente confrontation, l'arrogant Hadrian lui propose une troublante solution : si elle veut élever son neveu, elle devra accepter de l'épouser…

UN ÉPOUX POUR ELLA

de Cheryl St John - n°575

Wyoming, 1783. Jamais Ella n'aurait dû répondre à cette petite annonce ! Certes, dans sa situation, cette offre était l'occasion rêvée de prendre un nouveau départ, le genre d'opportunité qui se présente une seule fois dans une vie. Et puis, en acceptant de se marier avec un parfait inconnu, elle n'avait pas imaginé qu'elle tomberait sous le charme de son époux dès leur première rencontre… ni même qu'elle éprouverait pour lui un désir aussi immédiat qu'incontrôlable. A présent, déchirée entre ses sentiments pour Nathan et la nécessité de dissimuler sa véritable identité, Ella est complètement désemparée. Car, elle le sait, s'il vient à découvrir son sulfureux passé, Nathan ne lui pardonnera jamais de lui avoir menti…

LE BAL DE L'HIVER

de Annie Burrows - n°576

Angleterre, Régence. Depuis son arrivée à Alvanley Hall, où le comte de Bridgemere donne son traditionnel bal de Noël, Helen ne décolère pas. Pour qui se prend le comte, à traiter si mal ses invités ? Et comment ose-t-il loger sa propre tante dans une tour glaciale du château, sans se soucier de la santé de cette vieille dame ? Helen savait son hôte austère, mais pas à ce point de grossièreté !. Aussi, déterminée à expliquer à ce rustre sa façon de voir les choses, Helen n'hésite pas : elle exige un rendez-vous avec Sa Seigneurie. Mais alors qu'elle se préparait à rencontrer un homme aigri et méprisant, elle a la surprise de découvrir un gentleman infiniment séduisant…

FILLE DE ROI

de Tori Phillips - n°577

Angleterre, 1497. En secret, sir Brampton, tuteur de la jeune Alicia Broom, vient demander à sir Cavendish d'accepter un mariage entre sa pupille et l'un de ses trois fils. Alicia, lui explique-t-il, a besoin de protection, car elle n'est autre que la fille naturelle du roi déchu et serait menacée de mort si le nouveau roi découvrait son existence. Aussitôt, le pacte est conclu : sir Cavendish porte son choix sur son benjamin, Thomas, un adolescent taciturne et solitaire. Puis dix longues années s'écoulent, durant lesquelles Thomas, devenu comte de Thornbury, oublie jusqu'à l'existence d'Alicia. Jusqu'à ce jour où une jeune femme se présente au château et affirme être sa promise…

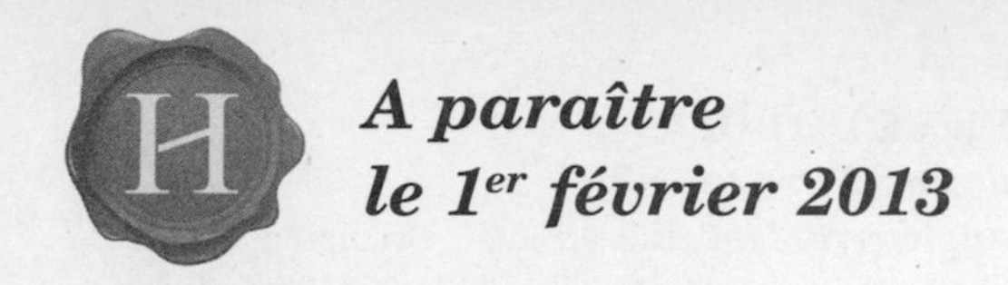

A paraître le 1er février 2013

SCANDALEUSE NUIT D'HIVER
de Sophia James - n°578

Angleterre, 1826. Alors qu'une terrible tempête fait rage, la diligence qui emporte Bea loin de sa campagne natale se renverse, la laissant à la merci des éléments déchaînés. Effrayée, elle cède bientôt à la panique. Sur cette route isolée, à cette heure avancée, elle n'a, hélas, aucune chance d'être secourue. Elle se croit perdue quand le troublant inconnu qui voyageait avec elle lui propose de l'accompagner jusqu'au prochain village pour demander de l'aide. Mais à peine ont-ils pris la route que la tempête les oblige à se réfugier dans une ferme abandonnée. Et voilà Bea en tête à tête pour toute la nuit avec ce séduisant étranger qui, dès le premier regard, a fait battre son cœur beaucoup plus fort que de raison…

LA MAÎTRESSE INTERDITE
de Margaret Moore - n°579

Angleterre, 1222. Madeline de Montmorency est morte de peur : le convoi qui la conduisait chez son fiancé vient d'être attaqué par des voleurs. Certes, cet incident est peut-être son unique chance d'échapper à l'union que son frère voudrait lui imposer, mais qui sait quel sort ces hommes vont lui réserver ? Soudain, alors qu'elle craint pour sa vie, un ténébreux guerrier surgit de nulle part, et met les voleurs en fuite, avant de disparaître sans un mot. Trop intriguée, Madeline s'élance à sa poursuite et exige qu'il l'escorte jusque chez elle. Loin d'imaginer qu'elle vient ainsi, bien involontairement, de placer sa vie entre les mains d'un ennemi de son peuple…

FIANCÉE À UN INCONNU
de Deborah Hale - n°580

Singapour 1825. Alors que son voyage touche à sa fin, Bethan Conway est soudain assaillie par le doute. Comment a-t-elle pu partir pour l'autre bout du monde sur un tel coup de tête ? Même si épouser Simon Grimshaw, richissime homme d'affaires de Singapour, lui semblait être son unique chance de se rendre en Asie, où son frère a disparu depuis des mois ! A présent, Bethan appréhende la rencontre avec son futur époux. Et bientôt, à ses craintes s'ajoute un trouble immense : car loin d'être le vieil homme bedonnant et influençable qu'elle imaginait, Grimshaw est un gentleman, et respire la séduction et la virilité. Un homme, un vrai, auquel elle ne pourra ni dissimuler bien longtemps les véritables raisons de son voyage à Singapour… ni imposer une union platonique…

LE SECRET DE CARINA

de Pam Crooks - n°581

TEXAS, 1885. Rebelle et indépendante, Carina Lockett a pris la tête du ranch familial. Une audace très mal vue dans le monde où elle vit, un monde d'hommes. Et Carina s'en moque ! De toute façon, elle n'a pas vraiment eu le choix : le ranch était son unique moyen de subvenir seule aux besoins de sa fille, Callie, et de lui assurer un avenir. Mais alors qu'elle croit avoir surmonté le pire, elle doit affronter une terrible épreuve, dont elle ne peut se sortir seule : sa fille est enlevée sous ses yeux. Prête à tout pour sauver la chair de sa chair, Carina cherche qui elle peut supplier de l'escorter jusqu'à Dodge city afin qu'elle réunisse l'argent de la rançon… Tout de même pas le ténébreux Penn McLure ?

LE RETOUR DE L'ECOSSAIS

de Joanne Rock - n°582

Ecosse, 1072. Lui ? Cristiana n'en revient pas. Par cette pluie battante, elle accorderait l'hospitalité à n'importe qui, même à un parfait étranger – mais à Duncan de Culcanon ? Que revient-il faire au château de Domhnaill après avoir trahi et rompu leurs fiançailles cinq ans plus tôt ? Ouvrir les portes de la forteresse à l'ombrageux guerrier, franchement, elle hésite... Non, bien sûr, que son hésitation ait quoi que ce soit à voir avec ses sentiments pour lui : il y a bien longtemps que Cristiana a chassé de ses pensées cet arrogant Ecossais. Ce qu'elle redoute, croit-elle, c'est d'exposer le précieux secret des Domhnaill et de mettre en péril toute sa famille…

LA SAGA DES O'NEIL

de Ruth Langan - n°583

Ecosse, 1560. Depuis que les Anglais ont bafoué son honneur, Rory ne vit que pour se venger. Aussi est-il devenu le chef incontesté des rebelles irlandais, ennemis jurés de la couronne. Désormais, il n'a qu'un seul but : affaiblir les troupes de la reine Elizabeth, même s'il doit pour cela affronter toutes les polices du royaume. Mais après des mois de cavale, Rory finit par tomber sur le champ de bataille lors d'un violent assaut. Gravement blessé, il doit prendre le risque immense de trouver refuge en terre ennemie… et de cacher sa véritable identité à la dame du château, une ravissante et jeune Anglaise…

A paraître le 1er janvier

Best-Sellers n°549 • historique

La rebelle irlandaise - Susan Wiggs

Irlande, 1658.

Lorsque John Wesley s'éveille sous un soleil brûlant, sur le pont d'un bateau voguant au beau milieu de la mer, il peine à croire qu'il est vivant. Autour de son cou, il sent encore la brûlure de la corde… Il aurait dû être exécuté pour trahison, pourquoi l'a-t-on épargné ? C'est alors qu'une voix s'élève au-dessus du vacarme des flots : Cromwell, l'homme qui a ordonné son exécution avant de lui offrir un sursis inespéré... Aussitôt, John comprend que son salut ne lui a pas été accordé sans conditions : s'il veut rester en vie et récupérer sa fille de trois ans que Cromwell retient en otage, il doit se rendre en Irlande et infiltrer un clan de rebelles pour livrer leur chef aux Anglais. Une mission simple en apparence, à condition de ne pas tomber sous le charme de la maîtresse des rebelles, la ravissante Catlin MacBride…

Best-Sellers n°550 • historique

Les amants ennemis - Brenda Joyce

Cornouailles, 1793

Fervente opposante à la monarchie, Julianne suit avec passion la tempête révolutionnaire qui s'est abattue sur la France. Et de son Angleterre natale, où les privilèges font loi, elle désespère de voir la société évoluer un jour. Aussi se réjouit-elle quand, au beau milieu de la nuit, un Français blessé débarque au manoir familial de Greystone et lui demande son aide. Julianne ne tient-elle pas là l'occasion rêvée d'apporter sa modeste contribution au mouvement qu'elle soutient ? Et puis, elle rêve d'en apprendre davantage sur le fascinant étranger qui l'a envoûtée dès le premier regard. Mais Julianne est loin de se douter que l'arrivée du mystérieux Français à Greystone ne doit rien au hasard…

Composé et édité par les

éditions HARLEQUIN

Achevé d'imprimer en France (Malesherbes)
par Maury-Imprimeur
en novembre 2012

Dépôt légal en décembre 2012
N° d'imprimeur : 176643